LOS ESPAÑOLES DE HOY

John Hooper

LOS ESPAÑOLES DE HOY

javier vergara editor
Buenos Aires/Madrid/México/Santiago de Chile

Título original
THE SPANIARDS
A PORTRAIT OF THE NEW SPAIN

Edición original
Penguin Books

Traducción
Aníbal Leal

Depósito legal: M. 36.543-1987
ISBN: 84-7417-081-8

Impreso por:
Jacaryan, S. A.
Avda. Pedro Díez, 3 - 28019 Madrid
PRINTED IN SPAIN

Para Lucy

INDICE

PRIMERA PARTE: LA CREACION DE LA NUEVA ESPAÑA

1 El cambio económico y social: de los "años de hambre" a los "años de desarrollo".
El predominio falangista - los años de hambre - las ciudades sitiadas - la llegada de los tecnócratas - los años de desarrollo - España se hace más europea - la migración interna durante los años 60 - legados políticos y económicos del auge.

2 El cambio político: de la dictadura a la democracia.
Un desafío apropiado para un rey - la caída de Arias - Suárez en el poder - el nacimiento de la UCD - las elecciones de 1977 - el gobierno a través del compromiso - la Constitución - el centro se desintegra - un golpe de opereta - la España socialista.

SEGUNDA PARTE: UNA SOCIEDAD CAMBIANTE

3. Una monarquía modesta.
La Casa Real - actitud española frente a la realeza - los Borbones - "una monarquía sin monarca" - la crianza de Juan Carlos - la lucha por la sucesión - la Operación Lucero - la curación de la división carlista - Juan Carlos como hombre - Sofía como mujer - el papel político de la Corona - el monarca como comandante en jefe.

4. El ejército: ¿Amigo o enemigo?
Los poderes fácticos - el legado de la época de los pronunciamientos - el ejército de Franco - el "malentendido" de Suárez con los generales - actitudes centristas y socialistas frente al ejército - las reformas de "Guti" - Serra ataca el nervio de la cuestión - España y la OTAN.

RECONOCIMIENTOS

Si después de la muerte del general Franco, Peter Preston, editor del *Guardian*, no hubiera aceptado que yo asumiese la cobertura de un diario en España y Portugal en un momento particularmente delicado de la historia de ambos países, y si dos sucesivos encargados de noticias extranjeras del *Guardian*, Ian Wright y Campbell Page, no me hubiesen alentado a equilibrar la información noticiosa cotidiana con un examen periódico de los aspectos sociales de la transformación de España, yo no habría estado en condiciones de contemplar la creación de esta obra.

Una serie de colegas periodistas de Madrid, tanto españoles como extranjeros, me ayudaron a alcanzar una comprensión más cabal del país, pero sobre todo dos, Kees van Bemmellent, de *De Telegraaf* y Marta Ruiz, en ese momento de *Pueblo* – representaron un papel fundamental ya que me abrieron los ojos a los efectos que los cambios políticos estaban determinando en la vida de los españoles. También tuve la suerte de hallarme en Madrid al mismo tiempo que residía allí un agregado militar británico desusadamente indagador y sagaz, el mayor Bernard Tanter. Le debo gran parte de mi interés por el ejército español y del conocimiento que tengo de esa institución.

En 1978 George Lewinsky, entonces productor del Buró de Londres de la CBC, me encargó que produjese un documental de una hora acerca de los aspectos no políticos de la transición de España. La experiencia que acumulé durante la elaboración de ese programa fue el factor que, más que otro cualquiera, me convenció de que tenía material para un libro completo acerca del tema. De todos modos, casi seguramente nunca lo habría escrito, de no ser por el aliento que recibí de mi primer representante, Aubrey Davies de Hughes Massie.

He contraído una importante deuda con José Antonio López de Letona, consejero de Información y Prensa, y con Amado Jiménez Precioso, ex agregado de Información y Prensa de la embajada de España en Londres, así como con Ramón Cercós y Dionisio Garzón, de la Presidencia del Gobierno en Madrid, que organizaron un amplio itinerario de entrevistas para mí cuando visité España con el fin de actualizar mi material.

Con la generosidad de espíritu que es tan característica de los españoles, muchos funcionarios, periodistas y otros, consagraron su tiempo con el fin de ayudarme a lograr una comprensión más lúcida de la sociedad española. Desearía mencionar sobre todo a Francisco Velázquez, de la oficina del Primer Ministro; a Anselmo Calleja del Ministerio de Economía y Hacienda; a Alvaro Espina Montero, del Ministerio de Trabajo y Seguridad Social; a Joaquín Arango del Ministerio de Educación y Ciencia; a Pedro González Gutiérrez-Barquín del Ministerio de Justicia; a Francisco Sosa Wagner del Ministerio para las Administraciones Públicas; a Rafael del Río, director general de Policía; a José Luis González Haba, director general del Instituto para la Promoción Pública de la Vivienda; a Francisco García de Valdecasas, de la Asociación Nacional de Promotores Constructores de Edificios; a Emilio García Horcajo, segundo teniente alcalde de Madrid; a Jorge Tinas Gálvez, director de la Delegación del Medio Ambiente del Ayuntamiento de Madrid; al padre Pedro Miguel Lamet, director de *Vida Nueva*; a Juan Cruz, director artístico, y a Antonio Gómez, crítico de rock de *El País*; a Rafael Borrás de *Planeta*; a Pere Gimferrer, de *Seix Barral*; a Luis Antonio de Villena, y Lluis Pascual, director del Centro Dramático Nacional.

Bill Lyons, de *El País*, quien seguramente es el único norteamericano que escribe regularmente para un periódico español acerca de la propia *fiesta nacional* de los españoles, tuvo la bondad de examinar el capítulo acerca de las corridas de toros.

Gran parte del material anecdótico del capítulo XV proviene de la obra *Cuarenta años sin sexo*, de Feliciano Blázquez, Sedmay Ediciones, Madrid, 1977.

El pasaje del *Assaig de cèntic al temple* de Salvador Espriu está reproducido por gentileza de Ediciones 62, Barcelona.

El doctor Don Tills del Museo de Historia Natural de Londres, y el profesor Antonio Tovar de la Universidad de Salamanca me suministraron una ayuda de inestimable valor en la preparación del capítulo acerca de los vascos y la profesora Ana Moll, directora de Política Lingüística de la Generalitat, me ayudó a develar las complicaciones de los dialectos catalanes.

INTRODUCCION

Permítaseme comenzar señalando de qué *no* trata este libro. Con excepción de los dos primeros capítulos que describen los hechos y las tendencias que convirtieron a España en la nación que hoy es, esta no es una obra acerca de política o economía. Tampoco se ocupa del mundo político económico de las relaciones industriales. Hay en España muchos corresponsales extranjeros experimentados, y ellos asumen la tarea de informar acerca de tales temas, de modo que no es mi intención duplicar los esfuerzos que realizan. El propósito de este libro es trazar un cuadro de la sociedad que ha ido formándose en España desde la muerte del general Franco. Mi trabajo explica, entre otras cosas, el nivel de eficacia con el cual el Estado educa, alberga y cuida a los españoles; cuántos van a misa el domingo; qué ha venido sucediendo en el campo de las artes y la prensa desde el fin de la dictadura; de qué modo funciona el nuevo sistema de gobierno interior de España, y hasta qué punto ha sobrevenido un cambio en las costumbres y las actitudes sexuales.

En diferentes sentidos, España es la más y la menos conocida de las grandes naciones europeas. Todos los años más de cuarenta millones de personas viajan a ese país. Sin embargo, la gran mayoría de ellas pasa sus vacaciones y reside todo o casi todo el tiempo en playas de la costa, las cuales exhiben un ambiente bastante atípico si se lo compara con el del resto del país. Salvo un puñado de visitantes, ese caudal humano vuela directamente a las costas y regresa desde ellas (nos referimos a las islas Baleares y

Canarias) y jamás llega siquiera a ver a la España cotidiana del español común.

Si el extranjero medio alcanza a recoger una imagen del país que está detrás de las costas, esta es la que corresponde a la meseta, la dilatada y árida llanura que ocupa el centro de la península. Sin embargo, España no es un país monótono, ni nada parecido. Es, sobre todo, un país de inmensas variaciones climatológicas y de paisaje.

Galicia, la región situada en el extremo noroeste, que se extiende al norte de Portugal, ofrece un panorama tan húmedo, fértil y melancólicamente bello como el oeste de Irlanda. Los colores que prevalecen allí son el verde de su vegetación y el gris de su granito. Como en Bretaña e Irlanda, allí llueve mucho y gran parte del agua retorna al mar fluyendo a lo largo de valles que han descendido en el curso de milenios, hasta el extremo de que el final, orientado hacia el mar se ha hundido bajo el nivel del océano, dejando solamente los costados del valle visibles en la forma de grandes promontorios. Estos valles semisumergidos o rías son una fuente abundante de mariscos: cangrejos, langostas, ostras y, sobre todo, las almejas que los peregrinos que viajaban a Santiago de Compostela en los tiempos medievales adoptaron como emblema. El plato de almejas cocidas con puré de patatas y queso rallado, conocido en el mundo entero como *Coquilles Saint Jacques* es originariamente un manjar gallego copiado por los franceses.

Siguiendo a lo largo de la costa, Asturias, con su campiña agreste y las minas de carbón, se parece más a Gales del sur que a otra región cualquiera del Mediterráneo. A continuación, la región cantábrica tiene altos picos con aldeas en los pasos, y allí se encuentran las famosas pinturas rupestres de Altamira. Gran parte de la explotación de la tierra es pastoril, y el sonido de los cencerros nunca se aleja mucho del visitante. Casi podría decirse que uno está en Suiza.

El país vasco también tiene una fisonomía alpina. La típica casa de campo vasca con sus anchos aleros casi no puede distinguirse de un chalet suizo. Pero si Suiza es montañosa, la región vasca –aunque descripta a menudo en la prensa y en otros escritos como "montañosa"– es una zona irregular, de picos cortados y colinas de cumbre lisa, que se elevan sobre los valles entre ellos. En la mayoría de las zonas, la campiña tiene un matiz peculiarmente intenso de verde. Un verde tan oscuro que a veces parece antinatural. De hecho, es el resultado de la lluvia que cae a cada momento en la región vasca, un día sí, otro no y una semana sí, otra no, durante el invierno. Ahora bien, Bilbao sería un lugar bastante lamentable, incluso sin la lluvia y los cielos constantemente nublados. Visitar esta ciudad es realizar una incursión en el tiempo para llegar al norte industrial de Europa a principios de este siglo. Sus chimeneas humeantes, los edificios sucios y deteriorados, los habitantes de rostros manchados son el material mismo de los cuadros de Lowry.

Al pie de las montañas de los Pirineos, en Navarra y Aragón, se cree estar en las Tierras Altas de Escocia, pero en ambas regiones el paisaje cambia de un modo dramático cuando uno se desplaza hacia el sur y se aleja de la frontera con Francia. En Navarra se atraviesa una faja de campos espléndidos y ondulantes que se extienden alrededor de la capital, Pamplona, antes de ingresar en un distrito casi mediterráneo, cubierto de extensos viñedos. En Aragón, uno desciende gradualmente hacia el vasto, plano y despoblado valle del Ebro, y después se eleva nuevamente hacia las tierras altas desnudas que rodean a Teruel.

Cataluña y Valencia son quizá las regiones consideradas más típicamente españolas por la mayoría de las personas, aunque creo que muchas se sorprenderían si supieran que una considerable mayoría de catalanes y una importante minoría de valencianos ni siquiera hablan español, como idioma natal. (Aquí conviene hacer una aclaración con respecto a este término. El uso de la palabra "español" en lugar de "castellano" para referirse al idioma más hablado en España es lamentable, en cuanto implica que las restantes lenguas –vasco, catalán y gallego– son no españolas o menos españolas. Es más o menos como llamar "británico" sólo al inglés, pero con menos justificativo, porque los idiomas vernáculos son mucho más usados en España. Los latinoamericanos de estirpe hispánica tienden a usar el término "castellano" tanto como el de "español", o incluso más. En la propia España, el empleo del término "español" más que el de "castellano" es un fenómeno reciente y que fue fomentado por las dictaduras nacionalistas de Primo de Rivera y Franco. La primera edición del Diccionario de la Real Academia denominado "español" fue publicada en 1925. Las constituciones de 1931 y 1978 denominaron "castellano" al idioma oficial de la nación. Se observa ahora una tendencia cada vez más acentuada en los españoles a utilizar indistintamente los dos términos. Yo me he atenido a ese ejemplo.) Volviendo al tema que nos ocupaba, muchos de los visitantes extranjeros que van a pasar sus vacaciones en la costa oriental de España conocen la Costa Brava. Los españoles utilizan esta expresión para referirse a la costa rocosa que empieza alrededor de Sant Feliú y se extiende allende la frontera francesa. Lugares de veraneo y descanso como Lloret de Mar, que de acuerdo con la mayoría de los organizadores turísticos se encuentra en la Costa Brava, en realidad corresponden a un sector llano y arenoso, más al sur.

Si nos desplazamos tierra adentro a partir de Valencia, estamos en la provincia de Albacete, donde el paisaje recuerda bastante a Arizona, y por eso se lo ha utilizado para ambientar algunos *westerns*. Desde Albacete el camino lleva a Andalucía, el profundo sur de España. Aquí, el contraste entre la imagen y la realidad nuevamente es considerable. La Andalucía de la leyenda es una extensión ondulante de trigales y olivares divididos en un reducido número de extensas propiedades, lo cual ciertamente es válido para la más septentrional y occidental de las ocho provincias que forman la región (Huelva, Cádiz, Sevilla, Córdoba y Jaén). Pero Málaga y Granada están en regiones en las cuales el paisaje incluye elevaciones –y en algunos sectores incluso es montañoso–, es decir provincias en las cuales la pequeña propiedad fue siempre la regla más que la excepción. Con respecto a Almería, es casi tan estéril como el Sahara.

Las ciudades de esta "España diferente" que está detrás de las costas son muy distintas de los lugares de veraneo construidos de prisa e iluminados con neón que forman lo que es prácticamente una sola ciudad –homogénea por el carácter y la apariencia– y que se extiende de Lloret a Marbella. Ciertamente, lo que impresiona en la mayoría de las ciudades españolas es su apariencia de antigüedad. Algunas tienen amplios sectores industriales y suburbios, pero con muy pocas excepciones –Guadalajara y Vitoria son dos que me vienen a la mente– los centros han recibido apenas una mínima atención de los promotores de bienes raíces. Por ejemplo, Pamplona, Avila y Santiago de Compostela apenas parecen haber cambiado desde la Edad de Oro española.

El otro aspecto que impresiona al recién llegado es la altura. La mayoría de la gente está dispuesta a aceptar que España es uno de los países más cálidos y extensos de Europa, pero pocos piensan que es uno de los más altos. Sin embargo, la altura media del suelo en España es mayor que en cualquiera de las naciones europeas, excepto Suiza. Si uno examina un mapa en relieve, advertirá que con excepción de los valles del Guadalquivir y el Ebro, el terreno se eleva rápidamente a partir del mar. Este rasgo confiere a la llanura central una de sus características más distintivas: la luminosidad casi dolorosa. Puede afirmarse que la meseta es no sólo una región de grandes extensiones, sino también un sitio donde a menudo es imposible ver los límites más alejados del lugar. "En España", escribió hace poco el autor y periodista Manuel Vicent, "hay mucho sol y cierto exceso de luz, de modo que todo es demasiado claro. Es un país de afirmaciones y negaciones enfáticas, donde históricamente se ha calcinado la duda, sometida a esa siniestra claridad."

Por sí mismo, este factor ha determinado que España pareciese un lugar cerrado al extranjero. Pero por otra parte, es difícil abordar a España, sea cual fuere el ángulo utilizado. En primer lugar, incluye varias culturas diferentes. Lo que es cierto de la mayor parte de España no siempre es aplicable al país vasco, o a Cataluña o a Galicia. En parte por esta razón, quien se proponga estudiar la historia española pronto descubrirá que extensos momentos de la misma exhiben una irritante complicación. Tampoco es fácil comprender la cultura. Algunos de los mejores artistas y escritores nacionales –por ejemplo, Murillo y Calderón– abordan temas que son peculiares de su tiempo y lugar; y, en cambio, gran parte de la cultura popular deriva de las tradiciones –árabe, judía y gitana– que son extrañas a las experiencias de la mayoría de los europeos. Los que no son españoles aprecian el espectáculo del flamenco, pero pocos podrían distinguir el bueno del malo. Incluso la cocina, con sus especias ardientes y sus ingredientes extraños como las orejas de cerdo y los testículos de toro, requiere un espíritu de aventura. Sobre todo, los españoles han vivido la mayor parte de su historia al margen del mundo exterior. En el curso de la Edad Media se enzarzaron en una lucha más o menos autónoma contra los musulmanes, y después de un breve período de ascenso, a principios de la era moderna, se retiraron a un hosco aislamiento que duró un siglo y medio. A partir de 1808, cuando las tropas de Napoleón invadieron el país, y hasta el fin de la guerra civil, España estuvo abierta al mundo externo. Pero con la victoria de Franco, la cortina volvió a cerrarse.

Mientras Franco vivió, los españoles no pudieron manifestarse con libertad acerca de su sociedad, y gran parte de la información que el gobierno suministraba a los extraños era intencionadamente engañosa. La consecuencia de esto es que las ideas de la gente acerca de España todavía se basan sobre todo en lo que se escribió durante el período en que Franco llegó al poder. Las obras más conocidas en el siglo XX acerca de España –*Spanish Labyrinth*, de Gerald Brenan; *Homage to Catalonia*, de Orwell; *Por quién doblan las campanas*, de Hemingway, y la historia de la guerra civil de Hugh Thomas– describen todas una sociedad preindustrial de enormes desequilibrios económicos y violentos conflictos políticos. Esa España ha desaparecido definitivamente. Existe una España nueva, y creo que un nuevo tipo de español, muy distinto de la figura intolerante e intemperante de la leyenda y la

PRIMERA PARTE

LA FORMACION DE LA NUEVA ESPAÑA

estos grupos no debilitaran el esfuerzo de guerra y para afirmar su propio control sobre las actividades que desarrollaban, Franco –quien ascendió, gracias a una mezcla de suerte y propósito, a Generalísimo, o comandante en jefe de las fuerzas rebeldes– fusionó a los partidos políticos que representaban a estos tres grupos en una sola entidad con el título complicado y retorcido, pero global, de Falange Española Tradicionalista y de las Juntas de Ofensiva Nacional-Sindicalista (FET de las JONS). Esta extraña coalición, a la que llegó a denominarse Movimiento Nacional, fue a partir de ese momento la única entidad política legal en la España de Franco. Gracias a su gobierno, generalmente había por lo menos un miembro de cada "familia" en el gabinete, y el número de ministerios retenidos por determinada facción solía ser un buen indicio de la medida en que gozaba del favor o el desfavor del Caudillo. (Este era el otro título de Franco, equivalente a *Führer* o *Duce*. En España tiene –o tenía– matices heroicos, porque era la palabra aplicada generalmente a los jefes nativos que dirigían la guerra de guerrillas contra la ocupación romana.)

El ejército gozó de un breve período de predominio en el período que siguió inmediatamente a la guerra, pero la Falange fue la fuerza que se convirtió en la influencia dominante y duradera sobre Franco. Ni la Iglesia ni el ejército podían aportar un programa para gobernar el país, y los monárquicos de ambos campos perseguían una solución que podría ser aplicada únicamente si Franco renunciaba a la posición que, para esa época, ya había conquistado como jefe del Estado. En todo caso, los camisas azules (pues el azul era para los fascistas españoles lo que el pardo para los italianos y el verde para los portugueses) aparecieron en 1939 para representar el perfil del futuro. Durante los años siguientes los falangistas se adueñaron del Movimiento y echaron los cimientos del régimen de Franco. Tan pronto fue evidente que las potencias del Eje no ganarían la guerra mundial que había comenzado a pocos meses de distancia del fin de la guerra civil española, Franco redujo el número de falangistas en su gabinete, y concedió a individuos no fascistas los ministerios que mantenían más relación con el mundo exterior. De todos modos, los falangistas continuaron manejando la mayoría de las carteras económicas y sociales, y las ideas falangistas prevalecieron en el pensamiento del régimen.

Este proceso respondió en parte al hecho de que la filosofía política fascista, que asignaba importancia a la independencia económica nacional y al desarrollo agrícola más que al industrial, armonizaba cómodamente con el curso de acción impuesto a Franco por los acontecimientos. Durante la Segunda Guerra

Mundial, España había permanecido neutral, al mismo tiempo que apoyaba activamente al Eje. Hacia el fin de la guerra se encontró en una posición sumamente incómoda. A diferencia de Gran Bretaña y Francia, no tenía derecho a los frutos de la victoria. A diferencia de Alemania e Italia, no corría riesgos como consecuencia de la presión ejercida por la Unión Soviética. Por lo tanto, los Aliados no tenían incentivos para otorgar ayuda a España, y sí muy buenas razones para negársela. De hecho, llegaron incluso más lejos, y en realidad castigaron a los españoles porque se habían dejado dominar por un dictador derechista. En diciembre de 1946 el organismo de las Naciones Unidas, creado poco antes, aprobó una resolución que recomendaba el boicot comercial en perjuicio de España. Sumado a las privaciones que la guerra civil había provocado, y que redujeron el ingreso real per cápita a los niveles del siglo XIX, el boicot fue un desastre; quizá no tanto a causa de sus efectos directos, sino porque determinó que fuese inconcebible que España se beneficiase con el Plan Marshall de ayuda a Europa, iniciado seis meses después.

Todas las naciones europeas soportaban privaciones durante la posguerra, pero España –donde el último período de la década del cuarenta es denominado los *años de hambre*– sufrió más que la mayoría de las naciones. En las ciudades, los perros y los gatos desaparecieron de las calles, pues habían perecido de hambre o se los habían comido. En la campiña, los campesinos más pobres vivían de las hierbas y las malezas hervidas. Los cigarrillos eran vendidos por unidad. La electricidad en Barcelona funcionaba sólo tres o cuatro horas diarias, y los tranvías y los trolebuses de Madrid se detenían una hora por la mañana y una hora y media por la tarde, para ahorrar energía. De no haber sido por los préstamos que otorgó el general Perón, dictador argentino, es posible que se hubiese afrontado una verdadera hambruna.

El bloqueo patrocinado por las Naciones Unidas fue levantado en 1950, pero las doctrinas aisladas ineficaces de los falangistas continuaron prevaleciendo. España pagaría cara esta situación. Pese a la exaltación falangista de la economía rural, la producción agraria cayó a un nivel incluso más bajo que el que tenía hacia el fin de la guerra civil. La industria, separada del mundo exterior por una muralla de derechos aduaneros y cuotas, incapaz de comprar la tecnología extranjera que necesitaba para modernizarse, o de buscar nuevos mercados para sus artículos, limitada constantemente por los reglamentos oficiales, volvió a crecer, a lo sumo, con un ritmo dolorosamente lento. La renta nacional no recuperó el nivel anterior a la guerra civil hasta 1951, y solo en 1954 el ingreso medio retornó al punto que tenía en 1936. A principios de la década del cincuenta se realizó un intento de suavizar las restricciones al comercio exterior y estimular la empresa privada, pero aunque el mismo, a su tiempo, consiguió impulsar la industria, creó un desfasaje comercial que absorbió rápidamente las reservas extranjeras del país. Entre tanto, las torpezas cometidas en otras áreas de la economía condujeron a brotes de inflación descontrolada.

Para los aldeanos de las regiones más pobres de España —y sobre todo de Andalucía, que había sido el escenario de una pobreza desesperada incluso antes de la guerra civil— las privaciones de la posguerra fueron la gota que colmó el vaso. Los individuos, las familias y, en ciertos casos, aldeas enteras empaquetaron sus pertenencias y se encaminaron hacia los centros industriales del norte —Barcelona, Bilbao, Oviedo y Zaragoza— y a Madrid que, con el aliento intencional de un régimen que temía el progreso económico de los vascos y los catalanes, había dejado de ser una capital meramente administrativa. Cuando llegaban a las ciudades, los inmigrantes se asentaban como ejércitos sitiadores en las afueras. Como no tenían dónde vivir, construyeron chabolas con los restos que podían encontrar aquí y allá: algunos bloques retirados de una construcción, una puerta desvencijada, unos pocos envases y cajas vacíos y una lámina o dos de hierro corrugado que servía como techo, todo asegurado con piedras pesadas para evitar que el viento destruyese el refugio. En esas chozas reinaba un calor sofocante durante el verano y un frío cruel en invierno. No tenían agua corriente, de modo que era imposible pensar en un sistema de cloacas. Como esos barrios marginales habían brotado sin permiso oficial, generalmente pasaron varios años antes de que las autoridades municipales se decidieran a suministrarles electricidad, sin hablar de las comodidades más refinadas como la recogida de residuos o los caminos de acceso. En una demostración de sombrío humor, uno de los barrios marginales levantado en las afueras de Barcelona tenía este nombre: Dallas - Ciudad fronteriza.

La idea misma de la emigración a las ciudades contradice el sueño falangista de una campiña populosa habitada por campesinos, dueños cada uno de una parcela de tierra modesta pero suficiente. Al principio, las autoridades intentaron impedir el éxodo mediante la fuerza. Guardias civiles fueron enviados a las estaciones ferroviarias, con la orden de detener a todos los que tenían la piel oscura y portaban una maleta maltratada, y depositarlos en el primer tren que salía de la ciudad. Pero fue como tratar de invertir el movimiento de la marea. En todo caso, los emigrantes que ya vivían en los barrios marginales vieron en este método un modo de regresar a casa para pasar unas vacaciones por cortesía del gobierno. Lo único que necesitaban era vestirse con sus prendas más gastadas, alejarse unos pocos kilómetros de la ciudad y abordar un tren que viniese del sur.

Las autoridades ensayaron después un método más refinado y eficaz: limitar el número de chabolas autorizando las que ya estaban construidas y asignándoles placas numeradas. Las que no tenían placa corrían el riesgo de ser arrasadas por los equipos de obreros municipales –los temidos piquetes– que generalmente llegaban en mitad de la mañana o de la tarde, cuando los hombres estaban fuera trabajando o buscando trabajo. Aunque fue necesario aumentar poco a poco el número de licencias, el sistema determinó que la construcción de una chabola fuese una actividad tan riesgosa, que su número comenzó a estabilizarse hacia fines de los años cincuenta.

A esa altura de los acontecimientos, el régimen de Franco prácticamente estaba en quiebra. La cuenta exterior de divisas estaba en rojo, y la inflación apuntaba a tocar las cifras de dos dígitos; además, había graves signos de inquietud entre los estudiantes y los trabajadores, por primera vez después de la guerra civil. Se necesitó mucho tiempo para persuadir a Franco, quien no tenía interés por la economía ni conocía el tema, de que se necesitaba un cambio radical. Pero en febrero de 1957 reorganizó su gabinete y entregó los Ministerios de Comercio y Hacienda a dos hombres, Alberto Ullastres Calvo y Mariano Navarro Rubio, representantes de un nuevo linaje de la política española, los "tecnócratas". El tecnócrata típico provenía de una familia acomodada, había realizado una carrera distinguida de carácter académico o profesional –esto era el sine qua non–, y pertenecía o simpatizaba con la francmasonería secreta católica, el Opus Dei. La filosofía de los tecnócratas tenía sus raíces en el análisis que hacía el Opus Dei del dilema afrontado por la Iglesia, y que consistía en que dondequiera y siempre que hubiera progreso económico, el cristianismo perdía terreno. Aceptando que el progreso económico era inevitable, la posición del Opus Dei era que si solo los católicos devotos pudieran intervenir en el asunto en una etapa temprana, lograrían utilizarlo para promover, más que para debilitar, el poder de la Iglesia. Y en la España de fines de la década del cincuenta, ayudar a la Iglesia implicaba salvar a un régimen con el cual podía contarse para salvaguardar los valores tradicionales. Los tecnócratas creían que ellos mismos estaban en condiciones de aliviar las dificultades políticas del régimen a través de la resolución de los problemas económicos de este. (Se entendía que la elevación del nivel de vida era un

27

medio de retrasar el restablecimiento de la democracia.) En 1966 el general Jorge Vigón, quien se había incorporado al gabinete como resultado de la reorganización de 1957 y que estaba cerca del enfoque de los tecnócratas, escribió que "la libertad comienza en el momento en que los ingresos mínimos de cada ciudadano se elevan a 800 dólares anuales".

Sólo dos años después de su designación el nuevo equipo inició su ataque general a la economía. El objetivo a corto plazo fue terminar con la inflación y restablecer la balanza de pagos. El objetivo a largo plazo fue liberar la economía de las restricciones que le habían impuesto los falangistas. El llamado Plan de Estabilización iniciado en julio de 1955 se proponía alcanzar la primera de esas metas. Se redujo el gasto público, se limitó el crédito, se congelaron los salarios, se limitaron las horas extras y se devaluó la peseta. El plan alcanzó los resultados esperados. Los precios se nivelaron y el déficit de la balanza de pagos se transformó en superávit hacia fines del año siguiente. Pero el costo en sufrimiento humano fue considerable, porque disminuyeron los ingresos reales. De ahí que muchos españoles decidieran buscar trabajo en el extranjero. Las medidas destinadas a liberalizar la economía y, por lo tanto, a realizar la segunda de las metas de los tecnócratas, fueron aplicadas a lo largo de un período más prolongado, que se inició simultáneamente con el Plan de Estabilización. Se abrió el país a la inversión extranjera, se eliminaron gran parte de los trámites burocráticos que sofocaban a la industria, así como las restricciones aplicadas a las importaciones, y se ofrecieron incentivos a las exportaciones. La evolución de la economía durante los años que siguieron fue dramática. Entre 1961 y 1973, período denominado a menudo *Los años de desarrollo*, la economía creció con un ritmo del siete por ciento anual, (un coeficiente más elevado que en cualquier otro de los países no comunistas, excepto Japón). El ingreso per cápita se cuadruplicó, y ya en 1963 o 1964 –se discute cuál fue el momento exacto– sobrepasó la marca de los 500 dólares, con lo cual España salió de las filas de las naciones en vías de desarrollo, según la definición de las Naciones Unidas. Por la época en que concluyó el "milagro económico", España era la novena potencia industrial del mundo, y la riqueza generada por su progreso había determinado mejoras fundamentales en el nivel de vida. Los españoles comían mejor: consumían menos pan, menos patatas y más carne, pescado y productos lácteos. Los resultados son visibles hoy en todas las calles españolas: los adolescentes son visiblemente más altos y más delgados que sus padres. Durante la década del '60, el número de hogares que contaban con lavadoras se elevó del 19 al 52 por ciento, y la proporción de los que tenían frigorífico saltó del 4 al 66 por ciento. Cuando comenzó el auge, sólo uno de cada cien españoles poseía automóvil; cuando concluyó, la cifra era de uno en diez. Los teléfonos dejaron de ser prerrogativas de las oficinas, las fábricas y unos pocos individuos adinerados o influyentes, y se convirtieron en un elemento común de los hogares, (hecho que ejerció considerable influencia en las relaciones entre los sexos, y que se reflejó en las canciones populares del momento). El número de estudiantes universitarios se triplicó, y hacia principios de la década del '70, el índice de mortalidad infantil en España era inferior al de Gran Bretaña o Estados Unidos.

Sin embargo, debe destacarse que una de las razones por las cuales los incrementos proporcionales en todas las áreas fueron tan impresionantes tuvo que ver con el hecho de que los puntos de partida eran tan bajos. Aún en 1973 el ingreso per cápita era inferior al de Irlanda, menos que la mitad del promedio de los países de la Comunidad Económica Europea, e inferior al tercio de Estados Unidos. Más aún, el pluriempleo –la práctica de trabajar en diferentes lugares– que se difundió en España durante los años de auge, significaba que los españoles tenían que trabajar más esforzadamente que otros europeos para alcanzar cierta prosperidad.

La principal razón por la cual la economía pudo continuar creciendo después de 1959, de una forma que no se observa después de las reformas de principios de la década, fue que se hallaron modos de acortar la brecha del comercio exterior que se había manifestado apenas la economía española comenzó a expandirse y que era consecuencia del hecho de que España tenía que pagar más por el combustible, las materias primas y la maquinaria que necesitaba para alimentar su expansión industrial, que lo que podía obtener por las mercancías y los productos que vendía en el exterior. Durante la mayor parte del período que va de 1961 a 1973, las importaciones superaron a las exportaciones en una proporción de dos a uno, pero el déficit se vio ampliamente cubierto por los ingresos invisibles que adoptaron la forma de la inversión extranjera, el dinero remitido a España por los españoles que trabajaban en el exterior y –finalmente el factor más importante– los ingresos derivados del turismo.

En todas estas áreas el gobierno había representado un papel importante. Facilitó las condiciones de la inversión extranjera, suministró incentivos a los españoles que buscaban trabajo en el exterior y, si bien el turismo había aumentado constantemente a lo largo de la década del cincuenta, sólo a partir del año 1959, cuando el gobierno intervino para abolir la exigencia de que los visitantes de Europa Occidental debían contar con la correspondiente visa, la industria comenzó a crecer realmente. Sin embargo, también es cierto que ninguno de estos ingresos invisibles habría alcanzado una entidad tan considerable si los restantes países de Occidente no hubiesen gozado de un período de crecimiento y prosperidad. Este fue el factor que creó los fondos excedentes canalizados hacia España, y también el factor que llevó a las compañías del noroeste de Europa a reclamar fuerza de trabajo extranjera barata, y permitió que los residentes de Europa Noroccidental considerasen la posibilidad de pasar sus vacaciones en el exterior. En este sentido, el milagro económico de España, fue un subproducto del auge de la década del sesenta en Europa entera.

El modo como España obtuvo sus vitales ingresos invisibles, ejerció una inmensa influencia sobre el estilo de vida del país. Ciertos nombres de forma extraña, cuya pronunciación era difícil para los españoles, por ejemplo, Chrysler, Westinghouse, John Deere y Ciba-Geigy comenzaron a aparecer en los anuncios y la prensa. Los jóvenes empresarios reclutados por las nuevas compañías extranjeras adoptaron las costumbres y las actitudes de sus jefes, y las transmitieron a sus colegas de las firmas de propiedad española. Pronto comenzó a aparecer un nuevo linaje de ejecutivos: cuidadosamente afeitados, vestidos con camisas abiertas, trajes deportivos y, a veces, un par de gafas de montura negra. El lenguaje de estas personas, abundantemente salpicado de palabras y frases inglesas, recibió el nombre de *ejecutinglish*. El representante arquetípico de los españoles norteamericanizados – un hombre que ahora está en la cuarentena– es el cantante Julio Iglesias.

Entre 1961 y 1973 bastante más de un millón de españoles, recibió ayuda para ir a trabajar en el exterior. Cuando concluyó el auge, había alrededor de 620.000 en Francia, 270.000 en Alemania Occidental, 136.000 en Suiza, 78.000 en Bélgica, 40.000 en Gran Bretaña y 33.000 en Holanda –un verdadero ejército de españoles–, todos los cuales remesaban alrededor de una cuarta parte de sus ingresos para engrosar las cuentas corrientes de su patria.

La costa mediterránea se transformó hasta quedar irreconocible. Es difícil creer ahora que cuando la novelista Rose Macaulay recorrió esa región durante el verano de 1947, "apenas se cruzó con compatriotas que también estuviesen viajando, y vio un solo automóvil GB". Su queja principal era que "en estas hermosas playas o en otros lugares de España los habitantes miran fijamente y señalan". Entre 1959 y 1973 el número de visitantes que llegaron a España saltó de menos de tres millones a más de treinta y cuatro.

La tierra cercana a la costa que, como generalmente era rocosa o arenosa en general merecía escaso aprecio y a menudo pasaba a manos de los hijos menos favorecidos, de pronto se convirtió en algo valioso. Sobre la Costa del Sol, en San Pedro de Alcántara, una parcela de tierra sin mejoras, cerca de la playa, que cambió de dueño por 125 pesetas el metro cuadrado en 1962, fue vendida once años más tarde −todavía sin mejoras− por 4.500 pesetas el metro cuadrado.

Los beneficios materiales del auge del turismo fueron considerables, no sólo para los promotores de bienes raíces, sino también para los dueños de pequeños comercios y la gente común de las aldeas próximas a la costa, de la cual salieron los camareros y las criadas de los hoteles de turismo. Pero eso no implica decir que el auge del turismo fuese una bendición indudable. El desarrollo sobrevino en un ambiente que no había cambiado mucho desde el siglo XVIII: un mundo de austeridad y privación que tenía su propio y riguroso código moral. De la noche a la mañana sus habitantes se vieron frente a un modo de vida, en el cual parecía que los hombres tenían más dinero que el que podían guardar en sus carteras, y las mujeres se paseaban prácticamente desnudas. Acostumbrados a medir el tiempo en horas, de pronto todos se vieron obligados a pensar en términos de minutos. Debieron lidiar con conceptos nuevos como las tarjetas de crédito y con máquinas complicadas como los lavavajillas. En muchos casos el resultado (aunque quién sabe por qué menos en las mujeres que en los hombres) fue el shock. No en el sentido metafórico sino en el literal de la palabra: los síntomas más usuales fueron nerviosismo, insomnio y angustia. A mediados de la década de los sesenta, el Hospital Civil de Málaga amplió su sector psiquiátrico y agregó una sala destinada específicamente a atender a los pacientes jóvenes. Inmediatamente se la conoció como "la sala de los camareros". De acuerdo con un estudio realizado en 1971, el 90 por ciento de todos los casos no crónicos de dolencias mentales en las regiones rurales de la provincia de Málaga estuvo formado por varones adolescentes que habían ido a trabajar a la costa.

El turismo, la emigración y la llegada a España de las firmas multinacionales fueron todos factores que contribuyeron a poner a los españoles en contacto con extranjeros y, sobre todo, con otros europeos; de ese modo, comenzó a resquebrajarse la xenofobia que siempre había sido característica del español, y que lo fue aún más durante los primeros años del gobierno de Franco. Pero, contra lo que habían esperado los tecnócratas, España no se convirtió en miembro de la Comunidad Económica Europea. No se hizo caso de su solicitud, presentada en 1962, aunque en efecto consiguió obtener un acuerdo comercial de carácter preferencial en Bruselas, ocho años después. En cambio, su mejor equipo de fútbol –el Real Madrid– entre 1956 y 1960 consiguió ganar la Copa Europea cinco años seguidos (una hazaña que nunca fue igualada) y en 1968 la vocalista española Massiel se impuso en el Festival de la Canción de Eurovisión con una pieza apropiadamente anónima titulada *La, La, La*. Estos triunfos probablemente impresionaron al español medio tanto como todo lo que hubiera podido obtenerse en el plano diplomático. Demostraron a los españoles que no solo podían ser aceptados en Europa (el español, como el británico, a menudo habla de Europa como si perteneciese a otro continente) sino que, entretanto, podían mantener muy alta la cabeza.

El "milagro económico" también modificó el carácter y el volumen de la emigración interna. Los aldeanos pobres de Andalucía continuaron afluyendo a las ciudades, pero estas filas se vieron engrosadas cada vez más por emigrantes provenientes de Galicia, Extremadura y las regiones de la meseta, Castilla, León y Aragón. Si el emigrante típico de los años cincuenta era un campesino sin tierra obligado a trasladarse por el hambre, los emigrantes de los años sesenta, probablemente eran artesanos pequeños y comerciantes cuyo nivel de vida había descendido a causa de la disminución de población en la campiña, o agricultores que todavía podían obtener un magro sustento trabajando la tierra, pero se sentían inducidos a ir a la ciudad por la promesa de una existencia menos ardua y más variada. El doctor Richard Barrett, antropólogo norteamericano que realizó un estudio de campo en el pueblo aragonés de Benabarre entre 1967 y 1968, observó que las jóvenes del lugar no se mostraban dispuestas a casarse con los hijos de los campesinos si estos proyectaban permanecer allí y trabajar la tierra de los padres y esa actitud estaba tan extendida que los jóvenes agricultores se veían obligados a publicar anuncios en la prensa solicitando novias provenientes de las regiones más pobres del país. El sueño de las muchachas de Benabarre era casarse con un obrero o, por lo menos, con un joven que estuviese dispuesto a salir del terruño para convertirse en operario fabril.

Durante la década de los sesenta, los emigrantes originales comenzaron a salir de los barrios marginales y a ocupar viviendas baratas de varios pisos. Como la construcción de chabolas en ese momento era prácticamente imposible, los recién llegados debían comprar una vivienda a una familia que se trasladara a un lugar mejor o pagar su alojamiento en el apartamento de una familia que ya hubiera realizado ese movimiento. Desde el punto de vista de la primera oleada de emigrantes, la venta de una chabola se convirtió en el modo de obtener la suma necesaria para el pago inicial de un apartamento. La recepción de pensionistas era un modo de solventar las cuotas mensuales.

Al mismo tiempo que las ciudades se superpoblaban rápidamente, el campo se despoblaba con idéntica velocidad. En 1971 el doctor Barrett regresó a Aragón y visitó diecisiete caseríos cercanos a Benabarre. Al consultar las cifras del censo de 1950, comprobó que durante los últimos veinte años habían perdido el 61 por ciento de su población. Cuatro habían sido abandonados por completo y, en ciertos casos, la despoblación se había completado en el lapso de seis años. En la actualidad, quien recorra España en automóvil y esté dispuesto a afrontar los accidentados caminos rurales, más tarde o más temprano hallará uno de estos poblados desiertos. Quizá los más solitarios son esos pueblos casi abandonados –donde los últimos habitantes, demasiado viejos para partir y demasiado jóvenes para morir– alojan a sus animales en las casas que antes pertenecieron a sus vecinos.

Antes de la guerra civil, el político catalán Francesc Cambó había descrito a España como un país de oasis y desiertos. La emigración confirió aun mayor validez a este aserto. Hacia el final del auge, el cuadro de la densidad demográfica por provincias mostraba una suavización constante de los lugares más poblados a los menos poblados, pero lo que sorprendía en esas cifras era el tamaño de la brecha entre los dos extremos. Sobre un extremo estaba Barcelona, con más de 500 habitantes por kilómetro cuadrado –es decir, un lugar tan atestado como los centros industriales de Europa Noroccidental– y en el otro, aparecían once provincias con menos de veinticinco habitantes por kilómetro cuadrado, una cifra comparable a las de países como Bután, Nicaragua y el Alto Volta. El proceso de despoblación ha llegado tan lejos en ciertas regiones del país que es difícil imaginar cómo sería posible revertirlo. En 1973, cuando comenzó a descender el flujo de la emigración, Teruel se convirtió en la primera provincia de la historia de España en la cual había más fallecimientos que nacimientos. Después, varias provincias con poblaciones de edad avanzada se han unido a Teruel. Incluso si se detiene completamente la emigración proveniente de estas áreas, ellas seguirán perdiendo habitantes.

La distribución cada vez más desigual de la población española alentó una distribución aún más desigual de la riqueza del país. Mientras Franco vivió, todos los intentos de planeamiento regional tropezaron con el problema de que las regiones en las cuales habría sido necesario dividir al país en función del planeamiento eran precisamente aquellas cuyos reclamos de reconocimiento constituían anatema para el dictador, y las mismas cuya identidad él había intentado destruir apelando a todos los recursos posibles. La respuesta de los tecnócratas fue la política llamada de los "polos". El concepto consiste en seleccionar cierto número de ciudades en las regiones subdesarrolladas o semidesarrolladas, y ofrecer incentivos a las empresas para iniciar actividades en ellas, con la esperanza de que la prosperidad consiguiente alcance a la campiña circundante. Los criterios aplicados para decidir qué ciudades y qué firmas podían beneficiarse con el plan nunca fueron aclarados, y se sospecha que la selección estuvo acompañada por un grado considerable de corrupción. Pero el defecto más grave del proyecto de los "polos" consistió en que los incentivos no eran tan duraderos como para que los empresarios pudiesen confiar en el éxito. En general, el movimiento no satisfizo las expectativas y las inversiones generadas de este modo fueron relativamente poco exitosas en la creación de nuevos empleos. De las doce ciudades elegidas como polos, solo Valladolid satisfizo las esperanzas depositadas en el proyecto. Hacia principios de la década de los setenta había avanzado bastante y tendía a convertirse en un centro industrial importante.

Con excepción de Valladolid y Madrid, las nuevas empresas tendieron a instalarse en las provincias del País Vasco y Cataluña, que se habían industrializado durante el último siglo, o en lugares como Oviedo, Zaragoza, Valencia, y Sevilla, ciudades importantes que ya habían tenido alguna industria antes de la guerra civil. En 1975 cinco provincias –Barcelona, Madrid, Valencia, Vizcaya y Oviedo– producían el 45 por ciento del producto total del país. Gran parte de la prosperidad estaba concentrada en el norte y el este de la nación. De las quince provincias peninsulares que tenían el más elevado ingreso medio, todas excepto dos, se encontraban a lo largo o al norte del río Ebro. Las dos excepciones eran Madrid y Valladolid. Los ingresos medios de las provincias más pobres de Andalucía, Extremadura y Galicia eran menores que la mitad de los ingresos de las más ricas, Madrid, Barcelona y las tres provincias vascas. La disparidad de la riqueza se reflejaba en una disparidad de la provisión de comodidades y servicios. Había ochenta médicos cada cien mil habitantes en Jaén, pero 230 cada cien mil en Madrid.

A medida que el auge progresó, los emigrantes llegaron a ser potencialmente una de las clases más influyentes de España, pues de hecho habían absorbido a la antigua clase trabajadora ur-

34

bana, sumamente politizada. A diferencia de los trabajadores de los años 30, la militancia de cuyo socialismo y anarquismo fue famosa en Europa, la gran mayoría de los emigrantes tenían muy poco interés en la política y carecían de experiencia en el tema. En la España rural sólo un minúsculo número de personas disponía del tiempo o el dinero necesarios para interesarse en los procesos políticos ajenos a la aldea, y ellos eran: los terratenientes, los comerciantes y los profesionales quienes, gracias a su influencia económica, controlaban los destinos de los trabajadores, los arrendatarios, los medianos y los pequeños propietarios de tierra en una relación de protector a protegido. Durante los períodos en que España fue una democracia, los protegidos votaban según lo indicaban sus protectores (una de las razones principales por las cuales la democracia era despreciada de un modo tan general y, por consiguiente, era tan vulnerable). Los emigrantes que llegaron durante la década del cincuenta y del sesenta no eran tanto individuos de derecha o de izquierda, sino sencillamente apolíticos, aunque se mostraban sumamente receptivos al materialismo y el individualismo del beneficio personal, que en mayor o menor medida afectó a todos los niveles de la sociedad durante los años de desarrollo. En los barrios marginales, los actos de profunda bondad coexistían con una ausencia casi total de solidaridad de clase y, tan pronto conseguían salir de esos purgatorios sórdidos, era natural que los emigrantes se resistiesen a hacer algo –por ejemplo, huelgas o manifestaciones– que pudiese obligarlos a emprender el camino de regreso. De todos modos, la sumisión que demostraron inicialmente tendió a desdibujar el hecho de que la emigración había quebrado definitivamente el imperio que las clases alta y media alta rurales habían ejercido otrora sobre las clases media inferior y baja. Lo que es más, era evidente –aunque al principio no lo fue para los propios emigrantes– que sus intereses no eran los mismos que caracterizaban a sus empleadores. Ciertamente, cuando en las encuestas se les apremiaba a definir sus puntos de vista, el tipo de sociedad que sus respuestas sugerían era visiblemente más izquierdista que derechista. Hacia principios de la década del setenta comenzaban a adoptar una actitud políticamente más consciente, y a desarrollar un enfoque que, sino era radical, en todo caso tenía perfiles visiblemente progresistas.

Aunque el "milagro económico" cambió casi todo en España –desde el modo y el lugar en que vivía la gente hasta el modo de pensar y hablar– una de sus paradojas fue que el cambio menor correspondió a la propia economía. Por supuesto, la economía creció pero su forma y su carácter se mantuvo prácticamente sin variaciones. Cuando concluyó el auge, aún había un número excesivo de pequeñas firmas (más del 80 por ciento de todas las compañías españolas empleaban menos de cinco trabajadores), y era difícil, como siempre, conseguir créditos a largo plazo. Estos dos factores reunidos aseguraron que en ninguno de los sectores la industria gastase dinero suficiente en la investigación de nuevos productos o la formación de trabajadores especializados. La productividad continuó siendo baja (la mitad del promedio de la Comunidad Económica Europea), la desocupación relativamente elevada, en todo caso mucho más elevada de lo que sugerían las cifras oficiales, y la brecha histórica entre las importaciones y las exportaciones tendía a aumentar más que a reducirse.

Los efectos políticos del auge fueron mucho más amplios, tanto por el número como por la complejidad. La explicación más difundida de la historia española reciente adopta el siguiente perfil general: la razón por la cual la democracia no arraigó en España a fines del siglo XIX y principios del siglo XX fue que España no tenía una clase media. El "milagro económico" fue el responsable de la redistribución de la riqueza del país y la creación de una nueva clase media. En conjunto, estos dos factores contribuyeron a eliminar o más bien a salvar la distancia que había existido hasta ese momento entre las "dos Españas", y que había sido la responsable de la guerra civil. Al remediar esta fractura histórica de la sociedad española entre las clases inferior y superior, el auge fue, por lo tanto, responsable de la transición relativamente tranquila de España de la dictadura a la democracia.

Hay un ingrediente de verdad en esto. Sin duda, el "milagro económico" de la década de los sesenta contribuyó a allanar el camino de la transformación política de la década de los setenta. Pero el mecanismo de causa y efecto fue un poco más complejo que lo que generalmente se señala. En primer lugar, España –como ya hemos visto– ha tenido hace mucho tiempo una clase media. Pero desde el punto de vista de la consolidación de una democracia, lo que importa no es tanto la existencia de una clase media per se como la existencia de una clase media urbana más que rural. Durante los años de auge sucedió que un sector importante de la clase media española se desplazó del campo a las ciudades, más o menos por las mismas razones que explican la conducta semejante de las clases trabajadoras. Cuando se trasladaron de un ambiente al otro, ellas –o más bien sus hijos– abandonaron muchas de las actitudes y los prejuicios conservadores que son típicos de las élites rurales en todas partes. La idea de que el auge contribuyó a nivelar la riqueza es sencillamente un mito. Fuera de unos pocos falangistas radicales, los partidarios de Franco no eran personas que tendiesen a preocuparse por la redistribución del ingreso. El propio Caudillo cierta vez reconoció jovialmente que la guerra civil fue "la única guerra en la que los ricos llegaron a ser más ricos". Durante los años sesenta, los tecnócratas se sintieron satisfechos al comprobar que la distancia entre los más ricos y los más pobres de la sociedad se ensanchaba todavía más. Solo durante los años setenta, cuando los sindicatos ilegales arrebataron la iniciativa a los sindicatos obreros y empresarios de Franco y empezaron a agilizar los músculos, la distancia comenzó a reducirse. Incluso así, por la época del fallecimiento de Franco, el 30 por ciento del ingreso total se concentraba en el cuatro por ciento de las familias.

Pero aunque el modo como se cortaba pastel no cambió demasiado, el tamaño del pastel creció enormemente. El considerable aumento del poder adquisitivo permitió que prácticamente todos los miembros de la sociedad pasaran a una clase más alta en términos absolutos, en cuanto estos se distinguen de los términos relativos. En esa medida es que el "milagro" en efecto creó una nueva clase media con individuos extraídos de las filas de lo que podríamos llamar la capa superior de la clase baja: principalmente artesanos y campesinos. Pero lo que es mucho más importante, el mismo proceso diezmó a una clase que durante bastante más de un siglo había venido desestabilizando a la sociedad española: una capa inferior de la clase baja formada por parias sin tierras y sin especialización, y que con su sufrimiento y su desesperación se veía inducido a volcarse en favor de todos los demagogos mesiánicos que prometían la salvación en este mundo más que en el otro.

Al día siguiente de la primera elección general celebrada después de la muerte del general Franco, el periódico madrileño *Diario 16* publicó un artículo que comparaba el número de votos depositados en favor de la derecha y la izquierda en 1977 y 1936. Los porcentajes eran casi idénticos. El artículo exhibía este incisivo título: "Cuarenta años malgastados". La consolidación desde entonces de un sistema bipartidario, a lo sumo, sirve para destacar la idea: en la medida en que hubo "dos Españas", ambas sobrevivieron intactas a los años de desarrollo. Lo que los años de auge consiguieron fue convertirlos en grupos sociales más acomodados y, por lo tanto, más satisfechos y tolerantes.

El milagro concluyó del mismo modo súbito y dramático como había empezado. El auge europeo había comenzado a agotarse hacia fines de la década de los sesenta, y los primeros que sintieron los consiguientes efectos fueron los emigrantes. Cuando comenzó a atenuarse el proceso de expansión de las restantes economías de Europa Occidental, disminuyó el número de empleos disponibles y decayó la necesidad de mano de obra extranjera. Después de 1970, el número de españoles que abandonaron el país para trabajar en el extranjero disminuyó. Se observó poco después que incluso los que ya estaban trabajando en el exterior comenzaban a comprobar que ya no se los deseaba. Por ejemplo, Francia ofreció a los emigrantes una indemnización equivalente a 150 veces el salario diario medio, pagadera apenas llegaran a su país de origen. En 1973 los emigrantes comenzaron a regresar y en 1974 el montante de las sumas que remesaban a la patria comenzó a descender. El mismo año también presenció por primera vez la disminución de los ingresos provenientes del turismo y la inversión extranjera, porque los europeos se ajustaron el cinturón y reorganizaron sus recursos. Incluso así, los ingresos invisibles de España habrían bastado para cubrir el déficit comercial de no haber sido por el incremento de los precios del petróleo que siguió a la guerra en Medio Oriente. Por esa época, España dependía del petróleo –casi todo importado– para obtener dos terceras partes de su energía. Los aumentos de precios de la OPEC duplicaron la magnitud del desequilibrio comercial de España, y desencadenaron la presión inflacionaria que se había incubado bajo la superficie de la economía a lo largo de los años del auge. En 1974 el costo de vida se elevó en más del 17 por ciento. El año siguiente, alrededor de 200.000 españoles regresaron del extranjero en busca de trabajo. Entonces, el 20 de noviembre de 1975, el general Franco falleció y, por segunda vez durante este siglo, los españoles afrontaron la tarea poco envidiable de restablecer la democracia en el marco de una crisis mundial.

2

EL CAMBIO POLITICO:
DE LA DICTADURA A LA DEMOCRACIA

Apenas amaneció el 21 de noviembre de 1975 –el día siguiente a la muerte de Franco– un destacamento de artilleros llevó tres grandes cañones a un parque de las afueras de Madrid, y comenzó a disparar el último saludo al dictador desaparecido. El sonido de los cañones repitió sus ecos a través de la ciudad el día entero, y acentuó el sentimiento de aprensión que había invadido la capital y la nación.

Durante treinta y seis años todas las decisiones importantes habían sido adoptadas por un solo hombre. Su desaparición era, en sí misma, razón suficiente para justificar un sentimiento de vacilación tanto en sus partidarios como en sus opositores. Pero Franco también había dejado atrás un vacío peligroso de expectativas tanto en el pueblo como en sus gobernantes. Para todo el que tuviese ojos y oídos, era evidente que los españoles deseaban una forma más representativa de gobierno. Incluso en los que antes habían apoyado a la dictadura –y su número era subestimado constantemente por los observadores extranjeros– se advertía la difundida conciencia de que el franquismo ya no era útil. Sin embargo, hasta el día de su muerte, Franco había limitado el ejercicio del poder a los que rehusaban apoyar el cambio –apodados colectivamente el *bunker*– o aceptaban la necesidad de cambio pero estaban dispuestos a incorporarlo lenta y condicionadamente, los llamados *aperturistas*. Entre tanto, los partidos ilegales de oposición unían sus fuerzas para reclamar, de un modo poco realista, una ruptura clara con el pasado; lo que en la jerga de los tiempos se denominaba precisamente así: ruptura. Sin embargo, como acariciando el poder político, el único modo en que podían presionar sobre las autoridades, era convocar a manifestaciones callejeras que invariablemente se convertían en tumultos apenas llegaba la policía.

Entre las muchas profecías que se difundieron esa helada mañana de noviembre, una de las más sombrías y, sin embargo, muy plausible, fue que más tarde o más temprano el gobierno se vería desbordado por un estallido de frustración popular. En ese punto, las Fuerzas Armadas – que tenían mucho que perder y poco que ganar con la incorporación de la democracia– intervendrían para "restablecer el orden", posiblemente en nombre de una autoridad superior. A partir de ese punto, afirmaba la teoría, España aplicaría un esquema muy conocido por las naciones latinoamericanas (y que de hecho había comenzado en España el siglo anterior): fases de reforma limitada que se alternarían con estallidos de represión salvaje.

Si España deseaba evitar ese destino, era evidente que dependería mucho del papel representado por el joven que había sucedido a Franco como jefe del Estado. Franco siempre había dado a entender que en el fondo de su corazón era monárquico. En realidad, desde 1949 España era teóricamente una monarquía, pese a que Franco se las había arreglado de modo que él mismo fuera el jefe del Estado vitalicio, con el poder de designar a su sucesor. Por consiguiente, no sorprendió que seis años antes de su muerte, el Caudillo designase "heredero" a un miembro de la familia real. Pero, en lugar de elegir el heredero legítimo del trono – Don Juan, hijo de Alfonso XIII – Franco se inclinó por un joven sobre quien había podido ejercer enorme influencia: Juan Carlos, hijo de Don Juan.

Juan Carlos no era, ni mucho menos, un hombre en quien pudieran confiar demasiado los españoles que aspiraban a tener un Estado moderno y democrático. Desde los diez años, cuando había llegado a España para educarse, el joven príncipe proyectó a través de los medios de difusión la imagen de un hijo fiel del régimen: había realizado un bachillerato distinguido (incluido un trabajo obligatorio acerca de la Formación del Espíritu Nacional), cursado las tres Academias Militares y terminado sus estudios de Administración. Durante los últimos años se lo había visto casi siempre a la sombra de Franco, de pie, detrás del anciano dictador sobre las plataformas y los estrados, durante las ceremonias oficiales. En tales ocasiones invariablemente se lo veía un tanto desmañado, impresión que se acentuaba por la torpeza con que pronunciaba sus discursos. La opinión general era que se trataba de un hombre bastante agradable, pero que carecía de inteligencia y de imaginación suficientes para cuestionar las convenciones de su entorno.

Pocas personas habrán provocado un error de apreciación tan universal como fue el caso de Juan Carlos, pues su estilo un tanto torpe encubría una mente aguda y sagaz. Para el Caudillo, Juan Carlos fue el hijo que nunca tuvo. El joven príncipe retribuyó cabalmente este afecto –hasta hoy no permite que nadie hable mal del anciano dictador en su presencia –pero mucho antes de la muerte de Franco había concebido la idea de que España no podía ni debía continuar sometida a los principios impuestos por su mentor. A partir de los años sesenta, Juan Carlos decidió conocer el mayor número posible de personas de diferentes áreas de la vida y de distintos matices de opinión. Por esa época vivía en un pequeño palacio que está cerca de Madrid, vigilado por la policía. Varias de las personas a las que él deseaba ver, debían entrar subrepticiamente, guiadas por el secretario o por los amigos del príncipe. Algunas se introducían ocultas en el maletero de los automóviles. Javier Solana, quien entonces era un activista de la oposición clandestina, y que más tarde sería ministro socialista de Cultura, entró en el asiento posterior de la motocicleta de un banquero, usando un casco protector que disimulaba sus rasgos.

Probablemente nunca sabremos si Franco conocía o sospechaba las andanzas de su protegido pero, de todos modos, es seguro que limitó la libertad y la influencia de las cuales gozaría Juan Carlos después de su ascenso. Un día después de ser designado sucesor, se impuso al príncipe un juramento en presencia de los miembros del obsecuente Parlamento de Franco. De rodillas, una mano apoyada en el Nuevo Testamento, juró lealtad a Franco y "fidelidad a los principios del Movimiento Nacional y las leyes fundamentales del país". En el discurso que pronunció después, aludió de modo general a sus verdaderas opiniones.

"Estoy muy cerca de la juventud. Admiro en ella, y comparto, su deseo de buscar un mundo más auténtico y mejor. Sé que en la rebeldía que a tantos preocupa está viva la mejor generosidad de los que quieren un futuro abierto muchas veces con sueños irrealizables, pero siempre con la noble aspiración de lo mejor para el pueblo."

De todos modos, en un país en el que cumplir con la palabra empeñada ha sido siempre el concomitante de la preservación del honor, el juramento que acababa de prestar significaba que, en adelante, su libertad de movimientos se vería severamente limitada. Si se quería demoler la estructura del franquismo, habría que hacerlo de acuerdo con las normas que el propio Franco había concebido. Lo cual significaba, a su vez, que quien estuviese a cargo del gobierno necesitaría simultáneamente un compromiso firme con la restauración de la democracia y un conocimiento sumo de la estructura de la dictadura: una combinación en apariencia imposible.

Durante la mayor parte de su régimen, Franco había sido Jefe de Gobierno –en otras palabras, Primer Ministro– así como Jefe de Estado. Pero en junio de 1973 renunció a su función de Primer Ministro, y la traspasó a uno de los pocos hombres en quien siempre confió realmente: el almirante Luis Carrero Blanco. Era evidente que Franco abrigaba la esperanza de que Carrero –un político sumamente capaz– ejercería el poder cuando Juan Carlos ascendiese al trono. El asesinato de Carrero por terroristas vascos seis meses después representó, por lo tanto, una inmensa ayuda para el joven príncipe, porque le permitió una capacidad de maniobra de la cual jamás hubiese gozado si el almirante hubiese vivido. El mejor hombre que Franco pudo hallar para reemplazar a Carrero fue un abogado absolutamente anticarismático, Carlos Arias Navarro. Arias pertenecía al tipo más cauteloso de aperturista. Tenía cierta confusa conciencia de que la nación reclamaba la democracia, pero por temperamento y por ideología estaba comprometido con la dictadura. Por eso mismo, Arias se mostró incapaz de avanzar decididamente hacia adelante o de retroceder. Incluso antes de la muerte del Caudillo había comenzado a mostrar el perfil de una figura impotente, que no despertaba mucha simpatía en nadie. El propio Juan Carlos prestaba escasa atención a Arias, y las relaciones entre ambos se deterioraron aún más después que Arias intentó renunciar, durante el delicado período que precedió inmediatamente a la muerte de Franco, como protesta a la decisión del príncipe de celebrar una reunión con los ministros de las Fuerzas Armadas sin avisarle previamente.

Sin embargo, con arreglo al sistema constitucional concebido por Franco, el monarca sólo podía elegir a su Primer Ministro entre una lista de tres nombres redactada por el Consejo del Reino, un cuerpo asesor de diecisiete hombres formado casi totalmente por fanáticos de Franco. Como sabía que no había la más mínima posibilidad de que el Consejo le suministrase un candidato apropiado, el Rey confirmó de mala gana a Arias en el cargo después de la muerte del general Franco. A los ojos del público, esa actitud no lo benefició en absoluto. Cuando los jóvenes manifestantes se volcaban a las calles, durante los primeros días del reinado de Juan Carlos, su canto favorito era:

España, mañana
Será republicana.

En enero de 1976, Arias bosquejó un programa de reformas limitadas. Pero no hizo nada para limitar la violencia en las calles. En marzo, cinco obreros fueron muertos en Vitoria, cuando la policía disparó sobre una multitud de manifestantes. Al mes siguiente, Arias agravó la situación con una comunicación a la nación en la cual parecía que, más que nunca, trataba de retornar al pasado. En mayo el gobierno presentó a las Cortes un proyecto que. posibilitaba la realización de asambleas y manifestaciones. Al mes siguiente, la pieza fundamental del programa de Arias –un proyecto que legalizaba los partidos políticos– fue aprobada por el Parlamento. Pero unas horas más tarde, la misma asamblea rechazó la legislación necesaria para aplicar el proyecto. A su tiempo se consiguió salvar la situación, pero el incidente demostró que Arias ni siquiera podía arrastrar a sus antiguos amigos y colegas del régimen franquista. El 1º de julio el Rey lo convocó al Palacio y le dijo que las cosas no podían continuar así. Arias, a quien nunca había complacido el cargo de Primer Ministro, aprovechó la oportunidad para presentar su renuncia, y el Rey la aceptó inmediatamente.

Era visible que el país había llegado a un punto crucial de su historia. El gabinete de Arias incluía a tres hombres que gozaban de una modesta reputación de progresistas: Antonio Garrigues, ministro de Justicia, Manuel Fraga, ministro del Interior; y José María Areilza, ministro de Asuntos Exteriores. Incluso los aperturistas más conservadores se habían sentido desalentados por los efectos de las vacilaciones de Arias, y fue posible persuadirlos de la necesidad de aplicar una política más firme. La mayoría de los comentaristas estaba convencida de que si el Rey, quien tenía derecho a pedir las tres listas, se mostraba dispuesto a adoptar una actitud firme, podría lograr que fuese incluido, por lo menos, el nombre de uno de estos ministros.

Cuando se conoció la decisión del Rey, la reacción fue de desconcertada incredulidad. El hombre elegido para suceder a Arias fue cierto Adolfo Suárez, quien a los cuarenta y tres años era el miembro más joven del gobierno saliente. Excepto la juventud, todos los rasgos propios de Suárez parecían contradecirse con el espíritu de los tiempos. Había pasado toda su vida de trabajo sirviendo a la dictadura en diferentes cargos, y el más importante y reciente de los mismos había sido la Secretaría General del Movimiento Nacional, un puesto que lo autorizaba a ocupar un asiento *ex officio* en el gabinete. Por lo tanto, no pudo sorprender que formase su primer gobierno con hombres de su propia edad a quienes había conocido en el proceso de su propio ascenso en la estructura oficial. Un informe del diario progresista *El País*, acerca de la composición del primer gabinete de Suárez señalaba las principales características de sus miembros: "Una edad promedio de cuarenta y seis años, una ideología católica clásica y buenas relaciones con ciertas instituciones bancarias." El mismo día el diario publicaba lo que se convertiría en un comentario notorio, escrito por Ricardo de la Cierva, uno de los principales historiadores españoles. Su reacción ante la elección de Suárez por el Rey y la elección de ministros por Suárez había sido la misma que la que exhibió la mayoría de los españoles de inclinación democrática, y se resumió en el titular "Qué error. ¡Qué inmenso error!" Después, el rey reconoció que el período que siguió inmediatamente al cambio de gobierno fue el peor de su vida: "Nadie confiaba en mí, no me daban ni el margen de veinte días para ver si me había equivocado en la elección."

Como algunos observadores habían sospechado, esta elección de Suárez no fue sencillamente cuestión de seleccionar el mejor nombre ofrecido por el Consejo del Reino. Era la culminación de meses de tenaz conspiración. Durante los últimos meses de la vida de Franco, Juan Carlos había pedido a una serie de políticos y funcionarios su opinión acerca· del mejor modo de transformar el país. Uno de los enfoques más detallados y realistas provino de Suárez. Cuanto más el futuro rey consideraba la persona de Suárez, más le parecía satisfacer los requerimientos aparentemente contradictorios exigibles al Primer Ministro cuya tarea debía ser llevar a España desde una dictadura hasta una democracia. Poseía un conocimiento íntimo del funcionamiento de la Administración, pero aceptaba que su reforma no podía ser parcial o gradual. Lo que es más, poseía suficiente atracción personal como para sobrevivir una vez que se hubiese restablecido la democracia. Provenía de un medio inofensivo de clase media, exhibía una notable apostura, vestía inmaculadamente, era afable y se mostraba muy versado en el empleo de los medios de difusión, pues había sido director general de la televisión oficial y la red de emisoras de radio. Aunque el propio Suárez no lo sabía, tenía un solo rival importante en el momento en que Franco falleció: José María López de Letona, quien había sido ministro de Industria, a fines de la década del sesenta y a principios de los años setenta. Por sugerencia de Torcuato Fernández-Miranda, ex tutor e íntimo asesor del Rey, Arias incluyó a Suárez en su equipo. Poco después, el Rey llegó a la conclusión de que Suárez era, en efecto, el hombre para el cargo. Trató de avisarle mientras asistían a un encuentro de fútbol entre el Zaragoza –que en ese momento tenía un director joven– y el Real Madrid, que aún se hallaba bajo la dirección del venerable Santiago Bernabeu. El Rey formuló la opinión de que los hombres de más edad tenían que dejar el sitio a los más jóvenes, "...porque en todo la vida del país está cambiando apresuradamente..." Suárez, que quizás estaba demasiado absorto en el juego, no alcanzó a recoger la insinuación. Después de la renuncia de Arias, Fernández-Miranda, a quien el rey había llevado a la presidencia del Consejo del Reino, introdujo el nombre de Suárez en la lista de los candidatos, como para completar la nómina. Este recibió menos votos que cualquiera de los dos restantes, y los miembros del Consejo se asombraron igual que todo el mundo cuando el Rey lo eligió.

Suárez advirtió que tendría que actuar con mucha rapidez. Hacia noviembre, tres meses después del juramento de su gobierno, había presentado a las Cortes un proyecto de reforma política que reimplantaba el sufragio universal y un parlamento bicameral, formado por una cámara inferior, o Congreso, y una cámara alta, denominada Senado. Su decisión tomó de sorpresa a la vieja guardia. Esta carecía de jefe y no tenía alternativas; solamente los más ciegos podían negarse a creer ahora que la nación deseaba la reforma. En el Parlamento, el papel del temible Fernández-Miranda, quien era también el presidente de las Cortes, nuevamente fue decisivo. Consiguió que el proyecto atravesase aceleradamente las etapas de las comisiones, de modo que no ofreció oportunidad para que los opositores diluyesen su contenido. Fuera del parlamento, los miembros de las Cortes –muchos de los cuales ahora eran ancianos que contemplaban la perspectiva de un cómodo retiro o de una renta bien remunerada– advirtieron claramente que el modo como depositaran su voto en relación con el proyecto afectaría a cuestiones de distinto género: por ejemplo, quién se incorporaba a qué comisiones, y la perspectiva de que la administración cerrase los ojos ante ciertas evasiones de impuestos. Finalmente, el procedimiento entero debía ser difundido por la red de la televisión y cada uno de los diputados sería designado por su nombre y tendría que ponerse de pie para contestar *sí* o *no* a la reforma.

Cuando el proyecto pasó al debate de las Cortes, en general se presumía que el gobierno realizaría sus designios. Aun así, cuando se celebró la votación, la noche del 18 de noviembre, era difícil creer lo que estaba sucediendo. A medida que uno tras otro de los miembros de las Cortes –generales y almirantes, ex ministros, banqueros y notorios personajes nacionales– se ponían de pie para apoyar una medida que debía terminar con todo lo que habían sostenido en el curso de sus vidas, fue evidente que la mayoría en favor de la reforma sería mayor, mucho mayor que lo que todos habían imaginado. De hecho, la votación fue de 425 a 59, con trece abstenciones. Esa noche, los españoles comenzaron a entender que la prolongada pesadilla del franquismo realmente había terminado. El 15 de diciembre el proyecto de reforma política fue confirmado abrumadoramente en un referéndum. De los votos depositados, los afirmativos totalizaron el 94,2 por ciento, y los negativos fueron sólo el 2,6 por ciento. Era la prueba concluyente de la medida en que se había reducido el apoyo al sistema franquista de gobierno.

La velocidad de los acontecimientos aturdió no solo a los franquistas, sino también a la oposición. Aun antes de la renuncia de Arias, algunas figuras importantes de la oposición habían comenzado a especular abiertamente acerca de la posibilidad de una ruptura pactada. Pero divididos entre ellos y en actitud de desconfianza frente al nuevo Primer Ministro, no atinaron a recoger la oferta de Suárez de iniciar conversaciones, hasta después del referéndum. Por esa época, Suárez comenzaba a conquistar considerable prestigio como el hombre responsable de este proceso de retorno a la democracia y, por su parte, los políticos opositores –la mayoría de los cuales habían llamado equivocadamente a la abstención durante la campaña del referéndum– habían sufrido un desaire humillante cuando más de tres cuartas partes del electorado acudieron a las urnas. Durante las conversaciones iniciadas entre el gobierno y la oposición, después del referéndum acerca del mejor modo de celebrar las elecciones contempladas en el proyecto de reforma política, el gobierno tuvo la ventaja de mostrar tanto la autoridad moral como la real. Las medidas ulteriores de reforma fueron parte de un proceso denso y veloz. A principios de 1977 el gabinete apoyó un procedimiento de legalización de los partidos políticos más grato para la oposición que el que había conseguido el gabinete de Arias. En febrero los socialistas, fueron legalizados, y en abril, los comunistas. En marzo, se admitió el derecho de huelga, se legalizaron los sindicatos y al mes siguiente fue disuelto el Movimiento. Como por esa época el gobierno y la oposición habían coincidido acerca del modo de celebrar las elecciones y contabilizar los votos, se fijó una fecha: 15 de junio.

Para Suárez y los miembros del gobierno, era claro que, si bien ahora gozaban de enorme popularidad, no pertenecían a ninguno de los partidos políticos que estaban reorganizándose para disputar la elección. El lugar del espectro político que parecía ser más atractivo para los votantes era lo que, en ese momento, pasaba por ser el centro: la frontera entre los que habían colaborado con la vieja dictadura y los que habían trabajado contra ella. A la derecha de ese centro estaban los aperturistas más progresistas, incluidos Suárez y sus ministros; a la izquierda, los partidos opositores más moderados, una plétora de demócratas cristianos, socialdemócratas y liberales, algunos de los cuales eran poco más que clubes de amigos. El espíritu del momento era la reconciliación, y parecía evidente que el partido que pudiese englobar tanto a los partidarios como a los opositores del franquismo, tenía buenas posibilidades de ganar la elección.

El primer intento serio de crear un partido semejante fue realizado en noviembre de 1976, cuando un grupo de aperturistas pertenecientes al gobierno y ajenos al mismo promovieron el Partido Popular. Lo encabezó José María Areilza, mientras Manuel Fraga, colega del anterior en el primer gobierno de la monarquía, estaba atareado formando una entidad más conservadora, la Alianza Popular. En enero, el Partido Popular, absorbió a otro grupo aperturista y cambió su nombre para adoptar el de Centro Democrático. Después, como una bola de nieve que desciende la pendiente de una colina, absorbió uno tras otro a los partidos opositores de menor importancia. Cuando fue evidente que el Centro Democrático era la fuerza en ciernes de la política española, Suárez propuso un acuerdo a algunas de las figuras más importantes: se declaró dispuesto a encabezarlos en la futura elección, garantizándoles prácticamente la victoria, si aceptaban dos condiciones. En primer lugar, debían desplazar a Areilza, el único miembro del partido que podía cuestionar seriamente al Primer Ministro en la competencia por la jefatura. Segundo, debían aceptar en sus filas a los ministros y los funcionarios cuya ayuda Suárez necesitaría si deseaba seguir gobernando el país. Las dos propuestas fueron aceptadas, y en marzo Suárez se incorporó al partido, que en adelante se denominó Unión de Centro Democrático.

La UCD surgió de la elección como el partido más importante, pero con solo el 34 por ciento de los votos y 165 de los 350 escaños en la cámara inferior. El partido opositor más importante fue el Partido Socialista Obrero Español (PSOE), que obtuvo 121 escaños, aproximadamente el 29 por ciento de los votos. El PSOE había venido fortaleciéndose desde 1972, cuando el control del partido pasó del liderazgo exiliado, envejecido y cada vez más desactualizado, a un grupo de activistas jóvenes, residentes en España y dirigidos por Felipe González, un abogado de Sevilla. González era aún más joven que Suárez, y de distinto modo igualmente atractivo tanto por el estilo como por la apariencia. Durante la campaña electoral había conseguido parecer una persona responsable y realista al mismo tiempo que adoptaba una postura agresivamente antifranquista. Ni la Alianza Popular, por la derecha, ni el Partido Comunista Español (PCE), por la izquierda, se desenvolvieron con la eficacia que habían previsto, y obtuvieron solo dieciséis y veinte escaños respectivamente.

Como la UCD no había conquistado la mayoría absoluta en la cámara inferior, parecía que Suárez tendría que negociar alianzas *ad hoc* individuales con los partidos formados a su derecha y a su izquierda, con el fin de conquistar la mayoría en cada uno de los puntos de su programa legislativo. En cambio, prefirió un acuerdo general. Los Pactos de la Moncloa, designados así por la residencia oficial del Primer Ministro, donde fueron firmados en octubre, incluían no solo una parte fundamental del programa legislativo del gobierno, sino también asuntos como los precios y los ingresos, el gasto oficial y la política regional. El peor aspecto de los Pactos, fue el efecto que tuvieron en la opinión pública. Los españoles apoyaban todos la reconciliación, pero después de tantos años de unanimidad forzosa, sentían igualmente ansias de debate. En cambio, aquí veían a los cuatro líderes principales de los partidos, que pocas semanas antes habían ridiculizado cada uno, los programas del otro en la disputa electoral, formulando aparentemente idénticas opiniones, al extremo de que podían presentar un plan global de gobierno del país. Se difundió generalmente la idea de que los políticos, que habían recibido los votos de los electores, ahora estaban decidiendo lo que más convenía al público. Los Pactos provocaron cierto sentimiento de escepticismo acerca de la democracia en España, y ese sentimiento se insertó en el cuerpo cívico como un tumor, y allí permanece hasta el momento actual y se contrae y dilata de acuerdo con las circunstancias. La gran virtud de los Pactos fue que permitieron que los políticos concentraran sus esfuerzos en la tarea más importante que afrontaban: la elaboración de una nueva constitución.

Desde los principios del siglo anterior, España había tenido once constituciones, y la principal razón por la cual ninguna había funcionado estaba en que cada una había sido concebida e impuesta por determinado grupo, que prestaba escasa atención a las opiniones de terceros, o que no les atribuía la más mínima importancia. Por lo que se refería a la constitución, era indudable la necesidad del consenso. La labor de preparar este documento fue confiada a una comisión parlamentaria que representaba a los principales partidos nacionales y a los más importantes de carácter regional. El documento que este núcleo produjo, y que fue aprobado después de incorporarle algunas enmiendas en las Cortes, durante el mes de octubre de 1978, era precisamente el que uno podía esperar de una comisión formada por personas que afirmaban posiciones políticas muy distintas. Sin duda, es excesivamente extenso, a menudo impreciso y a veces contradictorio. De todos modos, es algo en que los principales partidos tienen un interés creado; además, hasta el momento ninguno de ellos ha mostrado indicios de que desee corregirlo, y mucho menos reemplazarlo. La nueva constitución española es posiblemente la más liberal de Europa occidental. Se define a España como una monarquía parlamentaria, más que como una simple monarquía constitucional. No hay religión oficial, y se asigna un papel rigurosamente limitado a las Fuerzas Armadas. Se prohíbe la pena de muerte, y se fija en dieciocho años la edad mínima para gozar de derechos electorales. En diciembre, la constitución fue aprobada por una mayoría abrumadora en un referéndum. Después, a principios del nuevo año, Suárez disolvió las Cortes, que de hecho habían tenido carácter constituyente, y convocó a otra elección general para el 1º de marzo. El resultado fue casi idéntico al de la elección precedente.

La elección general de 1979 marcó el fin de un período en que la política se había ocupado casi totalmente de las grandes cuestiones: ¿España debía ser una república o una monarquía? ¿Continuaría siendo una dictadura o se convertiría en una democracia? Y, si se trataba de una monarquía democrática, ¿qué clase de constitución tendría? En adelante, el problema más importante era el modo de garantizar que la transición de la dictadura a la democracia se reflejase en la vida cotidiana de la gente. El divorcio y el aborto continuaron prohibidos, y la administración, el ejército y la policía, el poder judicial y los servicios de salud y bienestar, así como la red de emisoras oficiales y las escuelas y las universidades exhibían todos el espíritu de un régimen totalitario. Se requería un programa integral de reformas para eliminar las instituciones y las prácticas autoritarias que habían sobrevivido en todos los rincones de la sociedad. Pero pronto llegó a ser evidente que Suárez y su partido eran incapaces de afrontar el desafío. Hasta cierto punto, esto fue una consecuencia de la personalidad misma del Primer

Ministro. Todos los políticos son una mezcla de ambición y convicción. Pero en el caso de Suárez, las creencias aparentemente se limitaban a una sola premisa: la democracia es preferible a la dictadura. Una vez completada la transición de una a la otra, parecía que no tenía aspiraciones que lo motivasen ni ideología que lo guiase. En cambio, el problema de la UCD era cierto exceso de aspiraciones y de ideología, muchas de las cuales se contradecían. Los partidos que habían formado la base de la Unión ocupaban, en el espectro europeo convencional, un sector que abarcaba desde la izquierda del centro hasta una porción considerable de la derecha. Hacia el verano de 1980 había comenzado a definirse una distancia, en definitiva insalvable, entre los socialdemócratas y los demócratas cristianos de la UCD en relación con el plan oficial de legalizar el divorcio. Con respecto a los hombres y mujeres incorporados a la Unión por insistencia de Suárez a principios de 1977, se comprobó que el problema no estaba en sus discrepancias, sino en sus coincidencias. Como habían surgido en el marco del antiguo gobierno franquista, la mayoría afrontaba dificultades reales para percibir la necesidad de hacer algo más que manipular el legado de Franco; y fieles a su origen político, el primer impulso que los animaba siempre que se manifestaba una aparente negligencia o una injusticia, era disimular el hecho más que investigar. En el seno del partido tropezaban con dificultades para reconciliarse con la idea de que en una institución democrática las iniciativas concretas pueden provenir de la base tanto como de la alta jefatura.

Solo durante los últimos meses de ejercicio del poder, Suárez comenzó a revelar –o quizás a descubrir– sus verdaderas simpatías. Pero esa actitud, lejos de mejorar las cosas, solamente consiguió empeorarlas, porque se observó que el Primer Ministro se unía al ala más progresista de su partido; y orientar una coalición tan heterogénea como la UCD desde un lugar que no fuera un punto cercano al centro era prácticamente imposible. De modo que no puede sorprender que la rebelión contra el liderazgo de Suárez, cuando estalló, estuviese organizada por los demócratas cristianos. En todo caso, esta obtuvo un apoyo considerable originado en el descontento de todos los sectores del partido a causa de la ausencia de consultas. En enero de 1981 Suárez renunció al cargo de Primer Ministro, y como reconocimiento por sus servicios, el Rey le concedió el más elevado honor: un ducado.

Uno de los aspectos menos satisfactorios de la nueva estructura constitucional española, consiste en que autoriza un período desusadamente prolongado entre gobiernos. Durante el mes incierto entre la renuncia de Suárez y el juramento de su sucesor, Leopoldo Calvo Sotelo, todas las pesadillas de España se convirtieron en realidad.

Desde el comienzo mismo, la amenaza más grave a la democracia había provenido de los oficiales predominantemente reaccionarios de las Fuerzas Armadas españolas. En 1978 se descubrió que en un café de Madrid se había organizado una conspiración y, en más de una ocasión, el responsable de la UCD para la defensa, teniente general Manuel Gutiérrez Mellado, fue insultado sin rodeos por otros oficiales. A principios de 1981 un grupo de altos jefes había conseguido convencerse de que el país afrontaba el desorden político y económico y de que la unidad de España –cuya preservación había sido confiada a las Fuerzas Armadas por la Constitución– se veía amenazada por la política regional del gobierno. La tarde del 23 de febrero, un teniente coronel de la Guardia Civil, Antonio Tejero Molina, marchó hacia el Congreso con un destacamento de sus hombres, y retuvo a punto de pistola prácticamente a todos los políticos importantes de España durante casi veinticuatro horas. Tejero era lo que parecía ser: un fanático ingenuo. Pero no era más que la marioneta de otros jefes más importantes, sobre todo, de comandante de la División Motorizada de Valencia, teniente coronel Jaime Miláns del Bosch, y de un ex instructor militar y secretario personal del Rey, el general Alfonso Armada. El golpe fracasó gracias a la rápida reacción y serenidad de D. Juan Carlos. Mediante un centro de comunicaciones diseñado especialmente, que el monarca había ordenado instalar en el Palacio, con un costo de diez millones de pesetas, y que le permitía hablar directamente con los once capitanes generales del país, aseguró a estos que la acción de Tejero, contra lo que afirmaban los conspiradores, no tenía su respaldo. Los capitanes generales que mostraban signos de vacilación recibieron la orden de obedecer.

El abortado golpe persuadió al futuro gobierno de la necesidad de apaciguar a las Fuerzas Armadas. Se asignó al ejército un papel simbólico en el turbulento País Vasco, y los planes de reformas en una serie de áreas fueron suavizados o abandonados. En el seno de la UCD el golpe determinó inicialmente que las facciones en disputa estrechasen filas. Pero la tregua duró poco y, apenas el gobierno tuvo que afrontar una decisión política importante, reaparecieron las divisiones conocidas. Entre el golpe y la siguiente elección general celebrada en noviembre de 1982, cada vez que Calvo Sotelo trató de modificar el equilibrio de su programa en favor de la izquierda o la derecha, con el fin de calmar a una facción rebelde de un ala de su partido, invariablemente provocó fisuras en la otra. De este modo, la UCD originó la aparición de un Partido Social Democrático (que se unió con el PSOE), de un Partido Demócrata Cristiano (que se coaligó con la Alianza Popular), e incluso de un Partido Liberal. En 1982 el duque de Suárez asestó lo que, a juicio de muchos, fue el golpe de gracia al partido que el mismo había fundado, cuando lo abandonó para fundar el Centro Democrático Social (CDS). Cuando se llamó a elecciones generales, la UCD había perdido un tercio de sus diputados en el Congreso. La pérdida de apoyo en el país fue aún más dramática, y ello es imputable al golpe. Los centristas habían ganado dos elecciones difundiendo su propia imagen más o menos del mismo modo en que podría venderse un anticonceptivo: persuadiendo al electorado de que representaban "el modo seguro" de tener democracia. Los votantes pensaron que si habían debido soportar un golpe incluso con la UCD en el poder, ¿qué podrían perder si se volcaban hacia un partido que exhibía un compromiso mucho más auténtico con la reforma? De ese modo, al fin se abrió la puerta para Felipe González y el PSOE.

Desde la elección de 1979 González, a semejanza de Suárez pero con más éxito, ha tratado de llevar a su partido hacia el sector que, según las encuestas, es el eje político de España: el centro izquierda. En un momento llegó al extremo de renunciar al liderazgo en un esfuerzo que más tarde alcanzó éxito a fin de obligar a sus partidarios a eliminar el marxismo de la autodefinición del partido. En la elección de 1982 adoptó una plataforma de excepcional moderación, imputable parcialmente al deseo de evitar el alejamiento de los votos de las grandes masas, pero también relacionada con el temor de que un programa más radical inquietase a los generales. En ese sentido, en la política española todavía se manifiesta un nivel de ficción que uno no encuentra en otros países de Europa Occidental. De todos modos, si queremos asignar una fecha al fin del período de transición, es inevitable elegir el 28 de noviembre de 1982, porque el hecho de que las Fuerzas Armadas estuviesen dispuestas a aceptar la victoria de González demostró que era posible transferir el poder de un partido a otro sin derramamiento de sangre. Y esa es, en definitiva, la prueba de la democracia.

Los socialistas obtuvieron 201 escaños, de modo que tuvieron una clara mayoría en el Congreso. A la izquierda del PSOE, el número de escaños de los comunistas disminuyó dramáticamente, e incluso de un modo humillante, de 23 a 5. A la derecha, la Alianza Popular apareció como el partido de la oposición más importante, con 105 escaños. Pero la UCD, que había gobernado a la nación durante cinco años, obtuvo solo once escaños. Y con respecto a Suárez −el cerebro de la transición, el hombre que condujo la nación durante gran parte del accidentado camino de la dictadura a la democracia−, su Centro Democrático Social obtuvo exactamente dos escaños.

Cuatro años más tarde, el resurgimiento del CDS, al incrementar a veinte el número de escaños en el Congreso, fue uno de los pocos puntos notorios en unas elecciones que reafirmó a los socialistas en el poder.

Conservaron la mayoría absoluta, aunque reducida.

Las elecciones de 1986, aún más que las de 1982, demostraron que −a pesar de las conflictivas reputaciones de reaccionario tradicionalismo y violento radicalismo− los españoles son hoy una nación con una arraigada preferencia hacia el reformismo moderado.

La coloración política de la Nueva España es un rosado muy pálido, pero notoriamente uniforme.

SEGUNDA PARTE

EL CAMBIO SOCIAL

recepciones y las visitas, ayuda al monarca a mantenerse al tanto de los hechos y se ocupa, entre otros aspectos, del prodigioso número de peticiones que el rey recibe de sus súbditos, y que por mandato constitucional debe expedir a los ministerios pertinentes. Además de la Zarzuela, el rey y la reina también pueden utilizar el Palacio de Marivent, un ex museo que da a una bahía en las afueras de Palma de Mallorca, donde pasan el mes de agosto y algunos fines de semana durante el verano. Durante el invierno, la familia real a veces va a esquiar a Baqueira Beret –un lugar de descanso de Cataluña– o a cazar, a veces con el novelista y periodista Miguel Delibes, que vive en Castilla la Vieja. Pero a pesar de la presión ejercida por la aristocracia, no restablecieron nada parecido a una corte. La monarquía española cuesta más o menos la mitad que la de Gran Bretaña, y de hecho, menos que otra cualquiera de las europeas.

La modestia de las pretensiones que formulan a la nación refleja una evaluación realista de la posición en que se encuentran el rey y la reina. Saben que si desean ganarse el respeto del pueblo español y asegurar la supervivencia de la monarquía, es necesario que se los vea dar más de lo que reciben. A diferencia, por ejemplo, de la familia real británica, no pueden apoyarse en una corriente profunda de buena voluntad. Ese estado de cosas se manifestó claramente después del abortado golpe de 1981. Durante la primera semana, poco más o menos, todos se sentían colmados de gratitud ante la reacción del rey. Pero la admiración del público por el monarca se vio debilitada gradualmente por la resistencia a creer que el general Armada, quien había sido uno de los pocos confidentes de Juan Carlos, hubiese actuado sin la complicidad del monarca. La versión más popular fue que el rey se apartó del asunto cuando vio que el plan no funcionaría, y dejó que Armada y el resto afrontasen las consecuencias. Me parece que en el exterior no se advierte claramente este hecho: un elevado número de españoles cree que el soberano se comprometió en una conspiración para derrotar a la democracia. Personalmente creo que esta es una opinión equivocada, pero hay razones perfectamente comprensibles por las cuales cierta gente se muestra muy suspicaz. Una de ellas es que, con pocas excepciones, los monarcas Borbones de España, de los cuales D. Juan Carlos es el último representante, han sido un grupo incompetente e irresponsable. Otra es que el propio D. Juan Carlos se elevó al trono con la ayuda de ese sector del campo monárquico que estaba más dispuesto a colaborar con la dictadura.

Los Borbones llegaron a gobernar España, no invitados sino gracias a una guerra –la llamada guerra de la Sucesión de España – que fue disputada por las potencias europeas para determinar quién heredaría el trono español después que el monarca precedente, un Habsburgo, falleció sin dejar heredero. La guerra no solo dividió a Europa. También dividió a España. Un número considerable de españoles –principalmente los catalanes, los valencianos y los aragoneses– apoyaron a los opositores de los Borbones, y cuando concluyó la guerra se vieron castigados por haber elegido mal. Más aún, un Borbón se rindió abyectamente a las fuerzas de Napoleón en 1808, y aunque su hijo fue restablecido en el trono seis años después, los descendientes nunca consiguieron superar el hecho de que el monarca había demostrado menos patriotismo que sus súbditos. Durante los 123 tumultuosos años que siguieron, la insatisfacción con la monarquía dos veces alcanzó tal intensidad que el gobernante del momento se vio obligado a salir del país. La primera ocasión fue en 1868, cuando una alianza de generales y almirantes liberales se desembarazó de la ninfomaníaca reina Isabel, y las Cortes invitaron a ocupar su lugar a un miembro de la familia real italiana. Pero este monarca abdicó poco después, y de ese modo se inició un período desordenado de gobierno republicano. Después del fracaso de la Primera República, los españoles llegaron a la conclusión de que no tenían más alternativa que restablecer a los Borbones en la persona de Alfonso XII, hijo de Isabel. Su hijo, Alfonso XIII, perdió nuevamente el trono.

En 1923 colaboró con la asunción del poder de un grupo de altos jefes dirigido por un personaje excéntrico y llamativo, el general Miguel Primo de Rivera. Al aceptar la dictadura de Primo de Rivera, el rey menospreció a la constitución misma de la cual la monarquía extraía su legitimidad, y unió su suerte al éxito o al fracaso del experimento de Primo de Rivera. Después de siete años el experimento fracasó. El rey sobrevivió poco más de un año, y permitió que las elecciones nacionales de 1931 se convirtiesen en una prueba de fuerza entre los partidarios y los enemigos del régimen monárquico. A medida que se conocieron los resultados de los comicios de las ciudades –los únicos lugares donde se realizó una elección limpia– fue evidente que los enemigos del rey estaban obteniendo un triunfo aplastante. Se declaró la república en el centro industrial vasco de Eibar, y pareció evidente que, a menos que Alfonso abdicara, habría derramamiento de sangre. En la noche del 14 de abril Alfonso emitió una declaración en la cual evitaba cuidadosamente abdicar, pero decía que no deseaba ser responsable del estallido de una guerra civil. "Por consiguiente", agregaba, "hasta el momento en que la nación se manifieste suspenderé intencionadamente el uso de mi prerrogativa real." Esa noche salió de Madrid y marchó al exilio. España se convirtió en república, pero las tensiones entre la derecha y la izquierda, que durante un breve lapso se canalizaron en el apoyo y la oposición a la monarquía, simplemente reaparecieron en otras formas, y el conflicto interno que Alfonso había tratado de evitar estalló cinco años más tarde.

Alfonso falleció en Roma en 1941, pocas semanas después que su salud deteriorada lo indujo a abdicar. Su hijo mayor, llamado también Alfonso, ya había renunciado a sus derechos al trono en 1933 para casarse con una cubana. Pereció en un accidente automovilístico cinco años más tarde, sin dejar hijos. Poco después de esta renuncia, su hermano Jaime, el siguiente en la línea de sucesión, quien sufría de sordera, fue juzgado incapaz de asumir las responsabilidades de la monarquía, y también renunció a la sucesión. Más tarde contrajo matrimonio y tuvo dos hijos, Alfonso y Gonzalo. Por consiguiente, el heredero legítimo era Juan, conde de Barcelona, tercer varón y quinto hijo de Alfonso XIII. Don Juan −este nombre por el cual llegó a conocérselo− había salido de España con su padre en 1931, para ingresar al Real Colegio Naval de Dartmouth. En 1935 se casó con una Borbón, María de las Mercedes de Borbón y Orléans, princesa de las Dos Sicilias. El año siguiente, el alzamiento militar contra la República pareció, a juicio del joven príncipe, el medio que le permitiría recobrar su trono, de manera que se incorporó al movimiento. Una quincena después del comienzo de la rebelión pasó secretamente a España para unirse a las fuerzas nacionalistas, pero los rebeldes −que no deseaban arriesgar la vida del heredero del trono− lo enviaron de vuelta a través de los Pirineos. Es posible que los motivos que los animaban fuesen sinceros, pero de todos modos fue una decisión muy conveniente para el general Franco, a quien se proclamó jefe de Estado más adelante, el mismo año.

Una vez terminada la guerra, el Caudillo no mostró la más mínima intención de entregar a Don Juan la jefatura del Estado. La razón principal fue, por supuesto, que le agradaba sin duda el ejercicio del poder; pero también es justo destacar que si, por ejemplo, se convertía nada más que en un Primer Ministro sometido a Don Juan, podía haber quebrado la tenue alianza de fuerzas que había ganado la guerra. El ascenso de un monarca, no importaba cual fuese, habría agitado a la Falange antirrealista, y el ascenso de uno de los hijos de Alfonso XIII habría irritado a los carlistas. Asimismo, la ulterior desilusión de Don Juan con Franco, aunque se originó en la negativa del Caudillo a entregar el poder, se afirmó todavía más cuando el conde −quien veía en la monarquía un instrumento de reconciliación– tuvo que mantenerse pasivo mientras Franco usaba su poder para humillar a sus anteriores antagonistas.

La ley de Sucesión de la Jefatura del Estado, aprobada por las Cortes en 1949, restableció oficialmente la monarquía, pero convirtió a Franco en jefe vitalicio de Estado, y le asignó el derecho de nombrar a su sucesor como "rey o regente". Para decirlo con la frase clásica, España se convirtió en "una monarquía sin monarca". La ley dividió por el medio a los partidarios de Don Juan. A juicio de algunos –los más progresistas– demostró que Franco intentaba aferrarse al poder todo lo posible, y que el único curso razonable era unirse a la oposición proscrita. Para otros –los más conservadores– significaba que el único modo de restablecer la monarquía era utilizar la ayuda de Franco, y que si los realistas deseaban salirse con la suya tendrían que colaborar con el régimen franquista. Los cambios a veces desconcertantes de Don Juan durante los años que siguieron, y que lograron irritar a la mayoría de los pro y los antifranquistas pueden explicarse hasta cierto punto por los consejos contradictorios que recibió de los "juristas" y los "colaboracionistas" de su Consejo Privado de noventa y tres miembros. Por ejemplo, poco después de la aprobación de la Ley de Sucesión, sus representantes iniciaron negociaciones con los socialistas y los comunistas exiliados. Estos tratos culminaron en los llamados Acuerdos de San Juan de Luz en virtud de los cuales, si Franco caía, se celebraría un referéndum para decidir la forma del Estado. Pero antes de la firma de este pacto, Don Juan se había reunido con Franco a bordo de su yate para analizar la sugerencia del dictador en el sentido de que se educasen en España los hijos de aquel.

Juan Carlos, heredero de Don Juan, había nacido en Roma el 5 de enero de 1938. Era el tercer hijo de Juan y Mercedes, quienes ya tenían dos hijas, Pilar y Margarita. En 1942 la familia se trasladó a Lausana, en la Suiza neutral, y allí Juan Carlos comenzó a asistir a la escuela. En 1946 cuando sus padres se trasladaron a Portugal, con el propósito de residir lo más cerca posible de España, convinieron internar a Juan Carlos en el colegio de los Padres Marianos en Friburgo. El ofrecimiento de Franco puso al conde de Barcelona en una posición extremadamente difícil. Por una parte, se le pedía que cediese el control de la crianza de su hijo y heredero para entregarlo a un hombre de quien desconfiaba. Más aún, esa actitud conferiría credibilidad a la afirmación del dictador en el sentido de que había restablecido la monarquía. Por otra parte, era indudable que Franco esgrimía un argumento válido. Si la monarquía estaba destinada a ocupar nuevamente un lugar en España, necesitaba un representante verosímil, y si Don Juan fallecía antes que el Caudillo, su hijo tenía que estar a la altura del reto. En ese momento, Juan Carlos –quien nunca había estado en España– hablaba español con fuerte acento francés. Después de varias semanas de reflexión Don Juan decidió aceptar la oferta de Franco, y el 8 de noviembre Juan Carlos –quien entonces tenía diez años– y su hermano menor ·Alfonso a bordo del Expreso Lusitania en Lisboa, atravesaron en tren la llanura extremeña para ingresar en la historia.

Los primeros años de la estancia de los príncipes en España, un período durante el cual realizaron estudios en Madrid y San Sebastián, implicaron hasta cierto punto una reconciliación entre el conde y el Caudillo. Pero después que Juan Carlos aprobó su bachillerato (en 1954), fue evidente que los dos hombres mayores tenían ideas muy distintas acerca de la educación superior de aquel. Don Juan deseaba que el joven asistiese a una universidad extranjera, donde recibiría una educación europea liberal. En cambio, Franco quería que estudiase en una academia militar antes de ingresar a una universidad española. En diciembre de 1954 Don Juan y el general Franco se reunieron nuevamente, esta vez en un refugio de cazadores próximo a la frontera con Portugal, y nuevamente Franco impuso su voluntad. Durante el otoño siguiente, Juan Carlos inició un período de cuatro años de instrucción militar: dos años en el Colegio Militar de Zaragoza, seguidos por un año en la Academia de la Armada y otro en la Fuerza Aérea, bajo la supervisión integral del general Carlos Martínez Campos, duque de la Torre. En 1959 Juan Carlos egresó como teniente de los tres servicios, y regresó al hogar de sus padres en Estoril. Franco había decidido, después de consultar con el duque, que la fase siguiente de la educación de Juan Carlos podía realizarse en la Universidad de Salamanca; pero solo cuando ya se habían elegido sus habitaciones y seleccionado a los tutores, pareció que Don Juan comprendía las consecuencias de que se enviara a su hijo a una institución que había permanecido paralizada intelectualmente durante siglos. Rehusó aprobar la idea, y el duque renunció a su cargo. Don Juan y el general Franco retornaron al refugio de cazadores en marzo de 1960, y esta vez el conde se salió con la suya. El lugar del duque fue ocupado por un panel de seis académicos eminentes, que elaboraron especialmente un curso de estudios liberales de dos años para Juan Carlos. El príncipe cursaría esos estudios en Madrid, y recibiría lecciones de los académicos miembros del panel y de los conferenciantes y profesores elegidos por aquellos.

Su compromiso con la princesa Sofía fue anunciado mientras estaba en la universidad. Se habían conocido siete años antes a bordo del yate de la familia real griega, durante un crucero por el Egeo, y fue a bordo de una embarcación más pequeña que tiempo después ellos estuvieron a punto de romper. "Una vez fui en barco con él cuando todavía éramos novios", recordaría más tarde Sofía, "y no me explico cómo después de aquello he podido casarme con él."

La princesa –hija mayor del rey Pablo y la reina Federica de Grecia– nació el 2 de noviembre del mismo año que Juan Carlos. Como él, sus primeros recuerdos se relacionaban con el exilio, y como Juan Carlos había sido enviada a un internado, sólo que en su caso lo hizo más tarde y permaneció más tiempo. El 14 de mayo de 1962 Juan Carlos y Sofía contrajeron matrimonio en la catedral católica de Atenas, en presencia de una constelación de reyes, reinas y presidentes. Durante los años siguientes, Sofía dio a luz tres hijos: Elena en 1963, Cristina en 1965 y Felipe, quien nació el 30 de enero de 1968.

Después de la universidad, Juan Carlos pasó unas pocas semanas en cada uno de los ministerios, examinando el funcionamiento de estas reparticiones. En diciembre de 1962 Franco celebró su septuagésimo cumpleaños, y el problema de su sucesión pareció cada vez más urgente. Pero no era fácil ver de qué modo podría realizar su intención aparente de restablecer la monarquía.

Los carlistas eran una fuerza agotada. En primer lugar, sus pretensiones al trono ahora eran cada vez más tenues. El pretendiente original, y último descendiente varón directo, Alfonso Carlos, había fallecido en 1936 sin dejar descendencia masculina. Su pariente varón más cercano y, por lo tanto, el sucesor en las pretensiones carlistas era nada menos que Don Juan, de modo que para mantener viva la causa antes de su muerte, Alfonso Carlos había adoptado como heredero a un primo lejano, el príncipe Javier de Borbón Parma. Pese a esto, en 1958 varios carlistas importantes reconocieron públicamente el derecho de Don Juan a la sucesión. Más tarde Javier abdicó en favor de su hijo Carlos Hugo. Ocho años mayor que Juan Carlos, Carlos Hugo tenía juventud suficiente para ser un sucesor elegible en el trono, y en 1964 convalidó todavía más sus credenciales al casarse con la princesa Irene de los Países Bajos, después de un súbito romance. Pero el sueño de los carlistas de un retorno a la monarquía absoluta parecía impracticable incluso a los ojos de Franco en la segunda mitad del siglo XX, y durante su gobierno los carlistas nunca tuvieron más que una presencia simbólica en el gobierno.

El problema era que la otra rama de la familia estaba representada por un hombre que no gozaba de simpatías ni de respeto. En vista del desdén de Franco por Don Juan, un número creciente de los partidarios más reaccionarios de éste, los mismos que siempre habían pensado que era mejor que Franco sobreviviese al conde, de modo que pudiese entregar el poder a un rey educado en el régimen de la dictadura, comenzó a jugar con la idea aparentemente absurda de que, incluso si el conde sobrevivía a Franco, Juan Carlos podría ocupar el trono. Los defensores más firmes de la "solución Juan Carlos" eran los tecnócratas del Opus Dei, quienes habían sido responsables de la iniciación del "milagro" económico español, y cuya popularidad ante Franco se elevaba con el mismo ritmo que el Producto Bruto Nacional. Su líder era el almirante Carrero Blanco, antiguo amigo del Caudillo.

Pero muchos españoles estaban convencidos de que, en vista de los problemas suscitados, Franco nunca llegaría a designar un sucesor. Sobre todo, los falangistas abrigaban la esperanza de que el dictador pudiese esquivar la cuestión dejando el poder a un regente. El hombre a quien tenían en mente para la tarea era otro antiguo amigo de Franco, el teniente general Agustín Muñoz Grandes. Falangista toda su vida, había comandado la División Azul –la contribución de Franco al esfuerzo de guerra del Eje– y servido como ministro en dos gabinetes. En 1962 Franco lo designó viceprimer Ministro. Fue la primera vez que creó un puesto semejante.

El ascenso de Muñoz Grandes alarmó profundamente a los realistas de todos los sectores, y fue precisamente por esta época que los tecnócratas y el almirante Carrero Blanco iniciaron una campaña, que llegó a ser conocida por el nombre de *Operación Lucero* destinada a promover la candidatura de Juan Carlos tanto ante Franco como ante la nación entera. En una mirada retrospectiva, puede advertirse que Franco necesitaba muy escasa persuasión; más o menos fue en este momento que comentó a Juan Carlos: "Tiene más posibilidades de ser rey Vuestra Alteza que vuestro padre." Difundir la candidatura de Juan Carlos en el país era tarea más difícil. Los tecnócratas influían considerablemente sobre los medios de difusión, el mundo de los negocios y las universidades, pero la Falange –a través de su control del Movimiento– ejercía gran parte del gobierno local. Cuando Juan Carlos y Sofía visitaron las provincias, como lo hicieron muchas veces durante este período por recomendación de sus partidarios, se los recibía a menudo con indiferencia total... o con frutas podridas. Juan Carlos, que había soportado las burlas de los falangistas en las calles de

San Sebastián cuando estaba en la escuela, y había tenido que afrontar una demostración de los carlistas cuando se encontraba en la universidad, sabía cómo lidiar con estas expresiones. Más tarde recordaría la ocasión en que un personaje local lo acompañaba en una visita. "...Y yo notaba que algo iba a suceder. Algo desagradable, por supuesto. Caminábamos, y yo iba atento buscando el lugar donde imaginaba que saldría la intemperancia. De repente, di un paso adelante y dos hacia atrás. Un tomate se estampó en el uniforme de mi acompañante."

No cabe duda de que todo esto debió representar una verdadera prueba para Sofía.

La medida en que Juan Carlos simpatizó con los objetivos ulteriores de la *Operación Lucero* continúa siendo un misterio. Todavía en enero de 1966 dijo a un corresponsal visitante: "Jamás, jamás ceñiré la Corona mientras viva mi padre." El primer indicio público de que el plan estaba alcanzando éxito llegó al año siguiente, cuando Franco despidió sumariamente a Muñoz Grandes y asignó el puesto a Carrero Blanco. Ahora el ascenso de Juan Carlos comenzó a ser una probabilidad más que una posibilidad. Como sintieron que la regencia era una causa perdida, varios falangistas se reconciliaron con la idea de una monarquía, y comenzaron a promover la candidatura de Alfonso de Borbón-Dampierre, hijo del hermano mayor sordo de Don Juan, quien había renunciado sus pretensiones al trono en 1933. Entre tanto, Carlos Hugo se desplazó rápidamente de la derecha a la izquierda del espectro político, en un esfuerzo por obtener el apoyo de la oposición democrática, una iniciativa que desconcertó a muchos de los partidarios tradicionales de su causa. En diciembre de 1968 pronunció un discurso en el que atacaba francamente a Juan Carlos, y cinco días más tarde la policía le concedió, lo mismo que a su esposa, veinticuatro horas para abandonar el país.

Ahora que los falangistas y los carlistas se habían debilitado totalmente, la sucesión estaba al alcance de Juan Carlos. En enero de 1969 dijo a la agencia de noticias oficial: "Estoy preparado para servir a España en cualquier punto o responsabilidad en los que pueda serle más útil." Las declaraciones del príncipe sorprendieron del todo a su padre, pero en todo caso nada podía hacer para detener el vertiginoso desarrollo de los hechos. El 12 de julio Franco convocó a Juan Carlos, y en el curso de una conversación de cuarenta y cinco minutos le dijo que se proponía designarlo su sucesor. Diez días más tarde Franco anunció su elección en las Cortes, que la ratificaron por 491 votos contra 19 y 9 abstenciones. Para subrayar el hecho de que el título de Juan Carlos al trono derivaba de su condición de protegido de Franco más que de la condición de nieto de Alfonso XIII, en adelante se lo denominó príncipe de España, y no príncipe de Asturias, el título otorgado tradicionalmente al heredero del trono. Al día siguiente, Juan Carlos prestó juramento de lealtad a Franco y al Movimiento Nacional. Don Juan, que había informado que estaba en el mar, en su yate, esa tarde recaló en un pequeño pueblo de la costa portuguesa para ver la ceremonia por televisión, en un bar de pescadores. Cuando su hijo terminó de hablar, su único comentario fue: "Muy bien leído, Juanito, muy bien leído." De regreso en Estoril, disolvió su Consejo Privado y emitió una declaración en la cual destacaba claramente que "no he sido consultado, y no se ha intentado conocer la opinión libremente expresada del pueblo español". A partir de ese momento mantuvo contactos cada vez más cordiales con algunas de las principales figuras de la oposición democrática, incluidas varias, que otrora habían adoptado actitudes francamente republicanas. Más adelante, en junio de 1975, pronunció en Barcelona un discurso durante una cena, censurando duramente a Franco y a su régimen; después se le prohibió reingresar al país.

Con respecto a Juan Carlos, sus problemas no concluyeron con esta designación. Ni los carlistas ni los falangistas estaban dispuestos a renunciar a sus aspiraciones. Carlos Hugo llegó a la conclusión de que su causa se beneficiaría si formaba un partido político que abrazara el socialismo de izquierda y el control obrero. Después, los carlistas tradicionales más extremistas decidieron apoyar a su hermano menor, Sixto Enrique. Surgió una amenaza más grave para Juan Carlos cuando en 1972 Alfonso de Borbón-Dampierre contrajo matrimonio con la nieta mayor de Franco, María del Carmen Martínez Bordíu. Como consecuencia de este episodio, varios miembros de la familia de Franco –y sobre todo su esposa, doña Carmen– volcaron su influencia en favor de la conspiración urdida por los defensores falangistas de Alfonso, y dirigida a sentarlo en el trono de España. Doña Carmen trató de que este matrimonio fuese declarado boda real, y se propuso que se diese a Alfonso el tratamiento de "Alteza Real". Ambas ideas se vieron frustradas por la intervención personal de Juan Carlos. La adhesión de Franco a la monarquía siempre había sido en parte un reflejo de sus propias pretensiones al trono, y durante los últimos años de su vida este hecho provocó temores en los partidarios de Juan Carlos, porque si el Caudillo llegaba a caer en la senilidad, podía cambiar de idea y transferir la sucesión a Alfonso, con el fin de convertirlo en el fundador de una dinastía. En realidad, Franco permaneció tan lúcido como siempre hasta la enfermedad definitiva.

El manejo sagaz de los asuntos que Juan Carlos mostró durante el primer año de su reinado contribuyó mucho a salvar la distancia entre él y su padre. A principios de 1977, cuando fue evidente que el gobierno de Suárez marchaba hacia el establecimiento de una democracia integral, Don Juan decidió conceder a su hijo el apoyo público que hasta ese momento le había negado. El 14 de mayo en el Palacio de la Zarzuela, renunció a sus derechos al trono en un discurso en el que reiteraba su fe en la democracia. Hacia el final del mismo se puso de pie, se inclinó profundamente y declaró: "Majestad, España por encima de todo." Sospecho que Don Juan pasará a la historia como una de las figuras trágicas del siglo XX: el rey que nunca fue, un hombre simple que siempre dijo que sus años más felices eran los que había pasado en la condición de oficial naval común, un individuo indeciso atrapado entre su disgusto frente a un dictador advenedizo y su responsabilidad por la supervivencia de la dinastía y que, de todos modos, demostró en definitiva que poseía sensatez y humildad suficientes para reconocer que, habiendo perdido un trono, no necesitaba perder a otro hijo.

El mismo año presenció el comienzo del fin de otra división, mucho más trascendente, en el seno de la familia Borbón. En octubre Carlos Hugo regresó a España después de nueve años en el exilio, y aclaró en su primer discurso que se consideraba él mismo líder de un partido político más que jefe de una dinastía rival. Cinco meses más tarde él y Juan Carlos se encontraron, y en 1979 se otorgó la ciudadanía española a Carlos Hugo. Después, su partido desapareció prácticamente de la escena política.

Si Franco no lo hubiese convertido en su heredero y en cambio hubiera permanecido en el ejército, Juan Carlos estaría ahora a un paso de asumir el mando de su primer regimiento. Su carácter y su estilo de vida son más o menos los que uno esperaría encontrar en un joven y emprendedor teniente coronel. Bebe y fuma poco: un whisky de tanto en tanto y, a veces, un cigarrillo. Mantiene su buen estado físico con media hora de carrera o ejercicios todas las mañanas, y antes que la presión del trabajo llegara a ser excesiva solía dedicar al squash una hora todas las noches, y a veces jugaba con Manuel Santana, el ex campeón de tenis de Wimbledon. Fuera del deporte –el rey también es aficionado al judo, el esquí y la navegación– su gran pasión en la vida está representada por los artefactos tecnológicos. Su oficina tiene un video-teléfono conectado con el Palacio de la Moncloa, la residencia oficial del Primer Ministro, y una habitación contigua está atestada de equipos de audio y video, cámaras, lentes y su receptor de radio de onda corta.

El rey es un entusiasta radiooperador aficionado, y a veces se comunica con otro personaje real, Hussein de Jordania.

En las grandes ocàsiones, Juan Carlos a veces todavía muestra una actitud un tanto torpe, y aunque está mejorando, aún tiene dificultades cuando llega el momento de pronunciar discursos. El rey se siente mucho más cómodo en la atmósfera levemente informal de las audiencias y las recepciones. Expansivo e informal, está dotado de bastante sentido del humor y una memoria prodigiosa para los nombres y las caras.

En cambio, Sofía es la discreta hija de una madre formidable. Le desagrada la publicidad personal, nunca concede entrevistas y ha ofrecido una sola conferencia de prensa, en 1976, durante la gira real por Estados Unidos. Sin embargo, sus aficiones son bien conocidas. Como era previsible en el caso de una griega, una de ellas, es la arqueología. Cuando era más joven intervino en varias excavaciones y escribió dos libros acerca de sus descubrimientos en colaboración con su hermana Irene. También le interesan mucho temas tan diversos como los OVNIS y los problemas de los incapacitados físicos y mentales. Pero su pasión más intensa es la música clásica, y especialmente la música barroca. Toca el piano y pasa gran parte de su tiempo escuchando discos y asistiendo a conciertos. Ha desarrollado una tarea inmensa con el fin de promover la causa de los ejecutantes y los compositores españoles, tanto en el país como en el extranjero y, en reconocimiento a su aporte, la orquesta nacional de cámara lleva su nombre.

Afírmase que es profundamente religiosa, pero como tuvo que convertirse de la ortodoxia al catolicismo para contraer matrimonio con Juan Carlos, probablemente no se muestra demasiado quisquillosa en relación con el dogma. Sobre todo, la reina Sofía suscita la impresión de que desea vivir una vida tan común y corriente como sus circunstancias se lo permitan. Viste con sencillez, y en general compra ropa de confección. Varias boutiques de Madrid y Palma exhiben orgullosamente cartas de Palacio que incluyen el pago de los artículos que ella elige durante las salidas de compra que realiza de tanto en tanto con sus amigas. Por extraño que parezca, uno de sus grandes placeres en la vida es lavarse y arreglarse el cabello, y cierta vez dijo que si no hubiera nacido miembro de la realeza le habría agradado ejercer la profesión de peluquera. Sin embargo, uno sospecha que se habría sentido aún más feliz en el ambiente de una universidad. En realidad, cuando Franco falleció se inscribió en la Universidad Autónoma de Madrid, pero tuvo que abandonar el curso poco después, cuando la carga de sus obligaciones oficiales le impidió continuar los estudios.

En público, Sofía tiende a mantenerse a la sombra de su esposo. Pero hay una "obligación" que ella misma creó y que siempre ejecuta sola. Hacia fines de los años setenta sobrevino un terrible accidente que afectó a un ómnibus escolar. Esa tarde Sofía decidió ir en helicóptero al área de la catástrofe, para comprobar si podía ayudar. Después, España –por razones que examinaré en un capítulo ulterior– ha sido escenario de varias tragedias del mismo género. En la mayoría de los casos la reina ha acudido al lugar para reconfortar a las víctimas y a sus parientes. Y con esto no quiero decir que ella se limite a una recorrida ceremonial del hospital varios días después; generalmente llega a las pocas horas del accidente, mucho antes que las víctimas hayan sido retiradas y se hayan calmado las emociones. Recuerdo vívidamente una fotografía de la reina abrazando a dos trabajadoras de edad madura, agobiadas por el dolor, ambas con la cabeza apoyada sobre el hombro de la soberana, y llorando desconsoladamente. Es difícil imaginar a un miembro de la familia real británica que permita que su dignidad se vea comprometida hasta ese punto. La evidente humanidad de Sofía en estas ocasiones ha servido para facilitar el acercamiento entre esta dama reservada y sus súbditos.

Nada se sabe de cierto acerca de sus actitudes políticas, pero sus opiniones en otros temas sugieren que es una mujer de inclinaciones progresistas. Se opone al uso de pieles, es hasta cierto punto vegetariana y acerca de sus opiniones relativas a las mujeres uno puede percibir un rasgo de feminismo. "El papel de la mujer es ayudar al marido, pero sin perder su independencia", dijo a los periodistas en la única conferencia de prensa que ha concedido. Las escuelas que ha elegido para sus hijos son conocidas por sus métodos de avanzada, y una de las anécdotas más reveladoras acerca de su persona se refiere a la escuela primaria a la cual asistió el príncipe Felipe. Algunos padres, que creían que el costo de las comidas era muy elevado, decidieron presionar a las autoridades y enviar a sus hijos a la escuela provistos cada uno con su respectivo almuerzo. La reina Sofía se unió a ellos, y en adelante el heredero del trono se presentó todas las mañanas con varios emparedados en su maleta. Hay una escuela de pensamiento que cree que Sofía, cuya apariencia gentil esconde una voluntad de hierro, puede haber ejercido sobre la historia española reciente tanta influencia como su marido.

De acuerdo con esta teoría, la princesa se sintió horrorizada ante el dominio que Franco y su esposa ejercían sobre Juan Carlos, y se propuso convertirlo en un hombre independiente, persuadiéndolo de que ninguna monarquía apoyada por los partidarios de un régimen totalitario podía sobrevivir en el siglo XX. Hasta qué punto todo esto es verdad no podrá aclararse durante muchos años, en el supuesto de que alguna vez podamos saber a qué atenernos. Pero vale la pena señalar que el futuro rey comenzó sus reuniones secretas con políticos y otras figuras poco después de casarse con Sofía.

Los amigos más íntimos de la pareja son el hermano de Sofía, el ex rey Constantino y su esposa Anne-Marie, quienes a menudo pasan temporadas en Marivent durante el verano. Entre los miembros de la realeza reinante, los soberanos españoles son probablemente los que están más cerca de la familia real británica, con la cual ambos están emparentados. En varias ocasiones, después del ascenso al trono, realizaron visitas privadas a Gran Bretaña, pero la permanente disputa acerca de Gibraltar ha impedido que exista un mayor vínculo entre las dos monarquías.

Las experiencias compartidas de la transición han contribuido a forjar relaciones en general buenas entre el rey y los principales políticos españoles. El ex jefe comunista, Santiago Carrillo, quien mientras Franco aún vivía pronosticó que el entonces príncipe pasaría a la historia con el mote de "Juan Carlos el Breve", acabó afirmando que el rey "hubiera podido ser un gran presidente de una república". Felipe González, encuadrado por las tradiciones sólidamente republicanas de su partido, ha tenido que mostrarse muy cauteloso en público, aunque él y Juan Carlos se llevan bien en privado. En cambio, la relación entre el rey y Fraga se ve complacida por toda suerte de problemas históricos, entre ellos, la asociación de Fraga con algunos de los falangistas decididos a eliminar a Juan Carlos de la sucesión, así como por la decisión del rey de rechazar en 1975 la candidatura de Fraga al cargo de Primer Ministro.

El rey se mantiene políticamente al tanto de la situación a través de las muchas audiencias que concede a personas de todos los estamentos de la vida, y de las reuniones que celebra una vez por semana con el Primer Ministro. Pero una de las ironías de la España moderna es que la Constitución, que probablemente jamás habría visto la luz del día de no ser por los esfuerzos del rey, drásticamente redujo las atribuciones muy considerables que él heredó de Franco. Las actividades que la Constitución le asigna –la promulgación de leyes y decretos, la convocatoria a elecciones y a un referéndum, la designación de los primeros ministros y los ministros, la acreditación de los embajadores, la firma de tratados internacionales y la declaración de la guerra y la paz– todas requieren el consentimiento previo del gobierno o la legislatura. De todos modos, como observó cierta vez sagazmente un periodista español, Juan Carlos es "un rey de escasas atribuciones pero de mucha influencia". De acuerdo con la Constitución, corresponde al soberano "arbitrar y moderar el funcionamiento regular de las instituciones", y Juan Carlos ya ha demostrado que está en condiciones de interpretar muy ampliamente este papel cuando cree que las circunstancias lo requieren. En 1981, después del abortado golpe, convocó a los líderes de los principales partidos y, en efecto, les ordenó que no adoptasen medidas punitivas contra el conjunto de las Fuerzas Armadas.

A su vez, esta actitud fue el reflejo de la única función inequívoca e incondicional que la Constitución le asignara: comandante supremo de las Fuerzas Armadas. La actitud del cuerpo de oficiales frente al rey es curiosamente ezquizofrénica, porque la desconfianza en vista de su apoyo a las ideas progresistas choca. constantemente con el respeto suscitado por su papel de comandante en jefe y jefe del Estado. Es significativo, que cuando Armada, Miláns del Bosch y otros intentaron persuadir a sus colegas de la necesidad de apoyar la conspiración, tuvieron que afirmar que ejecutaban el plan con la complicidad del rey. Por su parte, el rey preserva escrupulosamente sus contactos con los militares. Ha continuado la práctica iniciada por Franco de celebrar audiencias militares una vez por semana, y a veces realiza llamados sorpresivos a altos oficiales de las Fuerzas Armadas, utilizando el centro especial de telecomunicaciones que ordenó instalar en el palacio. Es sabido que ha presionado a los políticos en defensa de los militares, solicitando más dinero para elevar los sueldos y mejorar los equipos. Pero también es capaz de formular enérgicas advertencias al cuerpo de oficiales cuando tal cosa es necesaria. En cierta ocasión describió la conducta de ciertos oficiales como manifestaciones "francamente degradantes". El rey se complace en su función de comandante supremo, y la desempeña con suma seriedad: una conducta muy oportuna, porque la única amenaza seria a su gobierno ha provenido de las Fuerzas Armadas.

4

EL EJERCITO: ¿AMIGO O ENEMIGO?

Así como todos los norteamericanos recordarán dónde estaban cuando recibieron la noticia del asesinato de Kennedy, ningún español olvidará jamás lo que hacía la tarde del lunes 23 de febrero de 1981, cuando un destacamento de Guardias Civiles encabezado por Antonio Tejero, un oficial de espeso bigote, irrumpió en el Congreso, y suspendió un debate difundido por radio y referido a la designación del nuevo Presidente. Los millones de personas que escuchaban la sesión por radio, oyeron primero una serie de gritos confusos y después una sostenida salva de disparos. La intención era forzar a los diputados reunidos a arrojarse al suelo, pero, para todos los que escuchaban, parecía que un loco había barrido a toda la clase política española.

Probablemente nunca se sabrá cuántas unidades militares debían alzarse contra el gobierno durante las horas siguientes. En la práctica, sólo la División Motorizada, al mando del teniente general Miláns del Bosch, con base en las proximidades de Valencia, salió realmente a las calles. Cristina Soler Crespo, residente en Valencia, anotó lo que vio y oyó a medida que sucedía. Su relato, publicado unos días más tarde por el periódico madrileño *El País*, evoca parte del terror y la estupefacción de esa noche.

72

En el momento que escribo estas líneas, a las dos de la madrugada de una noche fría de febrero, desde mi ventana de un tercer piso de la Gran Vía valenciana, tengo a pocos metros de distancia de mis ojos un tanque –un enorme, verdoso, terrible tanque– estacionado y tomando posiciones con su cañón... apuntando a miles de ventanas, a través de cuyos visillos se adivinan cabezas atemorizadas, atemorizados ojos de pacíficos ciudadanos, de familias con niños, de ancianos que ya vieron estas escenas antes, y vuelven a revivir ese pánico sordo, imponente, silencioso de quien no comprende nada...

Llegan camiones cargados de soldados, jeeps, coches de policía, toman cada esquina de la gran avenida y los pájaros despiertan tan asustados como los seres humanos. Se apagan las farolas del jardín central y la escena toma aspecto de pesadilla. Los tres jóvenes que ocupan el tanque más cercano, puedo ver que no tienen más de veinte años. El cañón ahora apunta definitivamente a las ventanas de la sede del PSOE y a su bandera roja situada frente a mi ventana. La gente de las ventanas superiores deja caer los visillos y apagan las luces.

Los hechos del 23 y 24 de febrero confirieron realidad a algo que la mayoría de los españoles había temido desde la muerte de Franco. Con un refinado sentido del eufemismo, los españoles aluden a las Fuerzas Armadas como a los *poderes fácticos*, en cuanto se distinguen de los poderes *de jure* como la monarquía, el gobierno, el poder judicial y la administración. Durante la transición, la amenaza de la intervención militar deformó casi todos los aspectos de la vida española. Condicionó el modo en que los políticos abordaron una serie de cuestiones, en particular, el problema de las autonomías y los convirtió en individuos mucho más cautelosos de lo que hubieran sido en otras condiciones.

Desde entonces, los socialistas han hecho mucho para mantener al ejército bajo un control más estricto. Si bien la amenaza de un nuevo golpe se ha alejado hasta un punto inimaginable hace sólo unos pocos años, no ha desaparecido por completo y esto se refleja en el trato dado a los militares por el resto de la sociedad.

Todavía hay un Día de las Fuerzas Armadas. En los medios

de difusión se presta considerable atención a la designación de oficiales superiores, y los discursos que los generales y los almirantes pronuncian tradicionalmente al ocupar sus nuevos cargos son analizados cuidadosamente por los dirigentes políticos, en busca de pistas que aclaren las inclinaciones políticas de los oradores. Durante la primera época no era desusado leer en un titular por ejemplo: "El ejército debe atenerse a la Constitución, afirma el general Fulano". El hecho de que un oficial superior estuviera dispuesto a respetar la forma de gobierno elegida por la abrumadora mayoría de las personas que pagan su sueldo en España constituía noticia.

Los orígenes de la inclinación del ejército a interferir en los asuntos oficiales, según algunos se remonta al siglo XVIII, cuando se pedía a los jefes superiores que representasen un papel desusadamente destacado en el gobierno. Pero la invasión napoleónica de 1808 fue el hecho que creó las precondiciones de la tenaz intervención militar que, en definitiva, se convirtió en el rasgo distintivo de la política española durante el último siglo. Una de las paradojas de la Guerra de la Independencia que siguió a la invasión fue que, si bien los funcionarios de clase media y los oficiales que llenaron el vacío dejado por el rey y su corte estaban muy atareados combatiendo a los invasores, adoptaron muchas de las ideas que los franceses tendían a difundir. Entre ellas, la más fundamental fue que el monarca debía sujetarse a las restricciones de una constitución escrita. Fernando VII, quien fue restablecido en el trono en 1814, rehusó reconocer sin embargo que los tiempos habían cambiado, y el resultado fue que su reino afrontó, con intervalos frecuentes, alzamientos dirigidos por oficiales que habían actuado en la Guerra de la Independencia, y que intentaban imponer una constitución. Los movimientos durante el reinado de Fernando aportaron dos nuevas palabras al mundo. Una, acuñada para describir a los enemigos de la monarquía absoluta, fue *liberal*. (Es importante comprender que el liberal español del siglo XIX sería considerado conservador durante el siglo XX). La otra, utilizada inicialmente por el comandante Rafael de Riego para describir su declaración de rebeldía contra la Corona en 1820, fue *pronunciamiento*. Al principio, se utilizó el término pronunciamiento para describir sólo el llamado inicial a las armas, pero más tarde significó la totalidad del movimiento. Como escribió el historiador británico Raymond Carr, los pronunciamientos –de los que hubo cuarenta y cuatro entre 1808 y 1936–, pronto se ajustaron a un esquema peculiar. "Primero, los sondeos preliminares (los *trabajos*) y la incorporación de oficiales y sargentos, realizada por un pequeño grupo activista, en contacto con los conspiradores civiles; después los compromisos, mediante los cuales los cómplices se coaligaban para la acción; finalmente, los líderes elegidos iniciaban la última etapa con el llamado *grito*." El formalismo de estas rebeliones a menudo incruentas, así como el entusiasmo y el exhibicionismo de los participantes indujeron a los extranjeros a compararlas con episodios de ópera cómica.

Fernando falleció en 1833, cuando su heredera Isabel aún no tenía tres años, de modo que España fue gobernada por esa forma menos autoritaria de gobierno: una regencia, ejercida en este caso por María Cristina, viuda de Fernando. Su autoridad vacilante se vio debilitada todavía más por la lucha dinástica promovida por Carlos, hermano de Fernando, que lo llevó a declarar la guerra al gobierno y a incorporar a su causa a todos los que tenían un interés creado en la perpetuación del absolutismo. La guerra carlista determinó que María Cristina llegase a depender excepcionalmente de su ejército, de modo que cuando sus dos principales generales le exigieron que aceptara una constitución, la regente no estuvo en condiciones de negarse. En teoría, España estaba en condiciones de aplicar una democracia parlamentaria bipartidista. Desde el comienzo mismo, los liberales se habían dividido en dos grupos, que llegaron a ser conocidos por los nombres de *moderados* y *progresistas*. Pero, lamentablemente, el atraso económico y la inexperiencia política de España eran tales que la idea de que un partido traspasara voluntariamente el poder a otro después de la celebración de elecciones limpias nunca arraigó realmente, y los políticos pronto se acostumbraron a conseguir que el ejército derrotara, en cambio, al gobierno.

En una sociedad en la cual evidentemente era imposible evaluar la opinión pública a través de las urnas, los generales y los coroneles se acostumbraron a proceder como los intérpretes de la voluntad popular. Durante el reinado de Isabel, el poder generalmente cambió de manos por medio de pronunciamientos de los oficiales coaligados con alguno de los sectores liberales: Espartero, O'Donnell y el bravío Ramón María Narváez, quien cuando en su lecho de muerte escuchó a su confesor pedirle que perdonase a sus enemigos, según se dijo, se negó con el siguiente argumento: "Los maté a todos."

Quizá fue inevitable que un pronunciamiento, promovido por una alianza de generales y almirantes progresistas, finalmente derrotase a Isabel, en 1868. Pero lamentablemente para los progresistas, su idea de importar del extranjero un gobernante más viable no funcionó, y la iniciativa pasó del campo liberal a los que no deseaban una monarquía de ningún tipo, constitucional o absoluta.

Los políticos que gobernaron a España durante la breve Primera República no sólo eran antimonárquicos, sino antimilitaristas. Propugnaban varias ideas aborrecidas por el cuerpo de oficiales. Sobre todo, un número importante de ellos proponía convertir a España en un Estado Federal. En este sentido, tenían elementos comunes con los carlistas, cuyo sueño de retorno al siglo XVIII incluía el restablecimiento de los derechos y privilegios locales de tipo tradicional. A juicio del cuerpo de oficiales, cuya tarea principal había sido la represión del carlismo, la restitución del poder en una forma cualquiera era anatema, y fue perfectamente lógico que la República cayese derrocada por un general que trataba de impedir la introducción del federalismo.*

La experiencia de la Primera República convenció a los liberales de la necesidad de forjar un eficaz sistema bipartidario, y la restauración de la monarquía en 1874 inició un período de democracia artificial, en el que los miembros de las facciones liberales contrapuestas, rebautizados ahora con los nombres de *conservadores* y *liberales*, se adueñaron del poder mediante elecciones fraudulentas, en un esfuerzo enderezado a mantener a raya a los republicanos y a otros extremistas. Casi por casualidad, este sistema consiguió terminar con los pronunciamientos. Su falla consistía en que el único sector de la sociedad cuyos intereses estaban representados era el de las clases alta y media. A medida que ciertas regiones de España se industrializaron en el curso de los cincuenta años siguientes, apareció una clase trabajadora urbana cada vez más nutrida y fuerte que carecía de voz en el parlamento. Por eso mismo a menudo manifestaban sus agravios en la calle, y los sucesivos gobiernos tenían que convocar al ejército con el fin de restablecer el orden.

El mismo período también asistió a una serie de humillantes derrotas en el exterior. Comenzó con una solitaria lucha para retener a Cuba, un episodio que terminó bruscamente en 1898 cuando Estados Unidos declaró la guerra a España, destruyó su flota y la privó no sólo de Cuba sino también de Puerto Rico y las Filipinas. Seis años más tarde España recibió cierta compensación, porque aseguró dos pequeñas porciones de Marruecos. Pero casi inmediatamente afrontó un estado de resistencia en la región septentrional. Desde 1909 hasta 1925 tuvo que lidiar con una guerra

---

* El golpe del general Pavía, que derrocó a la Primera República en 1873, casi seguramente fue la inspiración de la intervención de Tejero. A semejanza de Pavía, Tejero dirigió a sus hombres hacia el interior de las Cortes, y les ordenó que disparasen al aire.

en gran escala, librada por las tribus de las montañas del Rif* y, si bien esta guerra con el tiempo fue ganada por los españoles, les acarreó una sucesión de desastres. En el peor de estos episodios, provocado por la derrota de Annual en 1921, los españoles perdieron 15.000 vidas y 5.000 kilómetros cuadrados de territorio en pocos días. A semejanza de los jefes de muchos ejércitos derrotados antes y después, los oficiales españoles intentaron explicar su falta de éxito por referencia a la presunta incompetencia o indiferencia de los políticos del "frente interno". En ese proceso, se mostraron sumamente sensibles a las críticas. Por ejemplo, después de las elecciones locales de 1905, el partido triunfante en Cataluña celebró un gran banquete que indujo al semanario humorístico *Cu-Cut* a publicar una caricatura donde aparecía un soldado preguntando a un civil acerca de un grupo de personas reunidas frente a una puerta.

"Es el banquete de la victoria", explicó el civil.

"¡Victoria! Ah, en ese caso tienen que ser civiles", afirmó el soldado.

Esta caricatura irritó tanto a los militares que las Cortes aprobaron para apaciguarlos una ley que habría de perturbar las relaciones de las Fuerzas Armadas y el resto de la sociedad hasta hace pocos años: la Ley de Jurisdicciones, de acuerdo con la cual una ofensa contra el ejército o sus miembros podía ser juzgada por una corte marcial.

Hacia 1923, cuando el general Primo de Rivera asumió el poder y estableció una dictadura, el oficial militar español había comenzado a representar el papel de policía y juez. Y fuese que sirviera en las montañas de Marruecos o detrás de un escritorio en Madrid, era evidente que la distancia entre él y sus conciudadanos estaba ampliándose. Esta situación representó un problema especial para el cuerpo de hombres acostumbrados a considerarse ellos mismos instrumentos de la voluntad colectiva, y así comenzó a

---

* La guerra de Marruecos presenció la creación del cuerpo que se convertiría en la unidad más famosa del ejército español: la Legión, fundada en 1920 por el teniente coronel José Millán Astray. A semejanza de la Legión Francesa, que le sirvió de modelo, la Legión Española, estaba destinada a incorporar extranjeros, y se denominó inicialmente, <u>Tercio de Extranjeros</u>. En realidad, los extranjeros nunca fueron más que una minoría. Pero los legionarios, con su peculiar paso rápido, las mascotas exóticas y los gorros adornados con borlas pronto se convirtieron en una formidable fuerza de combate animada por un enérgico espíritu de cuerpo. La característica más distintiva fue −y es− una actitud hacia la muerte que roza lo afectuoso y que quizá debe algo a la tradición musulmana de martirologio entusiasta, que tanto inspiró a sus primitivos enemigos. Millán Astray los motejaba los <u>novios de la muerte</u>.

acentuarse la extraña creencia de que, incluso si tal vez no reflejaban las preferencias circunstanciales del electorado, de todos modos expresaban los valores eternos de la patria. Y de acuerdo con esta teoría, la patria era infinitamente más importante que la suma de sus habitantes. Comenzó a definirse una distinción entre España y los españoles, y esa actitud serviría en 1936 para justificar una guerra contra la mayoría de los españoles como una guerra en defensa de España. Incluso así, fue necesario un período prolongado de casi anarquía durante la Segunda República para crear las condiciones que permitieron un alzamiento exitoso.

Lo que sorprende más en relación con el papel del ejército durante el siglo que media entre el ascenso de Isabel y el estallido de la guerra civil no es que su perspectiva política haya cambiado tanto, sino que cambió tan poco. A primera vista, parece que una clase oficial ferviente en su defensa del liberalismo durante el siglo XIX, por cierta razón, se transformó en una poderosa fuerza reaccionaria en el siglo XX. Pero esto es más que nada resultado de cierta confusión acerca del variable sentido de la palabra "liberal". Lo que sucedió en realidad fue que a medida que el centro de gravedad de la vida política se desplazaba constantemente hacia la izquierda, como sucedió en Europa entera durante este período, el cuerpo de oficiales continuó ocupando firmemente el mismo sector del espectro político, y aferrándose a una visión de la política que puede haber parecido radical comparada con el absolutismo de Fernando VII, pero que ya comenzaba a parecer un tanto conservadora por la época de la Primera República, y que era positivamente reaccionaria en tiempos de la Segunda República.

En segundo lugar, es importante destacar que el sector del espectro político ocupado por el cuerpo de oficiales fue siempre bastante ancho. Como sucedió bajo el reinado de Isabel, cuando el foco de la vida política estuvo más o menos en el centro de dicho espectro, sus miembros podían parecer dos bloques rigurosamente divididos. Los episodios de la Primera República contribuyeron a uniformar relativamente las opiniones de la clase de los oficiales, pero estas posiciones continuaron variando significativamente, como lo demostró el alzamiento de 1936. De ningún modo puede afirmarse que todos los oficiales se unieron a la rebelión, y una minoría considerable – incluso la mayoría de los jefes superiores – se mantuvo fiel a la República.

El desenlace de la guerra civil fue el factor que modificó realmente la situación. Los 3.000 oficiales que se habían mantenido fieles a la República y que sobrevivieron a la guerra fueron eliminados del ejército, y alrededor de 10.000 jóvenes que se habían incorporado a los nacionalistas como alféreces provisionales, y habían sido enviados al frente después de un breve curso de instrucción, pudieron continuar en el ejército. El resultado fue que el cuerpo de oficiales llegó a ser considerablemente más homogéneo y reaccionario, y que este proceso continuó cuando, con el correr del tiempo, una proporción cada vez más elevada de la clase de los oficiales se formó con reclutas incorporados después de la guerra civil, es decir, jóvenes que habían decidido por propia iniciativa servir a una dictadura, y que se inclinaban más a autodefinirse sencillamente como "franquistas", que como partidarios de determinada "familia" en el marco del régimen. Ciertamente, el ejército llegó a ser más autoritario, incluso que el propio Caudillo. En 1956, 1959 y nuevamente en 1970 varios grupos de oficiales superiores, alarmados por el nivel de la oposición violenta al régimen, exigieron y obtuvieron de Franco la aplicación de medidas más draconianas que las que él mismo había contemplado.

Otro efecto de los cambios que siguieron a la guerra civil fue el aumento de la magnitud del cuerpo de oficiales, lo cual reavivó un problema que había agobiado a todos los gobiernos durante más de un siglo. El problema nació con la Guerra de la Independencia, que asistió al reclutamiento de un elevado número de oficiales a quienes se permitió permanecer en el ejército. A lo largo del siglo XIX generalmente su número se elevaba a 10.000: una cifra bastante aceptable en tiempos de guerra, cuando el ejército contaba con 100.000 hombres, pero grotesca en tiempos de paz, cuando era necesario mandar a menos de la mitad de ese número de hombres. Además, los ascensos de origen político determinaban que el cuerpo de oficiales mostrase una cúpula absurdamente numerosa. El número de generales durante este período rara vez fue inferior a quinientos, y la relación de generales a subordinados oscilaba generalmente entre uno a cien y uno a doscientos. Pareció que el problema se había resuelto definitivamente con las medidas aplicadas bajo la Segunda República. Pero entre 1936 –cuando se interrumpió el programa normal de entrenamiento de oficiales a causa de la guerra– y 1946 –cuando se lo reanudó– la incorporación neta de oficiales al ejército, como hemos visto, fue de alrededor de 7.000 hombres. Antes de la guerra civil, la proporción de grados otorgados había sido de alrededor de 225 anuales. De modo que en diez años el ejército incorporó un caudal de nuevos miembros correspondiente a más de 30 años.

En 1953 y 1958 se dictaron leyes en virtud de las cuales los oficiales que desearan retirarse tempranamente recibían pensiones y beneficios generosos. Pero, por esta época, los veteranos de la guerra civil tenían alrededor de treinta y cinco y cuarenta años y es comprensible que se mostrasen renuentes a iniciar una nueva carrera en el "mundo civil". Más aún, el ingreso a la reorganizada Academia General Militar de Zaragoza —reducido al principio— fue incomprensiblemente aumentado en el curso de los años, hasta que en 1955 se graduaron bastante más de 300 oficiales. El método que aplicó Franco para reducir la proporción entre oficiales y soldados fue mantener bajo bandera a un número mucho más elevado de soldados que lo que era necesario. Inmediatamente después de la guerra civil, la fuerza del ejército fue reducida en unos dos tercios (de un millón de hombres o sesenta y una divisiones, a unos trescientos cuarenta mil hombres o veintidós divisiones). Hacia 1975 el número había descendido a 220.000 hombres, de los cuales más de 24.000 eran oficiales. Pero esto aún era mucho más que lo necesario para la defensa de España, y tampoco guardaba la más mínima proporción con la magnitud de las restantes Fuerzas Armadas. En 1975 la armada contaba con 46.600 hombres, y la fuerza aérea, con 35.700.

Durante los años que siguieron al fin de la guerra civil, el conjunto de los ministerios de las tres armas, representaba aproximadamente un tercio del gasto del gobierno. Los tres servicios estaban bien armados y equipados, y el sueldo de los oficiales regulares y de los suboficiales podía compararse favorablemente con el de otros españoles durante los años 40. Pero cuando pasó la amenaza de una invasión aliada, Franco comprendió que en realidad no era necesario invertir tanto en las Fuerzas Armadas, y calculó con acierto que el prestigio del cual gozaba entre sus colegas de la oficialidad era tal que no necesitaba sobornarlos. En adelante, el gasto de la defensa en proporción con la erogación total del gobierno descendió constantemente. Los sueldos no aumentaron con el mismo ritmo que el ascenso del costo de la vida del resto de la sociedad —especialmente durante los años de desarrollo— y, como las horas que los oficiales militares españoles trabajaban no eran precisamente muy exigentes, muchos se dedicaron a desempeñar diferentes tareas en su tiempo libre. Algunos ocuparon cargos de ejecutivos. Los miembros de las ramas más técnicas a menudo dictaron clases en escuelas y universidades.

De todos modos, había tantos oficiales que incluso pagarles un sueldo modesto consumía una proporción importante del presupuesto para la defensa. A su vez, esto significaba que se disponía de sumas proporcionalmente menores para comprar y mantener armas y equipos. "Los oficiales españoles", escribió Juan Antonio Ansaldo, un distinguido aviador nacionalista que se convirtió en uno de los más acerbos críticos de Franco, "sufren en silencio como muchachos pobres frente al escaparate de una tienda en la Noche Buena". En 1953, Franco concertó un acuerdo con Estados Unidos. En virtud del mismo se permitía que los norteamericanos establecieran bases en España. Parte del precio que los norteamericanos pagaron fue regalar, prestar o vender a España equipos anticuados a precios favorables. La aviación concertó el mejor acuerdo, y compró sus primeros cazas de reacción. Pero el ejército y la marina continuaron muy mal equipados hasta la muerte de Franco. El navío insignia de la Marina, el *Dédalo*, era un portahelicópteros con puente de madera, un barco botado en 1941. Algunos escuadrones de la selecta División Blindada del ejército tenían hasta tres tipos diferentes de tanques, cada uno de los cuales necesitaba repuestos, combustible y municiones diferentes.

En 1970 el director de la Escuela de Estado Mayor del Ejército fue relevado a causa de un discurso en el cual llamó la atención sobre los bajos sueldos y el mal estado de los equipos. Pero fue una excepción. En general, los oficiales españoles, en efecto, "sufrieron en silencio", y la razón más importante de esa actitud fue quizá que la vida en el ejército de Franco, si bien no era muy compensatoria desde el punto de vista financiero o profesional, de todos modos aportaba excepcional seguridad. La totalidad de la primera clase que egresó de la reorganizada Academia General Militar alcanzó el grado de general, y aunque fue necesario imponer cierto grado de selectividad a sus sucesores, no se observó ningún tipo de selección hasta que sus miembros alcanzaron el grado de coronel. El ascenso hasta el grado de coronel dependía exclusivamente de la duración del servicio. Antes que uno cualquiera de los oficiales que se había diplomado en Zaragoza, por ejemplo en 1960, pudiera ser ascendido a determinado rango, *todos* los oficiales aprobados en 1959 tenían que haber alcanzado ese nivel. La capacidad de un oficial se reflejaba en los mandos que se le asignaban, pero también en este caso se evaluaba su capacidad sobre la base de su posición en la lista de su curso o escalafón, preparado al fin del curso de entrenamiento de cada oficial. Por consiguiente, el día que salía de Zaragoza, el oficial no sólo sabía qué rango alcanzaría treinta años después, sino que también tenía una idea bastante cabal de la clase de tarea que le asignarían. Aunque parezca irónico, el propio Franco era un ejemplo destacado de los defectos del escalafón. Después de haber salido en el lugar número 251 de una clase de 312, ascendió más velozmente que otro oficial cualquiera, antes o después de su época, a causa de su bravura y habilidad en el campo. Promovido a brigadier general a los treinta y tres años, se cree que fue el general más joven de Europa desde Napoleón.

Pero aparentemente lo que menos deseaba Franco era convertir al ejército en una eficaz organización de combate. La Ley Institucional del Estado, aprobada en 1967, el instrumento legal de la dictadura más parecido a una constitución, establecía que las Fuerzas Armadas eran responsables de garantizar "la unidad y la independencia del país, la integridad de su territorio, la seguridad nacional y la defensa del sistema institucional". En otras palabras, se encomendaba a las Fuerzas Armadas la tarea de proteger al régimen de sus enemigos internos y exteriores. Pero en la práctica no se las convocó seriamente en ninguno de los dos casos. Los únicos combates que el ejército afrontó fuera de la Península fueron los que libró con los súbditos coloniales de Africa del Norte, y, en realidad, no fueron episodios importantes. El Caudillo era realista y, pese a todos sus discursos acerca del renacimiento del imperio español, comprendía que la corriente de los tiempos se oponía al colonialismo. Franco cedió una tras otra las posesiones coloniales de España apenas hubo el más mínimo indicio de turbulencia. El Marruecos septentrional español se separó en 1956, y el Marruecos meridional hizo lo propio en 1958, al mismo tiempo que Ifni, un enclave territorial que se encuentra frente a las Islas Canarias, y que había sido cedido a España en 1868; Río Muni y Fernando Po alcanzaron simultáneamente su independencia y formaron Guinea Ecuatorial en 1968. En el territorio metropolitano, Franco restableció la división del país en capitanías generales, cada una mandada por un teniente general con importantes atribuciones tanto civiles como militares. Pero a diferencia de muchos de sus predecesores, Franco no utilizó al ejército en las calles para dispersar las manifestaciones.

La ausencia de una función clara del ejército se reflejó en su despliegue excéntrico. Fuera de la Legión que permaneció en Africa hasta el último año del gobierno de Franco, el ejército español se divide en dos categorías: los regimientos de línea, o Fuerzas de la Defensa Operativa de Territorio (DOT) y las unidades selectas blindadas y móviles, o Fuerzas de Intervención Inmediata (FII). Las DOT están distribuidas más o menos parejamente entre las once capitanías generales (nueve regiones militares continentales y dos comandos unificados en las Islas Baleares y Canarias), en cambio las FII están distribuidas selectivamente. Aunque ninguno podía ser considerado exactamente como inminente, los únicos peligros reales que afrontaba España provenían, primero, de la probabilidad de que las fuerzas del Pacto de Varsovia, si llegaban a conquistar el resto de Europa, cruzaran los Pirineos y atacaran Iberia; y segundo, de los propósitos de las potencias del norte de Africa sobre las posesiones de España en la región (en definitiva reducida a los dos enclaves de Ceuta y Melilla). El modo convencional de enfrentar estas amenazas hubiera sido concentrar las fuerzas blindadas a lo largo del río Ebro, quizá con una división tierra adentro como reserva, y desplegar la mayoría de las unidades móviles al sur y al este del país. En cambio, Franco decidió apostar las tres divisiones blindadas en las afueras de Madrid, Sevilla y Valencia, respectivamente, instalar la Brigada de Paracaidistas en Alcalá de Henares, a pocos kilómetros de la capital, acuartelar la Brigada Aerotransportada en La Coruña, y enviar la Brigada de Caballería a Salamanca. En el curso de los años he preguntado a varios agregados militares extranjeros en Madrid si les parecía que ese criterio tenía sentido, y nunca pude encontrar a alguien que me contestase afirmativamente.

Si hubo un objetivo consecuente en la política de Franco frente a sus Fuerzas Armadas, este fue alentarlas a intervenir en esferas de actividad que en otros países serían consideradas evidentemente civiles. Por ejemplo, los oficiales representaron un papel destacado en política: por un lado, cada una de las tres Fuerzas Armadas tenía su propio ministro, elegido entre los oficiales en actividad; por otro lado el Caudillo a menudo designaba a generales, almirantes y mariscales para encabezar ministerios totalmente desvinculados de la defensa. De los ciento catorce ministros que se desempeñaron en los gabinetes de Franco, treinta y dos fueron militares y once de ellos se desempeñaron en ministerios que carecen de relación con la defensa. Los militares desempeñaron también un importante papel en la economía. Desde un período bastante inicial –mucho antes que el *pluriempleo* fuese usual en toda la sociedad– Franco aplicó la política de utilizar a los oficiales como ejecutivos de las compañías que eran propiedad del Instituto Nacional de Industria (INI). Se asignó a la marina y a la fuerza aérea el ejercicio de un control amplio sobre la navegación mercante y la aviación civil, de modo que la administración de puertos y el control del tránsito aéreo, entre otras cosas, quedaron sometidos a la supervisión de las Fuerzas Armadas. La mayoría de los oficiales de las dos fuerzas policiales paramilitares fue reclutada entre las Fuerzas Armadas, y otro tanto puede decirse de los miembros de los servicios de inteligencia. Además a menudo se convocó a oficiales militares con el fin de que juzgasen a los sospechosos de terrorismo en los Consejos de Guerra. Todo esto inevitablemente suscitó en los oficiales la impresión de que su labor tenía tanta relación con el control de la sociedad como con la protección de la misma frente a los ataques de los enemigos.

El gobierno de Franco también presenció la transformación de la clase de los oficiales en algo parecido a una casta. Había −y hay− un elevado índice de uniones entre miembros de familias de oficiales, y más de la mitad de los cadetes de Zaragoza, sea cual fuere el período elegido, son hijos de oficiales. Un número totalmente desproporcionado proviene de Madrid o de las provincias en que funciona una academia militar. Los vascos y los catalanes representan sólo una minúscula fracción del ingreso, pero esto probablemente tiene mucho que ver con el hecho de que las provincias vascas y catalanas son regiones altamente industrializadas, en las cuales hasta hace poco era más fácil conseguir buenos empleos.

Más importante aún el cuerpo de oficiales desarrolló una visión de la vida que se contradecía absolutamente con la del resto de la población. Poco después de la muerte de Franco las autoridades de la Academia General Militar realizaron una encuesta de las actitudes y las creencias de los cadetes. La encuesta tiene graves defectos (por ejemplo, se disponía sólo de cuatro respuestas para cada pregunta). De todos modos, los resultados son sugestivos. En momentos en que la gente joven desertaba en nutridos grupos de la Iglesia, más del cuarenta por ciento de los futuros oficiales del ejército español, a la pregunta acerca de lo que les parecía menos grato en la sociedad, contestó: "la irreligiosidad". Cuando se les preguntó: "¿cuál es el factor más valioso en relación con la eficiencia de un ejército?", menos del seis por ciento eligió: "la calidad del equipo y la eficiencia mecánica de sus soldados regulares". La respuesta más popular fue: "el patriotismo de sus miembros". Ciertamente, las opciones preferidas fueron consecuentemente las que incluían una referencia al patriotismo o a la patria. Esta actitud no es sorprendente, pues a lo largo de todo el curso los cadetes militares españoles se encuentran sometidos a un proceso cercano al lavado de cerebro. Al término del mismo, los símbolos del patriotismo −la bandera, las palabras "España" y "patria"− actúan como "desencadenantes" de un orgullo muy sensible. El rey ha tenido que advertir a las Fuerzas Armadas, en más de una ocasión, acerca de los peligros de la invocación ritual de ciertas palabras sin atención a lo que las mismas significan realmente.

Por la época en que Juan Carlos ascendió al trono, el cuerpo de oficiales militares estaba formado por una minúscula fracción progresista, cuyos miembros pertenecían a una entidad ilegal, la Unión Militar Democrática (UMD), o simpatizaban con ella (esta

84

entidad se había manifestado poco antes de la muerte de Franco); –un grupo más nutrido pero todavía pequeño de falangistas y carlistas firmes– y entre ambos extremos, la gran mayoría, que sencillamente se consideraba a sí misma franquista y estaba dispuesta a aceptar como gobernante y comandante en jefe a quien Franco eligiera. De todos modos, consideraban rey a Juan Carlos en virtud del juramento que éste había prestado en 1969, más que como consecuencia de su linaje Borbón. El interrogante que se suscitó muy pronto fue si las Fuerzas Armadas verían en la introducción a la democracia una traición a dicho juramento. En caso afirmativo, la nueva situación implicaría a sus ojos la negación de la legitimidad del gobierno designado por el rey, y daría a los militares el pretexto necesario para intervenir. Un mes después que su primer gobierno asumió al poder, Suárez celebró una reunión con los más altos jefes militares españoles, y en el curso de la misma expuso sus planes y les pidió apoyo. El resultado fue un florido comunicado, cuya esencia era que las Fuerzas Armadas tolerarían las reformas del gobierno siempre que ellas fueran aprobadas por las Cortes (en ese momento todavía formadas por muchos partidarios de Franco). Pero parece que durante el encuentro Suárez suscitó la impresión de que estaba dispuesto a consultar a los jefes de las Fuerzas Armadas antes de legalizar al Partido Comunista. Cuando al año siguiente Suárez se vio inducido por los hechos y –muchos así lo creen– por el rey a legalizar al PCE, el cuerpo de oficiales se sintió ofendido. Sólo uno de los tres ministros de las Fuerzas Armadas, en efecto, presentó su renuncia, pero el daño sufrido por Suárez y el prestigio de gobierno en el concepto de los militares fue inmenso. Después de eso, siempre hubo una activa corriente subterránea que burbujeaba casi inmediatamente bajo la superficie de la vida militar.

Los centristas reaccionaron renunciando prácticamente a la responsabilidad por la disciplina en el seno de las Fuerzas Armadas. Durante los cinco años que van de 1977 a 1982, en varias ocasiones algunos oficiales fueron castigados por las autoridades militares a causa de su apoyo explícito a la constitución y, en cambio, se dejó impunes a otros que la insultaron abiertamente.

El golpe de 1981 fue, en sí mismo, consecuencia de la timidez de la UCD. Tanto Tejero como Miláns del Bosch habían sido descubiertos cuando conspiraban contra el gobierno y, sin embargo, se les permitió continuar desempeñando funciones de responsabilidad. En 1976 Miláns del Bosch –sin solicitar permiso– puso sus tropas en estado de alerta después de una manifestación de la policía paramilitar. En 1977 había abandonado su puesto

—nuevamente sin autorización— para asistir a una reunión con otros oficiales superiores en la ciudad de Játiva, Valencia. Un año más tarde, Tejero fue arrestado por su participación en una conspiración encaminada a secuestrar al rey y al primer ministro, la trama que la prensa denominó Operación Galaxia, en honor de la cafetería donde se urdió el plan.

Pero lejos de persuadir al gobierno de la necesidad de modificar su actitud, el intento de golpe determinó que los centristas, dirigidos por Calvo Sotelo, adoptasen una posición aún más temerosa. Se permitió que el ejército patrullase la frontera franco española correspondiente al País Vasco, en un intento aislado de impedir que la ETA infiltrase armas. Uno de los fundadores de la revista *Fuerza Nueva* fue designado presidente del Estado Mayor Conjunto, y el gobierno aceptó sin protestar la designación como capitán general de Zaragoza de un oficial que había sido gobernador de Valencia la noche cuando los tanques salieron a las calles.

El método de los socialistas ha sido en general más duro. Poco después de asumir el poder dieron de baja sumariamente a un teniente general a causa de las observaciones que formuló durante una entrevista que le hizo una revista, y en adelante ése fue el sistema aplicado —se trata con métodos drásticos y sin miramientos a los oficiales que se atreven a cuestionar la Constitución. Es una política que ha determinado que los jóvenes del gabinete de González sean más respetados por los militares que lo que fue jamás el caso de los centristas. Pero en todo caso los deja expuestos a la crítica de que juzgan a los oficiales aplicando criterios políticos tanto como profesionales.

Aunque el modo en que la UCD y el PSOE han tratado a las Fuerzas Armadas ha sido muy distinto, en todo caso se observa bastante continuidad en los programas de reforma de ambas fuerzas. Ciertamente, la mayoría de las reformas ejecutadas durante los años que siguieron a la muerte de Franco nacieron en la mente de un hombre: el teniente general Manuel Gutiérrez Mellado. Con su rostro abotagado, el bigote bien recortado y las gafas de grueso marco, "Guti", según se lo apoda, parecía la imagen misma de un general franquista. En efecto, había pasado la mayor parte de su vida adulta al servicio del Caudillo, primero como agente secreto de los nacionalistas en la zona republicana, durante la guerra civil, y después como talentoso oficial de estado mayor y comandante de unidad. Pero sus opiniones no eran las de un franquista. "El ejército", declaró en un discurso, poco después de la muerte de Franco, "no está aquí para mandar sino para servir." El entrevistador de una agencia de noticias cierta vez le preguntó si era un progresista, y creo que uno puede percibir la profundidad de su sentimiento en la respuesta que ofreció: "No me opongo a que me llamen progresista", replicó, "si eso significa que reconozco que no tengo siempre toda la razón, que estoy dispuesto a discutir los problemas con quien desee discutirlos, que prefiero que no haya más guerras fratricidas, que quiero que España pertenezca a todos los españoles, que considero suicida el deseo de recomenzar todo de nuevo, arrojando por la borda cuanto se ha ganado hasta ahora, y que creo que uno tiene que volver los ojos hacia nuevos y más luminosos horizontes sin limitarse a las ideas y a las instituciones pasajeras, que se han visto superadas por la realidad de una España joven, inquieta y vibrante, que aspira a un mundo mejor y más justo."

Apenas un mes después que Suárez asumió el cargo, el teniente general Santiago y Díaz de Mendivil, viceprimer Ministro responsable de la defensa, renunció como protesta ante los planes oficiales de legalización de los sindicatos, y Suárez pidió a Gutiérrez Mellado, quien en ese momento era jefe del Estado Mayor General, que ocupase el cargo. El general se consagró a la tarea con hercúlea satisfacción. Trabajó con un pequeño grupo de asesores, y durmió apenas tres horas por noche, y el resultado fue una serie de decretos que reformaron el sistema de sueldos, establecieron los límites de la actividad política de las Fuerzas Armadas y abolieron su jurisdicción sobre los delitos vinculados con el terrorismo. Lo que es más importante: transformó la estructura de mando de las Fuerzas Armadas, de modo que éstas comenzaron a parecerse a las de una nación occidental democrática. Durante el régimen de Franco, cada arma tenía su plana mayor encabezada por un jefe. Pero este jefe de ningún modo era el comandante de su fuerza específica. Ciertamente, la cuestión de quién estaba a cargo de qué en adelante llegó a confundirse un poco, excepto que la cadena de mando, en definitiva, remataba en el Primer Ministro (es decir, el propio Franco hasta los últimos días de su vida). Siguiendo un camino, la cadena de mando pasaba el Alto Estado Mayor, un cuerpo conjunto generalmente mandado por un general de ejército, que estaba bajo el control directo de la oficina del Primer Ministro. Siguiendo otro camino, pasaba por los ministros a cargo de los tres ministerios de las Fuerzas Armadas, quienes eran responsables ante el Primer Ministro en su condición de miembros del gabinete. El punto más importante era que los representantes más altos de las Fuerzas Armadas –el jefe del Alto Estado Mayor por una parte, y los tres ministros, por otra– tenían todos acceso directo y rutinario al jefe de Gobierno. Las Fuerzas Armadas no estaban bajo el control del gobierno: eran parte del mismo.

Gutiérrez Mellado consiguió que estos ministerios de las Fuerzas Armadas se convirtiesen en entidades superfluas, pues determinó que los jefes de Estado Mayor fuesen los comandantes de sus respectivos servicios; y después hizo otro tanto con el jefe del Alto Estado Mayor, pues transfirió sus atribuciones a un nuevo Comité Conjunto de Jefes de Estado Mayor, la Junta de Jefes del Estado Mayor (JUJEM), con la inclusión de los jefes de los tres servicios y un presidente. Hacia principios de 1977 la cadena de mando era bastante clara. Llevaba de los tres servicios al JUJEM, del JUJEM a Gutiérrez Mellado, y de éste a Suárez. Las Fuerzas Armadas estaban sometidas firmemente al gobierno, y quedaba abierto el camino para la abolición de los tres ministerios de las Fuerzas Armadas y su reemplazo por un solo ministerio de Defensa, inmediatamente después de las elecciones generales de junio de 1977.

Gutiérrez Mellado se convirtió en el primer titular del nuevo ministerio, pero su meta era apartarse del campo preparando el camino para la designación de un civil como ministro de Defensa (aunque como el general había alcanzado la edad de retiro y había pasado a la reserva poco antes de la elección de 1977, técnicamente era civil; un detalle subrayado por la prensa de ultraderecha, que generalmente se refería a él llamándolo *señor* Gutiérrez Mellado). Después de las elecciones de 1979 el control directo de las Fuerzas Armadas fue entregado –por primera vez en cuarenta años– a una persona que no era y jamás había sido oficial: Agustín Rodríguez Sahagún. Incluso así, Gutiérrez Mellado retuvo un asiento en el gabinete, en la condición de primer vicepresidente, responsable de la seguridad y la defensa. Sólo en 1981, cuando Suárez renunció, Gutiérrez Mellado también se retiró del gobierno, y de ese modo permitió que Calvo Sotelo formase un gabinete sin ministros militares.

Pero, por esa época, Gutiérrez Mellado había promovido una serie de reformas suplementarias. Una que se aplicó por completo mientras él continuaba en el cargo fue la revisión de las Reales Ordenanzas, es decir las órdenes vigentes aplicables a los tres servicios, y que habían sido redactadas durante el régimen de Carlos III en el siglo XVIII, y después nunca fueron modificadas. Las nuevas y muy modernas Reales Ordenanzas fueron redactadas y cobraron vigencia a comienzos de 1979. El mismo período también presenció la introducción –aunque tardíamente y como consecuencia de la presión ejercida por los Pactos de la Moncloa– de una ley referida a la justicia militar. La nueva ley, que entró en vigor en 1980, limitó la jurisdicción de las cortes marciales a la esfera puramente militar, y creó comisiones encargadas de redactar nuevos códigos de justicia militar y de disciplina en el servicio. Hacia 1982 ambas comisiones habían completado sus tareas, pero ninguno de los dos nuevos códigos ni las Reales Ordenanzas individuales para cada una de las Fuerzas Armadas –instrumentos que por entonces ya habían sido completados– fueron aplicados durante el gobierno de Calvo Sotelo. Ciertamente, el período que siguió al golpe presenció el congelamiento de una serie completa de leyes elaboradas por orden de Gutiérrez Mellado y relacionadas con el despliegue, la movilización, el entrenamiento, el servicio militar y las industrias relacionadas con la defensa.

Sólo dos proyectos de reformas militares pasaron por las Cortes durante el gobierno de Calvo Sotelo. Sin embargo, ambas fueron medidas de importancia fundamental. Una asignó a las autoridades militares el derecho de retirar oficiales de la lista activa por "incompetencia física, psicológica o profesional", y modificó las normas aplicables al retiro de tal modo que cuanto más bajo era el rango de un oficial, más pronto se lo obligaba a pedir el retiro. También creó una nueva categoría –la reserva activa– en la cual podía incluirse a los oficiales a quienes se obligaba a pedir el retiro antes de lo que ellos mismos habían previsto. La otra medida determinó que el ascenso dependiese, en parte, del mérito, pues estipuló que los oficiales debían someterse a procesos de selección antes de ascender a mayor y brigadier. El efecto combinado de estas dos leyes, que cobraron vigencia en 1981, fue permitir a las autoridades que redujesen el número de oficiales de la lista activa, pues eliminaron a los menos talentosos. Cuanto más tiempo necesitaba un oficial para salvar los obstáculos creados por la segunda ley, más probable era que alcanzara la edad del retiro fijada para su rango por la primera. No puede sorprender que estas dos leyes provocaran la intensa hostilidad de los oficiales que habían llegado a ver en el ejército su sustento vitalicio. Los temores de este sector fueron manipulados por la prensa de ultraderecha, y la campaña contra los oficiales responsables de la elaboración de las leyes alcanzó tal intensidad que uno de ellos, el general Marcelo Aramendi, se suicidó.

De todos modos, las leyes de 1981 estaban todavía muy lejos de lo que se necesitaba lógicamente: armonizar el número de oficiales de cada jerarquía con el número de cargos de importancia correspondiente. Aunque el ingreso anual de cadetes había disminuido constantemente a partir de la muerte de Franco, de un máximo de más de 400 a poco más de 200, por la misma época que los socialistas asumieron el poder aún había 21.800 oficiales –uno por cada once hombres de otros niveles–, y del total, no menos de 300 eran generales. El cuerpo de oficiales del ejército español no sólo era muy considerable, sino también muy viejo. La edad promedio de un general era de sesenta y dos años, la de un coronel, cincuenta y ocho y la de un capitán, treinta y ocho.

La elección de González para el cargo de Defensa recayó en un hombre de barba y gafas, Narcís Serra, ex alcalde de Barcelona, quien tardó un año antes de reanudar, aunque con modificaciones sustanciales, el programa de reformas iniciado por Gutiérrez Mellado. El pilar de su estrategia es una reducción masiva de la organización del ejército: los socialistas desean recortarla en un 30 por ciento, de modo que sume 160.000 hombres hacia el año 2000. Como primer paso, Serra ha ordenado una reducción inmediata de las cifras de reclutamiento. En 1984 fueron incorporados al ejército 20.000 reclutas menos que en los años precedentes. Con el fin de regularizar la situación, Serra también ha presentado al Parlamento una ley de servicio militar que reduce el número de meses que un recluta pasa en servicio, de un período que oscila entre quince y dieciocho meses a otro entre doce y quince. La misma ley remedia dos anomalías muy graves. En primer lugar, modifica la edad de prestación del servicio militar (la *mili*) de veintiuno a diecinueve, de modo que ahora los jóvenes pueden comenzar inmediatamente después de la terminación del colegio. En segundo lugar, establece que la objeción de conciencia, la misma que Franco se negó a aprobar*, es un elemento válido para solicitar la exención. Finalmente, el proyecto facilita la incorporación de las mujeres al ejército, pues les permite prestar servicio militar voluntario.

Pero la verdadera prueba que espera a los socialistas es saber si podrán reducir el número de oficiales regulares y suboficiales. El plan de Serra consiste en eliminar a más de 5.000 oficiales (alrededor del 23 por ciento), y a poco menos de 1.000 suboficiales (alrededor del 6 por ciento) en un período de seis años. No necesitamos destacar, en virtud de todo lo que hemos visto en este capítulo, que jubilar a casi un cuarto del cuerpo de oficiales de un ejército tan irritable como el español es una operación preñada de riesgos. No es exageración afirmar que se trata de una apuesta de cuyo resultado depende la supervivencia de la democracia española. Para endulzar la píldora, Serra unió el proyecto referido a las

---

* Un pobre infeliz, un Testigo de Jehová catalán, pasó once años en un calabozo militar hasta que en 1970 el Caudillo lo amnistió.

reducciones con otro acerca de la paga. Además de simplificar la gama de asignaciones a las cuales pueden optar los oficiales españoles y de determinar que sus ingresos armonicen mejor con sus obligaciones reales y menos con sus calificaciones nacionales, el proyecto apunta a equiparar la paga de los oficiales de las Fuerzas Armadas con la de los funcionarios del servicio civil que asumen responsabilidades similares.

No se percibe claramente si el aumento de la paga ejercerá mucha influencia, o tendrá siquiera un mínimo efecto sobre las actitudes de un cuerpo de oficiales tan profundamente imbuido de ascetismo. Pero Serra, por lo menos, puede contar con la apreciación cada vez más difundida entre los oficiales más cultos e inteligentes, de que la reducción de los niveles de personal es esencial si España desea tener un ejército capaz de desenvolverse en el mundo moderno. En 1979 los oficiales de Estado Mayor comenzaron a preparar su propio esquema acerca del futuro: el Plan de Modernización del Ejército de Tierra (META); sus conclusiones fueron que todas las DOT debían ser abolidas, que el número de divisiones debía descender de veinticinco a quince, y que el número de regiones militares debía reducirse de nueve a seis.

Este es básicamente el programa que el gobierno socialista ordenó aplicar cuando aprobó el llamado Plan Estratégico Conjunto (PEC). El PEC también promovió una nueva distribución del ejército. Aunque recibió luz verde varios meses antes del referéndum que confirmó la incorporación de España a la OTAN en marzo de 1986 se concibió el PEC a partir de la premisa de que España permanecería en la alianza. Por consiguiente, en el caso de un ataque de las fuerzas del Pacto de Varsovia, España se vería obligada a enviar fuerzas al resto de Europa mucho antes de que los invasores alcanzaran los Pirineos, de modo que apostar tropas con el único propósito de enfrentar una invasión que viniese de ese lado pareció inútil, excepto el caso de las dos divisiones militares de montaña. Se entendió que un aspecto más importante era la amenaza a los enclaves norafricanos de España, sobre todo porque están fuera de la esfera operativa de la OTAN. Por consiguiente la principal de las tres divisiones restantes será la División Motorizada, cuyas tres brigadas se distribuirán sobre el territorio de Andalucía. Las divisiones Blindada y Mecanizada, cada una formada por dos brigadas y destinada a cumplir una función de apoyo por referencia a la OTAN, continuarán asentadas en Madrid y Valencia, respectivamente, pero con la diferencia políticamente significativa de que la División Blindada, algunos de cuyos oficiales representaron un papel importante en el abortado golpe, traslada a Extremadura una de sus brigadas –sin que haya razones estratégicas evidentes que justifiquen la medida.

La Brigada de Paracaidistas acantonada en Alcalá de Henares, y la Legión formarán la reserva general.

En la actualidad, aunque un número considerable de legionarios son voluntarios (incluidos los extranjeros), que se incorporan conscientes de que no se les formularán preguntas, la mayoría está formada por reclutas. De todos modos, la Legión continúa siendo el destacamento más duro y resistente del ejército español y, de acuerdo con diferentes opiniones, es también el más reaccionario. El PSOE sostuvo inicialmente que la Legión carecía de sentido en vista de la descolonización del Sahara español, y que en 1976 debía ser disuelta. Uno de sus tercios fue disuelto poco después del retiro. De los tres restantes, dos están apostados en Ceuta y Melilla, y el tercero fue enviado a Fuerteventura, donde algunos de sus soldados se enredaron en incidentes bastante desagradables, sobre todo el asalto de un avión de Iberia por tres desertores de la Legión. En 1980, el cuartel general de la Legión fue trasladado de Leganés, en las afueras de Madrid, a Ronda, en Andalucía, donde para sorpresa y complacencia de todos, sus miembros se llevan sumamente bien con los habitantes locales. Ahora se habla de trasladar más legionarios a la región.

Uno de los aspectos más extraños del programa de los socialistas para la defensa es la importancia que han asignado a la promoción de las industrias españolas de armamentos. El país ha sido durante mucho tiempo un importante exportador de armas, pero tradicionalmente su producción se limitaba a las municiones y los explosivos, las armas pequeñas y los vehículos medianos y pequeños, las embarcaciones y los aviones. Pero durante los últimos años los productores españoles de armas han abordado varios proyectos mucho más ambiciosos, por ejemplo la construcción de un nuevo portaaviones para la flota, que será denominado *Príncipe de Asturias*, y la manufactura de armas de elevada tecnología, por ejemplo, cohetes y misiles. Los socialistas han aportado pleno respaldo a todos estos proyectos, sobre la base de que desearían ver que las Fuerzas Armadas españolas dependan menos de los proveedores extranjeros y sobre todo –cabe sospecharlo– de los norteamericanos. Por irónico que parezca, es probable que durante el gobierno de González se hayan hecho los más abultados pagos de armas jamás entregados por España a Estados Unidos, en vista de que la aviación ha recibido setenta y dos aviones Mc Donnell Douglas F-18 AS, encargados cuando la UCD ejercía el poder. Los socialistas, que inicialmente favorecían el Tornado Europeo, ordenaron un nuevo examen del acuerdo, pero llegaron a la conclusión de que las condiciones de la Mc Donnell Douglas no podían ser mejoradas.

Las delicadas relaciones de España con Estados Unidos también están en la raíz de la disputa acerca de su incorporación a la Alianza Atlántica. Los centristas, que ansiaban la incorporación de España a la OTAN porque entendían que era un modo de consolidar la democracia, juzgaron tan irritante el tema que hicieron todo lo posible para evitar que se lo discutiera, y en 1982, España ingresó en la OTAN con una cuota mínima de debate. El modo subrepticio en que se adoptó y ejecutó esta decisión trascendente encolerizó a la izquierda, y Felipe González ascendió al poder con la promesa de celebrar un referéndum acerca del asunto. Menos de una semana después de ocupar el cargo, su ministro de Asuntos Exteriores anunció que España congelaba su integración en la estructura militar de la OTAN. Pero las restantes naciones occidentales pronto aclararon a los españoles que no podían aspirar a gozar de los beneficios de la afiliación al "club" occidental si no estaban dispuestos a aceptar parte de las responsabilidades. Más tarde, González se manifestó francamente en favor de la incorporación permanente a la OTAN y consiguió imponer su opinión al partido.

En España tanto la derecha como la izquierda sospechan de Estados Unidos. Los derechistas, y sobre todo los que revistan en las Fuerzas Armadas, no pueden olvidar que España libró —y perdió— una guerra precisamente contra Estados Unidos, si bien aprecian la ayuda que los norteamericanos suministraron a la dictadura. Los izquierdistas, que han asimilado una actitud de resentimiento frente al "imperialismo yanqui" como resultado de la influencia de sus colegas latinoamericanos, critican violentamente el acuerdo en virtud del cual Franco obtuvo el reconocimiento diplomático de Washington a cambio del permiso para instalar bases norteamericanas en España. El gobierno socialista arguyó que, lejos de acentuar la dependencia de España respecto de Estados Unidos, la incorporación a la OTAN la atenuará. En 1985 los ministros informaron que proyectaban negociar una reducción de la presencia norteamericana en suelo español.

La victoria de González en el referéndum fue obtenida a costa de la inmensa desilusión de muchos de sus partidarios, y sobre todo de los jóvenes. Es más difícil evaluar la reacción de las Fuerzas Armadas. La actitud de los militares hacia la OTAN se complica todavía más a causa del temor de que la lamentable ineficacia de gran parte del equipo militar español convertirá a sus soldados, marinos y aviadores en blancos del ridículo dentro de la alianza. Los gastos para la defensa todavía representan poco más del 2 por ciento del Producto Bruto Nacional español. Si omitimos a Luxemburgo, el único país de la Comunidad Europea que exhibe una proporción inferior es la República de Irlanda. Aclarado esto, cabe señalar una importante diferencia de enfoque de un servicio a otro. La marina y la fuerza aérea siempre se mostraron más favorables que el ejército al ingreso, porque advierten que la incorporación permitirá asignar más importancia a las auténticas prioridades de la defensa española y obligará al gobierno a desviar recursos del ejército a las otras fuerzas. Sin embargo, si González muestra excesiva prisa en este aspecto, podría elevar el nivel de descontento en un servicio que cree que ya soportó demasiado –y que en muchas ocasiones del pasado demostró que su paciencia es rigurosamente limitada.

restaurantes como en los hogares, el plato de huevos estará formado por un solo huevo." Todos estos intentos de manipulación social pronto quedaron en nada, y pocos años después de la victoria de Franco se los abandonó. De hecho, hacia el fin de su gobierno, uno de los aspectos más sorprendentes de España era la virtual ausencia de pequeñas restricciones. Uno podía aparcar en varias filas o ensuciar las calles sin temor de que nadie lo impidiera. Sólo a partir de 1982 el gobierno prohibió la venta de tabaco a los niños.

Los intentos de encauzar la economía fueron un poco más eficaces. Los dos grupos que alcanzaron relativo predominio durante la dictadura de Franco apoyaron teóricamente la intervención estatal. Discrepaban acerca de las virtudes de la propiedad estatal —los falangistas, en general, la apoyaban, y los tecnócratas, en general, se oponían— pero ninguno de los dos sectores estaba dispuesto a dejar a las fuerzas del mercado el funcionamiento de la economía. Sin embargo, a pesar de su entusiasmo por el control oficial, ninguna de estas facciones consiguió garantizar que la economía siguiese el camino que ellas le habían fijado.

La expresión más importante del pensamiento económico falangista fue el Instituto Nacional de Industria (INI). Concebido de acuerdo con el modelo del IRI, el holding oficial de Mussolini, el propósito inicial del INI fue asegurar el control oficial de sectores fundamentales de la economía, e identificar las áreas en que la iniciativa privada se había mostrado insuficiente, o donde los monopolios amenazaban desarrollarse, con el fin de intervenir y adoptar medidas adecuadas. Es indudable que el INI se convirtió en una fuerza importante. Sus tentáculos se introducían en casi todos los sectores de la economía, y a la muerte de Franco era propietario de Iberia, la línea aérea oficial, y el responsable de la producción de la mitad de los automóviles, los bancos, el aluminio y el carbón españoles. Pero el aspecto más notable del INI fue que nunca alcanzó ninguno de los objetivos que determinaron su creación. No consiguió gravitar en una industria tan esencial para la supervivencia nacional como la tecnología de la defensa. Coartó más que estimuló la libre empresa, y contribuyó a crear sus propios monopolios más que a destruirlos. Además, las compañías que este ente incorporaba se convertían poco después en empresas no rentables.

El propósito de los tecnócratas no era incorporar sectores de la economía, sino guiar a esta desde la cúspide con una sucesión de planes concebidos de acuerdo con el modelo de los aplicados en Francia bajo la Cuarta República. Pocas semanas después de la reorganización del gabinete que determinó la incorporación de los tecnócratas al poder en 1957, se dictó un decreto que establecía una nueva Oficina de Coordinación Económica y Planeamiento. Cinco años más tarde, se estableció un Comisariato de Planeamiento dirigido por el profesor Laureano López Rodó. En el curso de la década siguiente, López Rodó dirigió la aplicación de tres planes de desarrollo, cuyas propuestas debían ser obligatorias para el sector público, aunque no para el sector privado. Pero se observó constantemente una distancia importante entre lo que los planes preveían y lo que, en efecto, estaba sucediendo. En ciertas áreas, la contribución oficial a la inversión fue menos de la mitad de lo que debía ser.

El hecho de que dos grupos poderosos, ambos adheridos al concepto de la intervención estatal –es decir, primero los falangistas y después los tecnócratas– fracasaran de manera tan absoluta en la realización de sus objetivos exige una explicación. Es tentador atribuir todo el asunto al anárquico temperamento español. Pero también existía una sólida razón práctica: tanto los falangistas como los tecnócratas soportaban la misma burocracia estatal ineficiente y la misma dotación inadecuada de recursos financieros que habían agobiado a sus predecesores, por lo menos, desde principios del siglo precedente. Los gobiernos españoles han sido tradicionalmente incapaces de reorganizar su burocracia o de recaudar un monto suficiente en concepto de impuestos, y han pagado un alto precio por estos defectos a través de su incapacidad para influir sobre los hechos. Después de la muerte de Franco, se realizaron esfuerzos decididos –aunque con resultados contradictorios– para mejorar el rendimiento de los empleados del gobierno y ampliar la magnitud de los caudales. Esos esfuerzos son precisamente el propósito de este capítulo.

Los problemas relacionados con la burocracia se remontan a los tiempos de los pronunciamientos, cuando los cambios de gobierno a menudo estaban acompañados por una reestructuración total de la administración pública, de modo que los partidarios de una facción se veían sustituidos por los que actuaban en otra. En un esfuerzo por protegerse de las designaciones, los despidos y los ascensos inspirados en razones políticas, ciertos grupos de especialistas de determinados ministerios –al principio especialmente abogados e ingenieros– organizaron *cuerpos*, de modo que el ingreso en los mismos generalmente dependía de la posesión de algunas calificaciones académicas o profesionales. Con el tiempo, los cuerpos conquistaron una influencia importante en la contratación y el despido de sus miembros y, a menudo, controlaban también los ascensos. La negativa de los sucesivos gobiernos durante este siglo a aceptar a los sindicatos en el servicio civil, a lo sumo, fortaleció el papel de los cuerpos como canal que los funcionarios civiles podían utilizar para formular reclamos al ministro del caso. La inflación y la ausencia de un organismo encargado de actualizar los sueldos alentó a los cuerpos a desarrollar su propia iniciativa en el marco formado por la jerarquía burocrática y las escalas de retribución fijadas por el gobierno.

"Muchos cuerpos", escribió el profesor Kenneth Medhurst, "resolvieron los problemas financieros de sus miembros mediante el sencillo recurso de abolir los peldaños inferiores de la escala profesional, y otorgar a todos 'ascensos artificiales'. El resultado fue que, por ejemplo, muchos funcionarios que tenían el rango y la retribución correspondientes a los jefes de departamento, a lo sumo eran simples secretarios... Pero, incluso estos recursos no consiguieron resolver por completo el problema de la retribución inadecuada. Por lo tanto, los cuerpos utilizaron su influencia para establecer una multitud de bonificaciones y sistemas de incentivos a veces espurios. En definitiva, estos sistemas llegaron a ser tan usuales que en el caso de la mayoría de los empleados el sueldo básico era sólo una fracción del ingreso neto." * Pero a pesar de todos sus esfuerzos, los cuerpos no pudieron garantizar que la paga de los empleados públicos se mantuviese a la par de la inflación, y durante los años treinta, mucho antes que el pluriempleo se convirtiese en característica de toda la sociedad española, esta práctica perniciosa había arraigado en la burocracia. Los cuerpos se beneficiaron constantemente con la falta de un marco legal apropiado. Hasta los años 60, la organización de la administración pública española descansó en un decreto provisional dictado en 1852 y modificado en 1918.

Es indudable que el sistema de los cuerpos ha ayudado a concebir la idea −y la realidad− de una administración pública española de carácter apolítico. Pero se habría podido alcanzar el mismo objetivo apelando a otros medios, y las desventajas del sistema superan holgadamente a sus ventajas. El número de funcionarios de un departamento a menudo es una función de los intereses del cuerpo más que de las necesidades de la administración. Se conceden ascensos invariablemente por antigüedad más

---

* Beneficiosos a corto plazo, estos ardides han demostrado ser perjudiciales a largo plazo. Las pensiones de los empleados públicos, que no están incluidas en el sistema de Seguridad Social, se calculan en proporción con los sueldos <u>básicos</u> de los funcionarios, y hoy el sueldo básico representa un promedio que es sólo el 40 por ciento de los ingresos totales de un empleado del gobierno. Lo magro de estas pensiones representó en el caso de los empleados oficiales una de las principales quejas de la nueva generación de organizadores sindicales de la burocracia.

que por mérito. La rivalidad entre los cuerpos significa que existe muy escasa coordinación entre los departamentos, y casi ninguna movilidad entre los ministerios. A su vez, ese estado de cosas lleva a la duplicación de los esfuerzos.

Durante el régimen de Franco, se realizaron pocos esfuerzos serios para reformar la administración pública. Esa actitud respondía en parte al conservadorismo intrínseco del régimen y de su jefe, sobre todo allí donde existían intereses creados. Pero también reflejó el modo en que, bajo Franco, se desdibujó la distinción entre el gobierno (es decir, un cuerpo que decide formado por políticos) y la administración (es decir, un cuerpo ejecutor de medidas formado por funcionarios). Los ministros de Franco a menudo provenían de las filas de la burocracia y, por lo tanto, eran ellos mismos miembros de un cuerpo. Una ley sancionada en 1964 creó una nueva jerarquía y reorganizó, pero no abolió, los diferentes cuerpos, al mismo tiempo que autorizaba al gobierno a impedir la formación de nuevas entidades. Pero la ley nunca se aplicó en forma integral y la situación general tendió a empeorar considerablemente.

Como una enorme enredadera silvestre, la burocracia de Franco producía millares de brotes. En primer lugar, estaban las delegaciones provinciales, cada una representante de determinado ministerio en determinada provincia. Reunidas, formaban una enorme administración periférica que, hacia principios de los años 70, empleaba a uno de cada siete empleados del gobierno central. El personal de la administración periférica aunque solo de tanto en tanto mantenía contacto con la oficina central, estaba formado primero y principalmente por servidores del gobierno central, de modo que todas las decisiones importantes y muchas de carácter secundario debían provenir de Madrid. En segundo lugar, estaban los organismos casi autónomos como el INI y una plétora de Institutos, Comisiones y Servicios, creados por distintos ministerios para atender áreas especiales de interés, y cuyo control, tanto político como económico, era cada vez más difícil. Hacia fines de los años 60 había 1.600, y representaban alrededor de un tercio del gasto del gobierno.

Como representaba el brazo oficial de una dictadura, la administración pública era realmente inmune a la crítica. No había una persona semejante a los *Ombudsmen* que actúan en varios países europeos, ni –porque las leyes en efecto prohibían el funcionamiento de grupos de presión– podía existir un organismo semejante a Causa Común en Estados Unidos, que presionase en favor de un gobierno mejor. Abandonados a su suerte, los burócratas españoles hacían lo que los burócratas del mundo entero hacen en circunstancias análogas: llevar la vida más cómoda posible. Se manifestó una discrepancia, que más tarde llegó a ser general, entre el horario nacional del trabajo, que era de ocho de la mañana a tres de la tarde, y las horas reales de trabajo, que eran de nueve de la mañana a dos de la tarde. También se estableció la costumbre de que siempre que mediaba un día entre un día festivo público y el comienzo o el fin de una semana, se agrupan todas estas jornadas mediante un día suplementario de licencia, denominado *puente*.

Un hecho más grave, fue el retorno a la práctica en virtud de la cual los funcionarios cobraban sus servicios a las empresas y a los individuos, o retiraban una parte del dinero entregado por el público al Estado. Hallamos un ejemplo reciente en el caso de los ingenieros del Servicio de Vías y Obras de la diputación provincial de Madrid. En 1980 se descubrió que estaban absorbiendo el 1 por ciento de las matrículas de registro pagadas por los contratistas. El auditor del gobierno calculó que durante los cinco años precedentes más de 22 millones de pesetas habían sido repartidos entre los miembros de un grupo de alrededor de cuarenta funcionarios. Al defenderse, los funcionarios afirmaron que la práctica era perfectamente legítima, y citaron una extensa lista de precedentes que se remontaban a 1877.

En Madrid era —y sin duda todavía es— teóricamente necesario obtener permiso oficial para empapelar una habitación. Pero para conseguir este permiso u otro análogo había que perder medio día de trabajo. Primero, estaba la fila para obtener la solicitud; después, la fila para entregarla, y entonces se descubría que la solicitud no era válida si no iba acompañada de dos documentos más, que podían conseguirse únicamente en otros departamentos, casi siempre establecidos en un lugar distinto de la ciudad. Una vez que se obtenían estos papeles, de nuevo se formaba fila para conseguir el permiso; ese era el momento de descubrir que este carecía de validez si no estaba sellado por el jefe del departamento, quien ya había regresado a su hogar. El procedimiento completo era infinitamente más difícil a causa de las horas en que se abrían las ventanillas detrás de las cuales se atrincheraban los burócratas españoles para enfrentar al público. Sucedía que no sólo las horas de iniciación del trabajo variaban de un departamento a otro, sino que siempre eran muy breves: algunas áreas de la administración estaban abiertas al público sólo entre las once y la una todos los días. Un asunto de verdadera importancia podía llevar semanas, meses o incluso años. La ineficiencia de la burocracia ha originado un fenómeno que, por lo que sé, es peculiar de España y América latina: las gestorías administrativas. Una gestoría administrativa es una entidad que sirve a las personas que tienen más dinero que tiempo. Por ejemplo, si uno desea obtener una licencia de conductor, acude a la gestoría con todos los documentos pertinentes, y por cierta suma uno de sus empleados se ocupará de llenar los formularios y realizar los trámites indispensables.

La desconfianza que los españoles sienten por los funcionarios ha calado tan hondo que incluso frustra los esfuerzos destinados a ofrecer mejor trato al público. La piedra angular de la ley agraria española, la Ley del Suelo de 1956, estableció un procedimiento en virtud del cual quien creyera que una construcción o una mejora infringían las normas de planeamiento podía apelar contra el proyecto con una presentación ante los tribunales, consciente de que al final del proceso el Estado pagaría los gastos. Durante los veinte años que siguieron a la vigencia de la ley, Madrid, quizá más que otra cualquiera de las grandes ciudades españolas, se transformó a través de mejoras y construcciones. Se levantaron grandes viviendas y torres, algunos de los más antiguos y hermosos edificios de la ciudad fueron demolidos, se destruyeron varios parques y ciertos bulevares pintorescos en los cuales había cafés con mesas en las aceras se convirtieron en calles de varias pistas y una sola mano. Una gran parte del desarrollo edilicio de Madrid se realizó antes que el papeleo requerido por la ley hubiese terminado. Sin embargo, durante todo este período ni un solo madrileño ejerció su derecho a cuestionar los cambios que estaban realizándose.

En medida todavía mayor que los ministros de Franco, los miembros de los gabinetes de Suárez y Calvo Sotelo fueron reclutados en la *élite* de la burocracia, y aunque ellos reconocieron que se necesitaba un cambio, fueron incapaces de promover las reformas radicales indispensables. Impulsaron una ley que tachó de ilegal la práctica del empleo complementario en los empleados oficiales cuando este doble empleo originaba un conflicto de intereses. Pero excluyó específicamente las dos áreas de empleo gubernamental −la salud y la educación− donde tales conflictos ocupaban un lugar más importante. La administración pública que la UCD entregó a González era esencialmente la misma que los centristas habían heredado de Franco. De acuerdo con Javier Moscoso, el ex fiscal público que dirigió el departamento que asume la responsabilidad de la administración pública, este incluía 290 cuerpos, y ni siquiera sus propios ayudantes podían suministrarle la cifra exacta del número de personas que lo formaban. Una tabla publicada en 1981 situaba el total en poco más de 1.200.000 personas. Aproximadamente 500.000 trabajaban para el gobierno central, 200.000

para el gobierno local y 180.000 estaban empleados en organismos semiautónomos. El resto trabajaba en los servicios de salud y sociales, la policía y los tribunales. Una de las dificultades para obtener un resultado exacto era que, además de los muchos burócratas que trabajaban para la administración pública por la mañana y para firmas privadas por la tarde, había muchos que desempeñaban –o se les pagaba por desempeñar– más de un empleo en la propia administración. Una encuesta interna realizada poco después que los socialistas asumieron el poder reveló que había algunos altos funcionarios que presuntamente ocupaban tres cargos oficiales, y otros que nunca habían pisado la oficina donde pretendidamente trabajaban.

La llegada de Moscoso fue verdaderamente dramática. Pocas semanas después de asumir el cargo emitió una circular motejada por la prensa como la "reforma de los relojes", que abrevió las vacaciones de Navidad y Pascua y ordenó a los funcionarios públicos que trabajasen el número de horas por los cuales se les pagaba: cuarenta y ocho horas los funcionarios superiores, y treinta y siete y media, los inferiores. El nuevo ministro también impartió órdenes para que se eliminasen las ventanillas, todos los departamentos oficiales debían estar abiertos al público de nueve a dos, debían crearse secciones de información que indicasen a la gente cuál era la fila apropiada, todos los formularios y sellos oficiales necesarios para obtener determinado documento debían estar disponibles en el mismo edificio, y no se pediría al público que buscase y obtuviera documentos que ya estaban en poder de otro departamento oficial.

Pero después, la legendaria capacidad de la administración pública española para oponerse al cambio, ha comenzado a convalidar sus derechos. El gobierno se ha visto obligado a conceder a los funcionarios seis días festivos anuales suplementarios en lugar de las perdidas vacaciones de Navidad y Pascua, y la semana laboral ha sido reducida de manera que, si bien los empleados de menor categoría trabajan ahora treinta y siete horas y media semanales (generalmente de ocho a tres todos los días y dos horas y media una tarde), los funcionarios superiores trabajan solamente cuarenta horas (de ocho a tres y después regresan por lo menos durante una hora y media).

Desde el punto de vista histórico, la incapacidad del Estado para acrecentar la recaudación respondió al desorden general y la pobreza de España y, sobre todo, a las exenciones fiscales otorgadas a varias regiones durante la prolongada y difícil unificación del país. Pero bajo el gobierno de Franco ninguno de estos factores persistió. Con la única excepción de los navarros, todos los españoles pagaron los mismos impuestos y el país soportó una supervisión más intensa y gozó de una prosperidad más auténtica que nunca. Pero una de las características destacadas del régimen de Franco fue que, con excepción de algunos fascistas pertenecientes a la clase trabajadora, todos los ministros del Caudillo provenían de la burguesía. Se atenían a valores de la burguesía y actuaban en defensa de los intereses de este sector y este hecho nunca fue más evidente que en su política impositiva, o más bien en la falta de la misma.

Fuera de una reforma limitada en 1940, los sucesivos ministros de Hacienda dejaron intacto un sistema que fue aplicado desde fines del siglo precedente. Era un sistema que, sobre todo, favorecía a los privilegiados. En primer lugar, la proporción de ingresos del gobierno incrementados mediante impuestos indirectos, como los gravámenes aplicados a los artículos y los servicios, que recaen igualmente sobre todos los consumidores, sea cual fuere su riqueza o su ingreso, fue siempre considerablemente mayor que la proporción obtenida mediante impuestos directos como el impuesto a los réditos, que por su naturaleza misma gravita más pesadamente sobre los ricos que sobre los pobres. Durante los años sesenta la proporción entre los impuestos indirectos y los directos fue aproximadamente de dos a uno.

De los impuestos indirectos, una proporción relativamente elevada provino de los gravámenes aplicados a artículos indispensables como los alimentos y la ropa, y una parte relativamente reducida de los impuestos sobre los artículos de lujo. Los impuestos directos se dividen en dos categorías: los que se aplican a los individuos y los que corresponden a las ganancias empresariales. Por lo que se refiere al impuesto a los réditos, una proporción excesivamente elevada fue extraída de los "impuestos sobre los rendimientos del trabajo personal" (IRTP), (generalmente deducidos en el punto de origen, de modo que se dificultaba la evasión), y solo una pequeña cantidad provenía del "impuesto sobre la renta de personas físicas" pagados por aquellos que obtenían elevados ingresos o ingresos de varias fuentes (evaluado y recaudado según la base individual, de manera que era mucho más fácil evitarlo). En el caso de los que podían hacerlo, la tentación de evadir los impuestos era abrumadora. Había muy pocos inspectores de impuestos, y la evasión ni siquiera era un delito penal. El "impuesto sobre los rendimientos del trabajo personal" representaba menos del 1,5 por ciento del total del ingreso fiscal. Con respecto a los impuestos aplicados a las empresas, la situación era caótica. Hasta poco antes del fin del gobierno de Franco, cada uno de los impuestos aplicables a una compañía era evaluado por un conjunto distinto de inspectores, de modo que ninguno de ellos podía tener una idea clara de la posición general de la firma. La doble contabilidad era la norma más que la excepción, y la evasión llegó a difundirse tanto que durante varios años las autoridades suspendieron el intento de evaluar individualmente las firmas, y calcularon los impuestos exigibles a cada empresa mediante el absurdo recurso de fijar las ganancias obtenidas por determinada industria en determinada región, para dividir luego el total por el número de firmas. Este criterio condujo a una situación en la cual las compañías ni siquiera podían formular conjeturas acerca del monto probable de su deuda con el gobierno, porque sus obligaciones dependían en gran parte del éxito o el fracaso de sus rivales.

La evasión respecto de los impuestos aplicados a las empresas fue una de las principales razones por las cuales el mercado de valores continuó ocupando un lugar relativamente secundario en la economía a pesar del auge. Las firmas no se atrevían a acudir al público por temor de revelar demasiado acerca de su verdadera posición y, por su parte, los posibles accionistas con frecuencia rehusaban la compra de acciones en vista de la justificada sospecha de que las cuentas de ciertas compañías que cotizaban en bolsa habían sido manipuladas. Uno de los efectos incidentales en esta situación es la popularidad excepcional de ciertos trusts en España: ofrecían un modo de distribuir los riesgos muy elevados.

Aunque era grotescamente injusto, el sistema impositivo de Franco garantizaba que el Estado continuara siendo tan pobre como siempre, porque el efecto era la explotación de ese sector de la comunidad que podía dar menos. En 1975, cuando falleció Franco, los ingresos fiscales, excluidas las contribuciones para la Seguridad Social, representaban poco menos del veinte por ciento del Producto Bruto Interno. En otras naciones de Occidente la cifra promedio se elevaba al 33 por ciento.

El primer paso hacia la modificación de esta situación fue dado en 1977, pocos meses después de la elección general, cuando el entonces ministro de Hacienda Francisco Fernández-Ordóñez consiguió que las Cortes aprobasen una ley básica de reforma impositiva. Unificó el sistema de impuesto a los réditos, de modo que los asalariados y los no asalariados fueron evaluados de acuerdo con las mismas normas y, por primera vez, convirtió en delito la evasión. Entre tanto, el ministerio de Hacienda instaló una batería de computadoras y reclutó unos 1.500 inspectores para lidiar con el problema de los gravámenes personales. De modo que en adelante nadie tendría excusas para esquivar sus responsabilidades; el gobierno aportaba un equipo de consejeros y todos los que necesitaran llenar un formulario tenían derecho de pedir los servicios de estos asesores. Entre los que aplicaron ese criterio estuvo el rey quien, de acuerdo con el espíritu igualitario de la nueva España, paga impuestos como todos. Se desarrolló una campaña publicitaria alrededor del tema *"Ahora Hacienda somos todos. No nos engañemos."*

Esta campaña fue eficaz hasta cierto punto. El número de españoles que declararon sus ingresos hacia el 1º de agosto de 1978, día en que venció el plazo para revelar los ingresos recibidos durante 1977, fue mucho más elevado que en años anteriores, aunque muchos de los contribuyentes se presentaron el 31 de julio con los formularios en blanco, basándose en el principio de que si los recaudadores deseaban el dinero, tendrían que trabajar para conseguirlo. Del número total de declaraciones, alrededor de una de cada diez contenía errores aritméticos (por supuesto, la gran mayoría de los mismos favorecía al contribuyente). Pero lo que era más importante, un número considerable contenía omisiones flagrantes. Durante las semanas y los meses que siguieron, Fernández-Ordóñez aplicó un plan, denominado Operación Prontuario Rojo, destinado a denunciar a los peores morosos utilizando los registros de otros departamentos oficiales para confirmar la tenencia de acciones, propiedades o de otros valores que no estuvieron incluidos en la declaración.

El paso siguiente fue aumentar el número de personas que debían formular la declaración impositiva. En 1980, por primera vez todos los que poseían o ganaban más de cierta suma o que, por ejemplo, eran dueños de una casa que valía más que cierto monto o un automóvil que no sobrepasaba cierta edad, los que empleaban más de un criado u ocupaban un lugar en un directorio, tuvieron que llenar el odiado formulario. En la actualidad, siete de los ocho millones de trabajadores del país realizan sus declaraciones impositivas. Si uno tiene que hacer negocios en España a principios del verano, comprobará que todos, desde la recepcionista hasta el patrón, están trabajando en su declaración y pidiendo consejo a sus colegas acerca del modo de llenar los formularios.

Es indudable que las reformas impositivas de la UCD han modificado el modo español de vida pero, ¿tuvieron éxito? ¿consiguieron que el sistema impositivo español fuera más productivo y más equitativo? A primera vista la respuesta parece inequívocamente afirmativa en ambas cuestiones. En primer lugar, el Estado puede gastar mucho más. Ahora, los ingresos fiscales representan el treinta y cinco por ciento del Producto Bruto Nacional, comparado con el promedio de la OECD que representa alrededor del cuarenta y cinco por ciento; por lo tanto, la distancia entre España y el resto de Occidente se ha reducido desde la muerte de Franco del trece por ciento al diez por ciento. En segundo lugar, los impuestos directos han venido aportando una parte cada vez más elevada del total, y en 1981 por primera vez representaron más que los impuestos indirectos. La razón de estos dos procesos consiste en que el ingreso proveniente del impuesto a los réditos se ha elevado a saltos. Pero contra lo que podría presumirse, eso no ha sucedido a causa de las reformas impositivas. La razón está en el alza de las Tasas impositivas unida a un fenómeno peculiar de los períodos de inflación, lo que se denomina el *fiscal drag*. Sucede que a medida que aumentan los sueldos, la gente que los recibe pasa a categorías impositivas cada vez más altas, con índices impositivos cada vez más elevados, de manera que la proporción de los ingresos de los contribuyentes que el gobierno recibe en concepto de impuestos se eleva sin que los políticos necesiten mover un dedo. Los efectos del *fiscal drag* han sido especialmente acentuados en España porque la inflación ha sido incluso allí más severa que en la mayoría de las restantes naciones de Europa occidental.

Más aún, a pesar de las reformas de Fernández-Ordóñez, el peso de los impuestos continúa recayendo desproporcionadamente sobre la clase trabajadora. En primer lugar, la tasa impositiva para los más privilegiados todavía es bastante modesta. Un alto ejecutivo que gana, por ejemplo, 6.600.000 pesetas anuales paga únicamente el 32,6 por ciento, y en España nadie tiene que pagar más del 45 por ciento. Segundo, los trabajadores independientes todavía contribuyen con una proporción irrisoria del ingreso total (aproximadamente un quinto). Si hemos de creer en las declaraciones impositivas, el ingreso medio de los trabajadores independientes – es decir, los empresarios, los terratenientes y las personas de los sectores creadores y profesionales de la sociedad española– es ligeramente inferior al de los asalariados; en otras palabras, las personas que trabajan en fábricas y oficinas. Lo cual es evidentemente un absurdo. En la raíz del problema está el hecho de que, si bien quizá ya no es tan fácil engañar al recaudador de impuestos, las penas aplicadas al evasor descubierto son desdeñables. El poder judicial se ha mostrado muy renuente a perseguir a los evasores, y los casos llevados ante los estrados de la justicia se resolvieron después de años de litigio.

Pero persiste el hecho de que –por la razón que fuere– los

recursos que están a disposición del Estado ahora son mayores que nunca. Como veremos en los próximos capítulos, el resultado es que el sector público está ampliándose constantemente a expensas del sector privado en una serie de campos. Mientras sucede esto, España está cobrando un perfil más típicamente "europeo" que "norteamericano". Hasta ahora, ha sido una anomalía en este sentido.

Los cambios sociales que acompañaron al "milagro económico" crearon una inmensa y nueva gama de necesidades y demandas: la emigración interna implicó la necesidad de construir pisos y apartamentos en las ciudades, para sustituir a las casas abandonadas en el campo, la elevación de los niveles de vida estimuló la demanda de mejores facilidades educacionales y médicas, y el debilitamiento de los vínculos de familia originó un vacío que solo pudo llenarse mediante un sistema global de prestaciones y servicios sociales. Pero como la capacidad de intervención del Estado franquista se vio tan severamente limitada por la escasez de recursos humanos y financieros, no pudo satisfacer todos los reclamos. Por consiguiente, en la medida en que pudo hacerlo, descargó la responsabilidad sobre los individuos y las firmas privadas. Esta solución fue eficaz, pero solo hasta cierto punto. Desde el final de los años de auge, España –aunque rica en dinero y posesiones– ha sido pobre en servicios y comodidades.

De acuerdo con la OECD, los ingresos medios disponibles en España son más elevados que en otro cualquiera de los países occidentales excepto Japón, pero –como veremos inmediatamente– la vivienda de bajo costo, la educación adecuada, el. cuidado de la salud y los servicios sociales son mucho más escasos que lo que uno podría prever.

6

LA VIVIENDA COMO POSIBILIDAD REAL

Sin duda, la tarea más urgente fue hallar refugio para los millones de españoles que afluyeron a las ciudades durante los años cincuenta y sesenta. Se ha calculado que uno de cada siete miembros de la población se trasladó permanentemente de una región de España a otra durante esos años, y la mayoría partió sin contar con garantías de que hallaría alojamiento al fin del viaje.

El gobierno, cuya experiencia en el área de la vivienda se limitaba a un programa relativamente modesto de reconstrucción después de la guerra civil, se comprometió en el asunto con la más profunda renuencia. De hecho, solo en 1957 España contó con un organismo autónomo, el ministerio de la Vivienda, y desde el principio fue evidente que el nuevo organismo no contaría con los recursos necesarios para construir y administrar un amplio grupo de viviendas alquiladas de propiedad estatal, a semejanza de las *council houses* de Gran Bretaña. En todo caso, el propósito de los tecnócratas que dominaron el pensamiento oficial desde 1957 en adelante fue crear una sociedad avanzada desde el punto de vista económico pero políticamente reaccionaria, y una de las claves en este sentido era fomentar la posesión de propiedad. Nada mejor que la necesidad de afrontar los pagos mensuales de una hipoteca para disuadir a las personas de la idea de hacer huelga; y en un sentido más amplio, la posesión de propiedad asigna a la gente cierta participación en la prosperidad y en la estabilidad de la sociedad en la cual vive. Excepto una proporción muy reducida de los millones de casas y pisos –construidos por la vía del mercado libre y subsidiados por el Estado– todas las construcciones realizadas durante los años de desarrollo fueron ofrecidas en venta más que en alquiler. La participación del sector de alquiler en el total de viviendas descendió de más de la mitad a menos de un cuarto (en Francia e Italia el 40 por ciento de todas las propiedades está alquilado). Pero la transformación de España en una sociedad de propietarios-residentes lejos de estorbar el advenimiento de la democracia, en realidad lo facilitó, porque contribuyó mucho a diluir esa veta de extremismo radical de la política española que en el pasado había provocado la reacción violenta de las fuerzas de la derecha.

El esquema bajo el cual se produjo el traspaso de todas estas propiedades nuevas al mercado fue el Plan Nacional de Viviendas. Su objetivo fue asegurar la construcción, entre principios de 1961 y fines de 1976, de cuatro millones de viviendas nuevas. Ahora bien, es necesario destacar que no todas estas viviendas –y ni siquiera una proporción importante de las mismas– debían ser construidas por el gobierno. Se preveía que una parte importante (según se vio, aproximadamente la mitad) representaría la contribución del sector privado, en el marco de sus propias condiciones. El resto provenía de las viviendas subsidiadas: Vivienda de Protección Oficial (V P O). Pero solo una proporción relativamente reducida de VPO es "vivienda estatal", en el sentido asignado a esa expresión en el resto de Europa. Hay dos clases de viviendas subsidiadas con arreglo al sistema español. Parte de la misma –la VPO de Promoción Pública– ciertamente corre por cuenta del Estado (en la forma de las autoridades locales o del propio organismo del gobierno central para la vivienda, el Instituto para la Promoción Pública), pero la mayor parte –la VPO de Promoción Privada– está a cargo de empresarios en concordancia con las pautas trazadas por el gobierno.

Sin embargo, lo que el gobierno subsidia no es el precio de la casa o del piso, sino simplemente la tasa de interés que se aplica al reembolso del precio. En el caso de la vivienda subsidiada por el Estado y promovida pública y privadamente, los compradores tienen que afrontar el costo real de la construcción, pero –con el fin de hacerlo– se les facilita el acceso a préstamos con tasas favorables de interés, y el Estado paga la diferencia entre la tasa que se cobra al comprador y la tasa cobrada por la institución financiera que ofrece el préstamo, la cual generalmente es una caja de ahorro. La tasa cobrada al comprador en el caso de la vivienda promovida públicamente siempre ha sido bastante generosa (el cinco por ciento durante los últimos años), pero la tasa de la propiedad promovida por vía privada nunca ha sido menos que unos pocos puntos por debajo de la tasa del mercado. Lo que es más, mientras en el caso de la VPO de Promoción Pública los préstamos pueden ser reembolsados en veinticinco años, en el caso de la VPO de la Promoción Privada el dinero debe ser devuelto en solo diez a quince años. Sin embargo, la magnitud de la VPO volcada al mercado por los promotores de la propiedad privada siempre ha sido mucho mayor que la proporción suministrada por los organismos públicos.

La meta de cuatro millones de viviendas fijadas por el Plan Nacional de Vivienda fue realizada holgadamente. Hectárea tras hectárea, los barrios marginales cedieron el lugar a los rígidos bloques de muchos pisos cuyos perfiles se elevan en los alrededores de la mayoría de las ciudades españolas. Rara vez hay instalaciones de entretenimiento en la vecindad inmediata, y los propios apartamentos generalmente son estrechos y ruidosos. Pero son mucho mejores que una choza por cuyo techo se filtra el agua. Para pagarlos, con mucha frecuencia, era necesario aceptar inquilinos reclutados en las filas de los que todavía no habían podido hallar o pagar su propio lugar. Francesc Candels, un autor catalán que escribió un libro muy vendido acerca de los inmigrantes de Barcelona, *Els Altres Catalans*, calculaba que hacia mediados de los años sesenta, un quinto de las familias obreras de la ciudad vivía en el apartamento de terceros. Si se trataba sencillamente de un hombre solo que dormía en la habitación libre, o −en el caso de un apartamento con un dormitorio− en la sala de estar, el asunto funcionaba más o menos bien. También era viable −aunque en menor medida− con dos, tres o incluso cuatro hombres solos (y de ningún modo fue desusado durante este período que una familia con dos o tres hijos compartiese con varios inquilinos un apartamento de dos dormitorios en un edificio torre). Pero el sistema solía fracasar cuando los hombres reunían dinero suficiente para traer a sus respectivas familias. Las esposas permanecían solas el día entero, a menudo con la obligación de atender a los niños y, más tarde o más temprano, comenzaban a disputar; luego los maridos se enredaban en esas querellas, a menudo mezquinas. Pero, a medida que se construyeron más bloques de apartamentos, incluso los horrores de la convivencia llegaron a ser menos usuales.

Como la escala de la emigración interna se convirtió en un fenómeno aún mayor de lo previsto, la ejecución del Plan no resolvió por completo el problema de la falta de vivienda. Una vez concluido el Plan, todavía había alrededor de un millón y medio de familias que carecían de su propio hogar, y las regiones más afectadas eran Andalucía, Extremadura, las Islas Canarias y Madrid.

Algunas todavía vivían en barrios marginales –había treinta y cinco mil chabolas solamente en las afueras de Madrid– pero la mayoría tenía alojamiento en la condición de inquilinos, a menudo con parientes; según el dicho muy común, "con la suegra".

Sin embargo, el verdadero defecto del Plan Nacional de Viviendas no fue su incapacidad para proveer un número suficiente de viviendas, sino el hecho de que se erró el destinatario de las viviendas subsidiadas por el gobierno. El problema era –y todavía es– que, como son las empresas inmobiliarias quienes suministran la mayoría de las viviendas patrocinadas por el gobierno, este ejerce una influencia limitada en el tipo de construcciones producidas bajo sus auspicios. Y como pueden lograrse beneficios más elevados con las construcciones caras que con las baratas, siempre se ha manifestado la tendencia de las empresas inmobiliarias a buscar el nivel más alto del mercado que los criterios formulados permiten. Un alto funcionario del Ministerio de la Vivienda durante el gobierno de Arias afirmó que entre el sesenta y cinco y el setenta por ciento de todas las construcciones de la VPO fueron a manos de familias de clase media y alta. Aunque parezca increíble, muchos de los altos edificios construidos para albergar a los inmigrantes de los barrios marginales fueron levantados por la iniciativa privada, sin ningún tipo de subsidio, y los apartamentos que los forman fueron vendidos en el mercado abierto a precios comerciales.

La preocupación fundamental de los sucesivos gobiernos ha sido canalizar las construcciones más baratas hacia los sectores más necesitados de la población. El primer intento en este sentido fue realizado bajo el gobierno de Franco, cuando se fijó un límite al precio de venta de las viviendas de tipo VPO. Pero el máximo era tan elevado (576.000 pesetas, equivalentes a 24.000 libras esterlinas o 31.000 dólares a los precios actuales), que el esfuerzo prácticamente careció de sentido. El paso siguiente fue limitar a 90 metros cuadrados el espacio de los apartamentos de las VPO, pero también en este caso la cifra era bastante superior al promedio europeo predominante. Una medida obvia habría sido establecer un análisis de recursos. Pero en una sociedad en la cual no existían declaraciones impositivas fidedignas y casi todos trabajaban en más de un empleo, este método no era práctico. Sólo después de las reformas impositivas de Fernández-Ordóñez la UCD pudo convertir la pertenencia a la categoría ingresos bajos en criterio de acceso a las construcciones de la VPO. En su Plan Trienal (1981-3), se limitaron las Viviendas de Protección Oficial y la Promoción Pública a aquellos que se encontraban precisamente en la base de la pirámide social. Después, en su Plan Cuatrienal (1984-7), los socialistas han in-

111

cluido el análisis de recursos para calificar el acceso a las Viviendas de Protección Oficial y de Promoción Privada. Todos pueden solicitarlas, pero la tasa de interés cobrada a los compradores varía de acuerdo con su ingreso.

Los socialistas han incorporado también una serie de medidas encaminadas a facilitar a las familias de ingresos bajos la compra de su primer hogar. Una proporción más elevada de las VPO de Promoción Pública está destinada a los que desean alquilar y los compradores de la VPO de Promoción Privada no tendrán que realizar pagos iniciales tan considerables, y tampoco se los obligará a un interés tan alto durante los primeros años.

De acuerdo con la encuesta más reciente, realizada en 1981, todavía hay unos 2.300.000 españoles que carecen de su propio hogar. Después de considerar otros factores como el crecimiento demográfico y el deterioro de las viviendas actuales, los socialistas creen que tendrán que proveer al mercado de 250.000 a 310.000 hogares todos los años, si desean eliminar la falta de viviendas hacia principios de los años noventa. En el Plan Cuatrienal se preven 80.000 propiedades nuevas no subsidiadas, 30.000 VPO de Promoción Pública, 120.000 VPO de Promoción Privada, y que inicialmente 20.000 unidades —y después un número más elevado— estará formado por propiedades antes deshabitadas y ahora renovadas con la ayuda de subsidios de mejoramiento, un mecanismo hasta aquí desconocido en España.

Es demasiado temprano para afirmar que pasó la época de familias que viven "con la suegra". Pero uno puede afirmar que los problemas cuantitativos de la vivienda española —los problemas representados por las migraciones masivas de los años cincuenta y sesenta— se acercan a una solución. El gobierno ya ha comenzado a fijar su atención en los problemas cualitativos que son la herencia de esos años. En el plazo de unos quince años España se transformó de una nación en la cual la abrumadora mayoría de la gente estaba formada por habitantes de casas, en un país en que un número muy elevado de habitantes vive en altos edificios, y esto en mayor proporción que lo que puede observarse en otra nación cualquiera de Europa, oriental u occidental. En un esfuerzo por revertir esta tendencia los socialistas están suministrando incentivos a las inmobiliarias que producen construcciones de bajo nivel. Los primeros frutos de esta política se aprecian en Leganés, una gigantesca urbanización de la clase trabajadora en las afueras de Madrid donde, empequeñecidas por las altas torres circundantes, pueden verse hileras tras hileras de casitas de dos plantas cada una con su techo inclinado, coronado por una chimenea. ¡Uno creería estar en las afueras de Birmingham o Amsterdam!

No solo las clases trabajadoras se trasladaron a los altos bloques de edificios durante los años de desarrollo, como puede advertirlo quien visite un área del tipo de Pinar de Chamartín, en Madrid. En el caso de la clase media y media-alta, no fue tanto cuestión de necesidad como de elección; sus miembros preferían vivir en un lugar alto con garaje, un campo de juegos y una piscina, antes que en lugares bajos sin esas comodidades. En la actualidad, la marea está cambiando también en las clases medias, y les parece más elegante vivir en lo que los españoles denominan *chalet*.

La traslación del eje de la vivienda alta a la baja se ha visto acompañada por un cambio de actitud respecto del lugar de emplazamiento. Mientras en Gran Bretaña y Estados Unidos los suburbios de las ciudades principales están ocupados, sobre todo, por la clase media, en España están habitados por los emigrantes de los años cincuenta y sesenta y por sus hijos e hijas. La palabra "suburbio" tiene una connotación peyorativa que suena extraña a los oídos anglosajones. Si España se atiene al esquema fijado por las restantes naciones industrializadas (donde la clase media ha abandonado progresivamente el centro de las ciudades) es probable que cambie. Pero de ningún modo es evidente que España se ajustará a dicha pauta. Aunque la clase media sin duda ha llegado a tener mayor conciencia de los beneficios de la vida lejos del ruido y la contaminación del centro urbano, hay dos aspectos básicamente españoles que limitan su entusiasmo por la vida fuera de la ciudad. El primero es que el viaje hasta el centro es sumamente difícil para quien trabaja a lo largo de un día fragmentado y –pese al hecho de que muy pocos españoles urbanos modernos duermen la siesta– el día fragmentado sigue siendo todavía la norma más que la excepción. La segunda es la sociabilidad compulsiva de los españoles, su entusiasmo por salir en grupos para ir a los cafés y los restaurantes, o simplemente pasearse por las calles tomados del brazo con sus amigos. Muchas familias que salieron de Madrid a fines de la década del setenta y principios de la del ochenta para vivir en complejos como La Moraleja, al norte de Madrid, después han retornado al centro, impulsadas por el más profundo hastío.

7

LA SED DE SABER

Uno de los recuerdos más gratos de mi época de corresponsal en España, se relaciona con la noche húmeda en que me encontré en un depósito desnudo y encalado a la sombra del paso elevado que encauza el tránsito de Bilbao a Rekaldeberri. Rekaldeberri es uno de los pueblos satélites que nacieron durante la revolución industrial que transformó el país vasco a fines del siglo pasado. Antes de la guerra civil se lo denominaba "el rincón de Levín", y hasta hace poco, en que construyeron el paso elevado, pandillas de jóvenes recorrían los límites del suburbio, golpeando a los que entraban o salían.

Yo había ido allí para asistir a una reunión celebrada con el fin de discutir el futuro de la "Universidad Popular de Rekaldeberri". La "universidad" era un título un tanto grandilocuente para una institución que, en esencia, implicaba clases nocturnas dos veces por semana, financiadas mediante una operación de recolección de residuos. Todas las semanas los alumnos recorrían el vecindario coleccionando restos, para después venderlos. Pero de todos modos, era un valeroso intento de aportar cierto saber a una comunidad que carecía de conocimientos, y evidentemente sentía la necesidad de adquirirlos.

Más tarde supe que el experimento fracasó unos años después, pero que el esfuerzo no había sido inútil. Algunos de los consejeros reelegidos cuando la izquierda asumió el control de muchos de los pueblos y las ciudades en el curso de las elecciones locales de

114

1979, se habían enterado del proyecto de Rekaldeberri, y decidieron imitarlo. La primera universidad popular patrocinada por el municipio fue establecida en San Sebastián de los Reyes, cerca de Madrid, al año siguiente, y ahora hay más de veinte en distintas regiones de España. A diferencia de Rekaldeberri, donde el programa de estudios tenía que ver más con las formas convencionales del saber, la nueva generación de universidades populares tiende a concentrar la atención en las habilidades básicas, comenzando por la lectura y la escritura, las mismas que muchos españoles de la clase trabajadora nunca pudieron adquirir (se calcula que el 11 por ciento de los españoles mayores de catorce años es analfabeto). La difusión de las universidades populares es, sobre todo, consecuencia de la lamentable incapacidad de los funcionarios, hasta hace muy poco, para satisfacer la demanda de educación adulta elemental, aunque bajo el gobierno socialista se ha progresado considerablemente en este aspecto. Hay actualmente más de tres mil maestros dedicados a la educación adulta. La mayoría está subordinada al Servicio de Educación Permanente de Adultos del Ministerio de Educación y Ciencia. El resto está empleado por uno de los dos proyectos educacionales radiofónicos: Radio ECCA y la Universidad Nacional de Educación de Distancia.

Pero el movimiento de las universidades populares también destaca algo que yo, en mi condición de nativo de un país donde generalmente se miran con recelo los logros intelectuales, considero al mismo tiempo extraño y alentador: el respeto por la educación que se manifiesta en todos los niveles de la sociedad española. Solo cabe arriesgar conjeturas acerca de las razones de este hecho, pero quizá tiene que ver con el tradicional desdén de los españoles por el trabajo manual. "Inculto", "mal educado" son insultos graves en España, y si uno llega a estar en un bar de trabajadores cuando estalla una discusión es probable que más tarde o más temprano escuche que alguien dice a su adversario: "Usted no tiene cultura ni educación". Los diarios y las revistas publican muchísimos anuncios que ofrecen cursos por correspondencia y clases nocturnas. Y a mi juicio, es revelador que una de las principales agencias de viajes de Madrid se denomine Puente Cultural.

Durante la Segunda República el entusiasmo de los españoles por el saber se expresó en las bibliotecas circulantes y en los ateneos libertarios y casas del pueblo, es decir, los equivalentes anarquistas y socialistas, respectivamente, de los casinos organizados por las clases media y alta, en los cuales los afiliados podían leer los diarios y comentar los asuntos del momento. Más recientemente, cuando la prosperidad llegó a España durante los años de desarrollo, la educación fue la destinataria de la parte principal de la nueva riqueza. Entre 1962 y 1976 la proporción del presupuesto consagrado a la educación se duplicó holgadamente; en cambio, la proporción destinada a la salud y a los servicios sociales aumentó en poco más de un 50 por ciento, y la parte destinada a la vivienda, de hecho, disminuyó.

La piedra angular del moderno sistema educacional español es la Ley General de Educación de 1970, a menudo denominada Ley Villar Palasí, por el entonces ministro de Educación, un abogado y académico políglota, José Luis Villar Palasí. La ley de 1970 declaró obligatoria la asistencia de los niños a la escuela entre los seis y los catorce años. Esta educación, obligatoria, denominada Educación General Básica (EGB) está concebida como un sistema gratuito. Se divide en tres ciclos, y una vez que se completan los mismos, los alumnos que han alcanzado cierto nivel mínimo tienen derecho al diploma de *graduado escolar*. Después de su EGB, los escolares españoles tienen que elegir entre dos cursos claramente diferenciados. Uno es el Bachillerato Unificado Polivalente, que consiste en tres años más de estudio académico. Los que consiguen aprobar su bachillerato después pueden seguir otro curso de un año, el Curso de Orientación Universitaria, destinado a prepararlos para los exámenes de ingreso a la universidad. Los que no optan por el BUP siguen el curso denominado Formación Profesional (FP). Este se encuentra dividido en dos fases de dos años cada una. La primera, que ahora es obligatoria para todos los que no cursaron el BUP, suministra una introducción general, por ejemplo, al trabajo administrativo, la peluquería, la electrónica u otras actividades y, en cambio, la segunda ofrece una formación práctica especializada.

La crítica principal formulada a esta estructura es que se obliga demasiado temprano a los niños a elegir entre los estudios académicos y los de carácter práctico. Ahora está realizándose un experimento en unas treinta escuelas, donde se mantiene reunidos a los alumnos de manera que cursan las mismas disciplinas hasta los dieciséis años. Pero un problema tan importante como otro cualquiera es el carácter irreversible de la elección entre el BUP y la FP. Quien opte por la Formación Profesional no podrá concurrir a la universidad, de modo que es natural que los alumnos se sientan tentados de jugar sobre seguro asistiendo al Bachillerato aun si sus cualidades los inclinan más hacia la formación práctica. Una vez dicho esto, señalemos que probablemente era inevitable que en un país en que el trabajo manual merece tan absoluto desprecio, un curso consagrado específicamente al aprendizaje práctico presente

116

una imagen mediocre ante los ojos del público. En un tiempo el número de niños que elegían cursar el BUP era casi el doble de los que se inclinaban por la FP, pero esta proporción ha variado durante la década de los ochenta, en parte como resultado de la inversión oficial en la formación y, en parte, porque la crisis económica ha determinado que la adquisición de una técnica sea tan importante como la obtención de calificaciones académicas. La proporción es hoy casi de tres a dos.

Un tercio de los escolares españoles son educados en institutos privados. De estos, poco más de la mitad es propiedad de las órdenes religiosas, y el resto está dirigido con fines de lucro por propietarios seculares. En general, las órdenes religiosas ofrecen una buena educación. Hay unas pocas escuelas privadas laicas de excelente nivel, pero muchas son entidades mediocres, generalmente mal equipadas y a menudo con un personal formado por los parientes del director. En términos generales, las escuelas oficiales ocupan una posición a medio camino entre los dos tipos de escuelas pagas por lo que se refiere a la calidad, de manera que, en general, la educación privada no aparece asociada con la creación de una *élite* en el mismo sentido que se observa en otros países europeos y, sobre todo, en Gran Bretaña.

Aunque la Ley Villar Palasí contempló la aplicación de evaluaciones regulares, esta disposición nunca ha sido implementada completamente. En la mayoría de las escuelas, los alumnos son objeto de cinco evaluaciones por año, pero también deben afrontar exámenes al fin de cada ciclo. Los que no alcanzan las calificaciones necesarias tienen que permanecer en la misma clase, a menos que logren aprobar otro examen en otoño: una práctica que ha originado la actividad sumamente rentable que desarrollan muchas escuelas privadas: ofrecer "cursos de recuperación" de uno o dos meses durante el verano. En 1982 el gobierno comenzó a aplicar un nuevo plan destinado a suministrar gratuitamente el mismo servicio. En Madrid y en la Costa del Sol las estaciones locales de radio decidieron programar cuarenta horas de emisiones educativas; la prensa tanto de Madrid como de Málaga convino en publicar textos complementarios, y un equipo de profesores e inspectores se formó en las dos ciudades para suministrar ayuda inmediata.

Es imposible trazar analogías exactas con los índices de fracasos de otros países, porque las normas varían, pero persiste el hecho de que España tiene uno de los índices de fracasos más elevado entre los países que poseen un sistema educativo semejante. Gran parte de este problema se relaciona con el nivel de la enseñanza, que no es tan elevado como debería ser el caso, sobre todo teniendo en cuenta el sistema terriblemente ineficaz de formación de docentes y el pobre nivel de salarios. La formación de los futuros maestros y maestras de la EGB es especialmente mediocre. Bajo el gobierno de la UCD, se miraba con bastante ansiedad el índice de fracasos y en 1981, después de tres años de trabajo de un equipo de psicólogos, docentes académicos y funcionarios del ministerio, el gobierno comenzó a aplicar sus Programas Renovados, es decir, planes de estudio modificados para la EGB, los cuales además de actualizar el sistema, por ejemplo, incorporando el estudio de la Constitución, establecieron una lista de ítems que todos los maestros debían enseñar y todos los alumnos, aprender. Sin embargo, los Programas Renovados han sido criticados por los educadores porque perpetúan la importancia de la enseñanza –y el aprendizaje– de memoria, un sistema que según afirman constituye una de las razones del elevado índice de fracasos. Los socialistas han adoptado en conjunto una posición más despreocupada frente a la situación y han llegado al extremo de abolir las tareas para la casa de todos los niños de seis a catorce años. Pero también han aumentado en forma significativa los salarios de los docentes. El índice de fracasos es actualmente uno en cuatro, y era uno en tres cuando llegaron al poder.

Se ha percibido claramente desde hace cierto tiempo que algunos alumnos fracasan en una etapa temprana de su educación, y no consiguen asimilar un caudal suficiente de habilidades y conocimientos básicos que les permita desenvolverse cuando el tema alcanza más elevados niveles de exigencia. Aunque parezca paradójico, esto refleja el abundante aporte realizado por la educación española preescolar. A fines de los años sesenta y principios de los setenta se observó el vivo despertar del entusiasmo por la educación preescolar, y primero el sector privado y después el público se apresuraron a satisfacer la demanda. En la actualidad alrededor del 90 por ciento de los niños españoles concurre a la escuela durante al menos un año antes de comenzar el EGB. A juicio de algunos padres, la educación impartida en el parvulario representa la oportunidad de ofrecer a sus hijos una primera etapa de la vida mejor que la que ellos tuvieron. Pero para otros es sencillamente un modo barato y socialmente aceptable de liberarse de los niños durante el día. Muchos de los llamados parvularios españoles son más guarderías infantiles que escuelas. Incluso así es evidente que quienes han recibido cierto nivel de educación, por rudimentaria que ella sea, gozan de algunas ventajas comparados con los que no tuvieron ninguna.

Aunque el programa de estudios de la EGB, en realidad, no

parte de la premisa de que todos los niños han asistido al parvulario, muchos maestros trabajan ahora sobre la base de dicho supuesto. El resultado es que se crea una minoría en situación de desventaja desde el principio mismo; y como casi la mitad de los parvularios continúan siendo institutos pagos, esta minoría tiende a formarse con los niños provenientes de los hogares pobres. Estos niños, llamados *los de la cartilla*, porque todavía están aprendiendo el alfabeto cuando los otros han pasado a ejercicios adelantados, a menudo nunca se ponen a la altura del resto, y en España prevalece la idea de que la enseñanza preescolar, ahora que es un fenómeno casi universal, debería al igual que la educación básica ser gratuita. Quizás el aspecto más extraño de la ley de 1970 fue que convirtió en obligatoria la educación básica en momentos en que aún no había vacantes suficientes para todos. Durante los años del desarrollo el gobierno había promovido un programa acelerado de construcción de escuelas, pero este aún no estaba a la altura de la demanda de nuevas vacantes creada por el movimiento demográfico del campo a las ciudades, el aumento de la prosperidad (y las expectativas), y la "multiplicación de los nacimientos", la cual desde fines de los años cuarenta en adelante afectó no solo a España sino a Europa entera. Todavía en 1977, cuando la UCD asumió el poder había una distancia considerable entre el número de vacantes disponibles, de modo que el comienzo de cada escolar originaba angustiosas escenas cuando los niños y los padres eran rechazados por las escuelas cuya construcción no se había terminado, o que habían alcanzado el nivel de saturación. De todos modos, la distancia comenzó a acortarse gradualmente.

ꞌ El problema para la UCD era que alrededor del 40 por ciento de las plazas vacantes correspondían a escuelas privadas. Este era un porcentaje mucho más elevado que el requerido por las familias que realmente deseaban pagar la educación de sus hijos. Un contingente de padres que se veía obligado a pagar hubiera preferido enviar a sus hijos a las escuelas estatales. Las autoridades podían afirmar que ahora había un número suficiente –o casi suficiente– de vacantes ofrecidas, pero estas a diferencia de lo que exigía la Ley Villar Palasí, no estaban al alcance de todos. Por ejemplo, en Madrid había un número considerablemente más elevado de vacantes que de niños pero por lo menos el 60 por ciento de las mismas exigía cierto pago. La respuesta de los centristas al problema fue insistir en una solución que ya había sido ensayada por sus predecesores franquistas, y consistió en dar dinero a las escuelas privadas de manera que suministraran gratuitamente sus servicios. En los años inmediatamente anteriores a la llegada de los socialistas al gobierno, la parte del presupuesto destinada a la educación privada aumentó ocho veces más que el total. Cuando los centristas abandonaron el gobierno, apenas un puñado de escuelas de la EGB no recibía ayuda estatal.

Los socialistas heredaron una situación en la cual el gobierno aportaba los fondos, pero no podía determinar el sesgo del asunto. Solventaba los costos de las escuelas privadas, pero no podía, por ejemplo, insistir en que diesen preferencia a los niños que vivían cerca de ellas. A causa de la falta de planeamiento en la construcción de las escuelas y la inscripción de los alumnos, los niños a menudo tienen que recorrer largas distancias para llegar a la escuela, pese a que en su propio vecindario hay escuelas cuyos asientos están ocupados por niños provenientes de otras partes de la ciudad. Cuando los socialistas asumieron el poder había niños en Madrid (donde la situación es sobremanera difícil) que invertían cinco horas diarias viajando de un extremo al otro de la ciudad en los autobuses que el gobierno suministra específicamente con ese fin: 2.000 vehículos solamente en la capital.

La Ley Orgánica del Derecho a la Educación –o LODE, según se la conoce– que fue aprobada en 1984, estableció que los subsidios del gobierno a las escuelas privadas se otorgaran bajo las mismas condiciones y según los mismos criterios que las escuelas públicas. Estipula que todas las escuelas deberán tener un organismo rector denominado Consejo Escolar, con atribuciones para contratar y despedir al director y a sus ayudantes. Los consejos están formados por el director, tres representàntes designados por el propietario, cuatro maestros, cuatro padres, dos alumnos y un miembro del personal no docente de la escuela. La LODE también decreta que los salarios de los profesores serán pagados directamente por el gobierno, en lugar de –como sucedía antes– ser parte de una suma global distribuida a discreción del propietario.

No es sorprendente que gran parte de la burguesía considerase a la LODE una amenaza a las ventajas educacionales que hasta ese momento parecían garantizadas a sus hijos. Con el respaldo de gran parte de la Iglesia, se propuso bloquearla. Ningún proyecto de ley presentado al Parlamento durante el primer período de gobierno de los socialistas suscitó tanta controversia como la LODE. Las manifestaciones reunieron en las calles a centenares de miles de padres. Más de la mitad del tiempo total consagrado por el gobierno al Parlamento correspondió a la discusión de las muchas enmiendas propuestas por la oposición y, en definitiva, la ley entró en vigencia solo después que fracasó una apelación al Tribunal Constitucional. La firme decisión oficial de incorporar este instrumento al cuerpo legal manteniéndolo más o menos intacto reflejó la convicción del gobierno en el sentido de que solo una medida radical del tipo representado por la LODE podía abrir paso a una España más igualitaria y quizá más secular.

Como en el caso de la educación secundaria, el sistema universitario español distingue claramente entre lo "académico" y lo "práctico". Los estudiantes pueden elegir uno de los cursos de cinco o seis años, para las disciplinas tradicionales, y dictados en las Facultades y los Colegios convencionales, o los cursos de tres años dictados en las llamadas Escuelas Universitarias que forman enfermeras, maestros, ópticos y otros especialistas. En ambos casos, el alumno puede egresar con una licencia, pero las licencias otorgadas por las Escuelas inevitablemente representan una jerarquía más baja que las que provienen de las Facultades y los Colegios.

La presencia de la Iglesia en las universidades no es tan importante como en las escuelas. De las treinta y tres universidades españolas, solo cuatro están dirigidas por la Iglesia (tres por los jesuitas y una por el Opus Dei). En conjunto representan solo alrededor del 3 por ciento de la población estudiantil. Pero una de ellas –la Universidad del Opus Dei en Navarra– es una institución muy elegante, sumamente prestigiosa a los ojos de los españoles conservadores de la alta clase media; por consiguiente, ejerce una influencia mucho mayor que lo que su tamaño sugeriría. De las universidades estatales, las más importantes son sin duda la Complutense de Madrid, que cuenta con unos 90.000 alumnos y la Central de Barcelona, que tiene casi 70.000. Un estudiante español de cada cinco asiste a una de estas dos instituciones. Pero a pesar de su inmensa magnitud, la Complutense y la Central tienden a ser consideradas las mejores.

Bajo el régimen de Franco, las universidades fueron un foco fundamental de descontento. Los primeros desórdenes estallaron en 1956. Se repitieron en 1962 y después cobraron carácter endémico. De 1968 a 1973 la policía mantuvo una ocupación permanente. Pero las manifestaciones organizadas por los estudiantes tendieron a disimular el hecho de que las universidades españolas son esencialmente organismos de la burguesía de derecha. La mayoría de los profesores eran observadores que habían obtenido sus cátedras gracias a los buenos oficios de otros conservadores, y la escasez de becas implicaba que todos, salvo un puñado de alumnos, provenían de familias acomodadas. Uno de los cambios más notables bajo el gobierno de los socialistas ha sido el aumento tanto del número como de la magnitud de los subsidios universitarios. Ahora, uno de cada siete estudiantes recibe ayuda, comparada con sólo uno de cada diez cuando los socialistas asumieron el poder. El monto medio de un subsidio duplica el valor anterior.

El crecimiento de la infraestructura universitaria durante los años de desarrollo fue aún más veloz que el de la infraestructura escolar. Entre 1960 y 1972 el número de estudiantes se elevó de 77.000 a 241.000, y el gobierno demostró que estaba muy dispuesto a promover el crecimiento de esa cifra. La Ley Villar Palasí dio a todos los que aprobaban el Bachillerato el derecho a ocupar un asiento en la universidad. Cuatro años más tarde, cuando las consecuencias globales de esta iniciativa eran evidentes, fue necesario aprobar otra ley reestableciendo los exámenes de ingreso a la universidad. Incluso así, ahora España tiene unos 500.000 estudiantes universitarios en las Facultades y los Colegios, y otros 190.000 en las Escuelas; y francamente, estas cifras son mayores que lo que un país del nivel de desarrollo económico de España requiere, sobre todo, en un período de crisis económica. Desde mediados de los años setenta la desocupación de los graduados ha sido un problema grave.

Las universidades no solo han tenido que absorber a elevado número de estudiantes, sino que también se vieron obligadas a incorporar una enorme proporción de profesores que se ocupase de la enseñanza. Y como el método normal era excesivamente lento, se apeló al ofrecimiento de contratos. Hacia 1982, estos profesores sin estabilidad denominados PNN, representaban tres cuartas partes del personal docente. El gobierno socialista ha establecido un proceso de selección, de modo que hacia octubre de 1987, cuando expiren los actuales contratos, sea posible incorporar al claustro a los mejores. Hacia fines del primer gobierno socialista, se había reducido a la mitad del total la proporción de PNN, pero al parecer había pocas probabilidades de que el problema se resolviese por completo en el plazo fijado.

La ley que estableció el procedimiento de selección aplicable a los PNN –la Ley de Reforma Universitaria de los socialistas– aplicó un sacudón muy necesario a toda la educación superior. Determinó que las universidades fuesen independientes del gobierno, lo cual no había sido el caso bajo Franco, e incluyó una serie de medidas destinadas a estrechar su relación con el resto de la sociedad, por ejemplo, creando en cada universidad un nuevo organismo responsable de los asuntos financieros y administrativos, con la inclusión no sólo de académicos sino también de empresarios, sindicalistas, miembros de los ayuntamientos locales, entre otros.

Es posible que las cosas aún no sean lo que debieran en el

área de la educación española, pero hay indicios claros de que están mejorando. Por una parte, los políticos y los funcionarios responsables de la educación pueden sentirse alentados por el pensamiento de que por primera vez después de la guerra civil los factores demográficos los favorecen. La "multiplicación de nacimientos" concluyó en España –como en el resto de Europa– a principios de los años sesenta. Pero si en otros países de Europa el índice de natalidad descendió entonces, en España, donde los anticonceptivos aún eran ilegales, permaneció más o menos en el mismo nivel hasta el año que precedió a la muerte de Franco. Después, se inició una lenta disminución. Pero a partir de 1977, con los anticonceptivos al alcance de todos y la crisis económica que redujo el número de empleos y el monto de los ingresos, el descenso ha sido dramático. En la actualidad, el índice de natalidad español desciende con más velocidad que el de otro país cualquiera de Europa. El sistema educativo español ha pasado su prueba de fuego. En adelante, las cosas necesariamente mejorarán. Por desgracia, no puede decirse lo mismo del sistema de bienestar social de España.

8

¿ESTADO BENEFACTOR?

Si uno pasa un martes por la mañana por la calle que corre detrás de la iglesia de Medinaceli en Madrid, descubre una fila de varios centenares de personas que se prolonga a lo largo de la calle y da vuelta la esquina. Alrededor de las nueve, sale de la iglesia un fraile con una bolsa de monedas, y camina a lo largo de la fila, repartiendo piezas de 50 pesetas. Muchos de los beneficiarios pertenecen al tipo de casos lamentables que viven de la caridad en todos los países del mundo. Pero algunos –en realidad, una importante minoría– son sencillamente hombres y mujeres que han caído por uno de los muchos huecos del sistema de bienestar social español.

De todos esos huecos, el que ha parecido más grande desde el comienzo de la crisis afecta a los desempleados. Los jóvenes que aún no han trabajado nunca, y que representan casi la mitad de los desocupados, no tienen derecho a ningún tipo de ayuda del Estado. El supuesto –muy propio de los países mediterráneos– es que deben vivir con sus padres y ser mantenidos por ellos. De acuerdo con el lapso en que realizaron aporte, los trabajadores tienen derecho a reclamar un seguro de desempleo que, en realidad, es bastante generoso (el 70 por ciento de su último salario, hasta un máximo de veinticuatro meses). Los problemas comienzan cuando han perdido el derecho al seguro de desempleo. Los que en ese momento pueden demostrar que afrontan "responsabilidades de familia" están en condiciones de recibir una asignación severamente reducida. Pero los que no pueden aportar dichas pruebas pierden todo derecho a los beneficios, y como en España no hay nada semejante al Beneficio Suplementario del Reino Unido o al Ingreso Suplementario de Seguridad de Estados Unidos, tienen que arreglárselas como mejor puedan, realizando tareas ocasionales aquí y allí, viviendo a costa de los amigos y los parientes, y recibiendo limosnas de las instituciones caritativas como la que dirigen los frailes de la iglesia de Medinaceli.

La reacción de los centristas frente a la crisis económica fue la de ajustar las normas, con el fin de proteger las arcas del Estado. El resultado fue que hacia 1984 sólo un cuarto de los desocupados estaban en condiciones de obtener algún pago por desempleo (una situación claramente injusta y potencialmente explosiva en un país que en ese momento ostentaba la tasa de desempleo más alta de Europa). Los socialistas han introducido desde entonces una legislación que, según se esperaba, haría descender la cifra a menos de la mitad hacia fines de 1986.

De hecho, el seguro de desempleo no está englobado en el principal sistema de bienestar social español: la Seguridad Social. La Seguridad Social fue implantada en 1966 para sustituir a los diferentes servicios suministrados por los sindicatos, las compañías de seguros, las asociaciones de ayuda mutua y el Instituto Nacional de Previsión, dirigido por el estado y fundado poco después de principios de siglo. No es el único sistema de bienestar social de España pero, en todo caso, es el principal. Hay diferentes sistemas para distintos sectores de la administración pública y las Fuerzas Armadas, así como para otros organismos del tipo del Fondo Nacional de Asistencia Social (FONAS), que otorga pensiones de vejez, en el caso de los que no se ajustan a cualquiera de los restantes planes.

La Seguridad Social protege a bastante más del 80 por ciento de la población, y ofrece una gama completa de cláusulas de bienestar: prestaciones en efectivo, atención médica y servicios sociales. El Instituto Nacional de Seguridad Social (INSS) administra las prestaciones en efectivo. El Instituto Nacional de Salud, denominado INSALUD, es responsable de la atención médica, y el Instituto Nacional de Servicios Sociales (INSERSO) es el responsable de los servicios sociales.

Durante los últimos años las erogaciones de Seguridad Social solventadas por el Estado han crecido constantemente y, en cambio, la proporción aportada por los empleados y los empleadores ha disminuido. A principios de los años setenta el aporte oficial era apenas del 5 por ciento. Diez años más tarde sobrepasó el 20 por ciento. Pero todavía es bastante bajo juzgado por las normas del resto de Europa Occidental. Por ejemplo, los gobiernos alemán y británico, pagan entre el 30 y el 40 por ciento, respectivamente. En España poco menos de dos tercios del total adopta la forma de prestaciones en efectivo. De ellos, la parte del león corresponde a las pensiones (pensiones de vejez y pensiones pagadas a las viudas, a los huérfanos y a los incapacitados). Un poco menos de un tercio corresponde a la salud y a los servicios sociales. El resto –hasta el 4 por ciento– se invierte en costos administrativos.

El principal defecto de la Seguridad Social es que, lo mismo que en el caso francés, los egresos de cada año deben solventarse con el ingreso del mismo año. Esta situación explica, hasta cierto punto, por qué el sistema se ha mostrado tan sensible a las presiones ejercidas tanto desde el sector de la recaudación como el de las erogaciones durante los últimos años. Cuando comenzaron a sentirse los efectos de la crisis, la primera reacción de muchas compañías, en un esfuerzo por reducir los costos, fue suspender los aportes de Seguridad Social: una actitud que puede adoptarse en España sin temor de sufrir el castigo correspondiente. Al mismo tiempo, el sistema ha tenido que afrontar el crecimiento de la demanda de prestaciones en efectivo, especialmente de las pensiones. Esto responde en parte al hecho de que muchas personas, que perdieron sus empleos y cuyo derecho al seguro de desempleo se ha extinguido, consiguieron obtener pensiones por incapacidad cuando en realidad no se justifica. Pero la principal razón consiste en que, igual que en otros países occidentales, España tiene más y más gente de edad avanzada y, por lo tanto, afronta la obligación de invertir montos cada vez mayores en el sistema de pensiones de vejez. El problema es particularmente agudo en el caso de España porque precisamente en este sector los beneficios son más generosos. Aunque generosos no es exactamente la palabra adecuada. Las pensiones de vejez en España varían de acuerdo con las sumas que el jubilado ganó cuando trabajaba y, calculadas como proporción de los antiguos ingresos, las pensiones españolas resultan las más elevadas de Europa después de Suecia. Lo que es más, hasta hace poco no se imponía un límite a las sumas que podían pagarse. En 1983 el gobierno intervino para reducir las pensiones más elevadas, pero incluso entonces el límite fijado en 187.000 pesetas (alrededor de 850 libras esterlinas o 1.100 dólares) mensuales no era precisamente mezquino.

Hacia 1983 la disminución del número de compañías que aportan dinero al sistema, unida al aumento del número de los que extraen dinero del mismo, había determinado una situación en la cual, por cada beneficiario se contaba sólo con 2,3 contribuyentes (comparado con un promedio de 5 en Europa Occidental). Durante los últimos años los funcionarios españoles han contemplado seriamente la posibilidad de que el sistema llegue a la quiebra. El Estado necesita urgentemente un método que le permita derivar parte de la responsabilidad del seguro social hacia el sector privado. En contraste con la situación de las áreas de la vivienda y la educación, donde la empresa privada siempre representó un papel desusadamente destacado, en esta área el compromiso del sector privado es mínimo; por ejemplo, no hay fondos para pensiones en España. Un proyecto de ley que les habría conferido jerarquía legal fue elaborado ya en 1978, pero nunca consiguió suficiente apoyo parlamentario, de manera que no se incorporó a las normas generales. Este es un buen ejemplo del modo en que muchas leyes necesarias referidas a los problemas sociales y económicos españoles se han visto postergadas, mientras los políticos lidiaban con cuestiones rigurosamente políticas como la Constitución.

La provisión en el campo de los servicios de salud y sociales es notoriamente desigual. En primer lugar, hay un enorme desequilibrio entre los recursos asignados a las dos áreas. En el marco de la Seguridad Social, los servicios de salud insumen aproximadamente veinticinco veces las sumas que se destinan a los servicios sociales.

En España hay menos de 2500 asistentes sociales, y los hogares que la Seguridad Social ofrece a los ancianos y a los disminuidos mentales y físicos forman un núcleo reducido y disperso.

Por lo que se refiere a la atención médica los defectos aparecen vívidamente ilustrados por el hecho de que si bien la proporción de médicos por habitantes ocupa un lugar destacado de acuerdo con las pautas de Europa Occidental, España todavía no ha conseguido erradicar ciertas enfermedades como la tuberculosis, el tétano, la difteria y la tifoidea, e incluso conserva casos aislados de lepra y tracoma, dolencias que son más propias del Tercer Mundo. En la raíz del problema está el hecho de que los recursos de la Seguridad Social están muy mal distribuidos y administrados. A fines de los años setenta la revista *Cambio 16* descubrió en Asturias un hospital que había permanecido abierto durante dos años sin aceptar a un solo paciente. Otro, cerca de Sevilla, estaba tan atestado que nadie tenía tiempo para higienizar a los pacientes después de las operaciones, y la consecuencia era que la aparición de infecciones postoperatorias alcanzaba casi el 100 por ciento. En general, las regiones peor atendidas corresponden a los suburbios obreros. Por la época de la encuesta de *Cambio 16*, Vallecas, cerca de Madrid, con una población de 700.000 habitantes, no tenía un solo hospital, y contaba únicamente con tres consultorios públicos, donde los médicos atendían a los pacientes a la velocidad de uno por minuto. Mientras la mayoría de los pequeños centros carecen de personal y los recursos necesarios para llevar registros médicos adecuados, algunos de los hospitales más importantes poseen avanzadas computadoras muy poco usadas.

En julio de 1978 pareció que el sistema entero se salía de cauce, pues el dinero correspondiente a ese año ya había sido gastado. Los recortes consiguientes fueron tan severos que en algunos hospitales la cantidad de alimentos suministrada a los pacientes se vio reducida. La ineficiencia se complica a causa de la práctica usual en los médicos españoles de trabajar en varios sitios distintos y consagrar a cada uno menos horas de las que deberían. En 1981 una comisión *ad hoc* de médicos desocupados de Madrid consiguió las listas y nóminas de varios hospitales y consultorios de la capital, y mediante la comparación de los nombres consiguió demostrar lo que todos sospechaban desde hacía mucho tiempo: los médicos que teóricamente debían estar de guardia 24 horas en los hospitales, en realidad al mismo tiempo estaban trabajando en otros lugares. Por su parte, la organización médica acusa a la administración de haber promovido intencionalmente el pluriempleo con el fin de pagar a los médicos sumas menores por cada empleo o cada turno. Hasta el momento, la administración ha conseguido sabotear todos los esfuerzos determinados a declarar ilegal esta práctica. La combinación de desorden administrativo e intereses creados que caracteriza al servicio sanitario oficial de España ha frustrado una serie entera de intentos de reforma. En 1978 se dictaron dos decretos importantes y detallados, destinados a reglamentar la reorganización de los hospitales y la industria farmacéutica. Ninguno de ellos fue aplicado jamás. Las Cortes aprobaron un proyecto que, en concordancia con el pensamiento médico moderno, tendió a desplazar el eje del servicio de salud de la medicina curativa a la preventiva, y a trazar planes para racionalizar y democratizar el sistema. Nunca se lo aplicó. Los planes encaminados a trazar un programa de planeamiento de la familia y a desarrollar campañas contra la diabetes y la tuberculosis, también desaparecieron sin dejar rastros.

Lo mismo puede afirmarse de una reforma planeada de las normas relativas a los alimentos, que expiraron en 1982. En todo caso, habría sido un paso un tanto teñido de ironía en vista de que –probablemente como consecuencia de la ineficaz inspección de los alimentos– España estaba en ese momento soportando los efectos de lo que podía denominarse el peor desastre de la salud pública en los tiempos modernos. El "síndrome tóxico", todavía no explicado apareció por primera vez en 1981. Se creyó inicialmente que se había extendido a causa de aceite de colza destinado a usos industriales, el cual había sido tratado y vendido de puerta en puerta por ciertos distribuidores con el rótulo de aceite de oliva. Durante los tres años siguientes cobró más de 300 vidas. En las etapas avanzadas, las víctimas del "síndrome tóxico" envejecían rápidamente, se les adelgazaba y paralizaba el cuerpo, la piel adquiría una consistencia quebradiza, y se cubría de escamas. Fue quizá la tragedia más terrible que España ha presenciado en los últimos años. Pero de ningún modo fue la única.

9

RECONCILIACION CON EL PROGRESO

Durante los últimos años España ha sido el escenario de un número en verdad extraordinario de desastres provocados por el hombre. En 1977, 583 personas murieron en el peor desastre de aviación del mundo, cuando dos jets Jumbo chocaron en la pista del aeropuerto Los Rodeos de Tenerife. Al año siguiente, 215 personas que estaban en vacaciones perecieron cuando un camión tanque con un producto químico muy inflamable explotó al pasar frente al campamento de verano de Los Alfaques, cerca de Tarragona. Pocos meses después, un tren chocó con un autobús escolar en un paso a nivel de Muñoz, Salamanca, y mató a treinta personas y lesionó a sesenta. En 1979 otro autobús escolar se salió del camino y se hundió en el río Orbigo, en Zamora; se provocó así la muerte de cuarenta y cinco niños, sus cuatro maestros y el chófer. El verano de ese año también presenció dos terribles incendios –un hotel y un bosque– en Gerona, y ambos siniestros costaron noventa y nueve vidas. En 1980 cuarenta y ocho niños y tres adultos murieron en una explosión de gas en una escuela de Ortuella, en el país Vasco. Según las pautas españolas, los dos años siguientes estuvieron relativamente libres de desastres. Pero durante un período de treinta días a fines de 1983, al cual la prensa apodó "el mes negro de Madrid", un avión chocó contra las montañas fuera de la ciudad, otros dos lo hicieron en una pista del aeropuerto de Barajas, y un incendio atrapó a una multitud de jóvenes en una discoteca. El número de víctimas de todos estos accidentes llegó casi a

400. Ahora bien, algunos de estos desastres pudieron haber sobrevenido en muchos lugares y momentos distintos. Pero hay un punto en que la simple mala suerte ya no constituye una explicación apropiada. Por una parte, no fueron incidentes aislados. Por ejemplo, el accidente de Muñoz fue solo el peor de docenas de accidentes ferroviarios fatales de los últimos años. Entre 1973, cuando comenzaron a elevarse los totales de víctimas anuales, y 1983, casi 300 personas fallecieron en accidentes de los ferrocarriles españoles – un número mucho más elevado que en cualquier otro de los países de Europa Occidental. Durante el peor año – 1980 – por lo menos 78 pasajeros y empleados perdieron la vida.

Creo que parte del problema se relaciona con el temperamento español. Quien haya pasado un tiempo entre los españoles inevitablemente se siente impresionado por el desprecio que manifiestan frente al peligro. Después de todo, España ha dado al mundo las estampidas y las corridas de toros. La fiesta de San Fermín en Pamplona, un episodio que combina ambas formas, es el más conocido de los entretenimientos suicidas de España, pero ciertamente no es el único. Por ejemplo, durante la *nit del foc* en Valencia, las pandillas de jóvenes libran enconados combates con fuegos artificiales, y las autoridades locales entienden que el festejo ha sido exitoso si, a lo sumo, deja un saldo de unas 30 personas heridas.

El conductor del autobús partido en dos en Muñoz, reconoció más tarde que había visto acercarse al tren, pero decidió que trataría de cruzar el paso antes de la llegada del convoy.

Sin embargo, sería injusto achacar toda la responsabilidad a la impetuosidad española. Otra razón que explica estas terribles tragedias es el cóctel de alta tecnología y bajos niveles de profesionalismo y moral empresaria que es un legado del rápido crecimiento económico de España. La causa principal de la tragedia del campamento de Los Alfaques fue que el tanque, que en primer lugar estaba mal acoplado a la parte delantera, viajaba sobrecargado, en parte porque su capacidad nominal era mayor que su capacidad real, y en parte porque la carga no fue medida apropiadamente. Después de la explosión de gas en Ortuella, el alcalde de un pueblo próximo a Madrid ordenó una inspección de las instalaciones de gas de las escuelas de la región. Se comprobó que todas padecían defectos de diferente tipo.

Pero quizá la razón más importante ha sido la escasa disposición o la incapacidad del gobierno, por lo menos hasta hace muy poco, para reglamentar la sociedad cada vez más refinada y compleja que ha emergido de los años de desarrollo. Este rasgo es evidente sobre todo en el campo de la salud pública. La conocida queja del visitante extranjero que llega en vacaciones, "las perturbaciones gástricas españolas", no son solo resultado del cambio de clima y de dieta. Poco antes del comienzo del síndrome tóxico, las autoridades locales de Madrid inspeccionaron más de 3000 restaurantes, bares y hoteles de la capital. Comprobaron que el 35 por ciento del vino, el 45 por ciento de las bebidas blancas y el 75 por ciento de la leche y el hielo eran inapropiados para el consumo humano. Las suculentas gambas y los sabrosos jamones que se exhiben tentadoramente en los bares españoles sin duda fueron tratados en alguna etapa con ácido bórico para espantar las moscas, a pesar que su uso está prohibido desde 1965. La sangría, especialmente la que se sirve en las costas en la época de las vacaciones, está preparada a menudo con licor destilado clandestinamente. La primera hormona identificada por sus efectos cancerígenos −DES− todavía se emplea en España para engordar al ganado, y la cloropicrina, que fue la base de uno de los gases utilizados durante la Primera Guerra Mundial, interviene a veces en la producción del vino barato.

Aunque los químicos del gobierno analizan previamente los envases y los aditivos, la comida y la bebida misma −con excepción de ciertas bebidas embotelladas y algunos productos dietéticos− no sufre ningún tipo de control antes de ir a la venta. Contrariamente a lo que creen muchos españoles, los números impresos en los paquetes y los envoltorios al lado de un sello oficial no significan que el producto en cuestión ha sido autorizado o siquiera registrado por las autoridades. Son sencillamente los números asignados por el gobierno a la fábrica en que se elaboró el producto. Se ha calculado que en España entera hay menos de 1000 personas que trabajan la jornada completa para comprobar la calidad de los alimentos y las bebidas de los 225.000 lugares en los cuales se procede a la manufactura, la distribución, la venta y el consumo.

Hasta hace poco tiempo la incapacidad de las autoridades para controlar la situación era evidente también en las cuestiones relacionadas con el ambiente. Esta afirmación ya no es igualmente válida, aunque las cosas han cambiado más en las ciudades que en el campo, y el mérito de los resultados obtenidos corresponde sobre todo a los gobiernos locales más que a las autoridades centrales.

Hacia mediados de los años setenta, Madrid rivalizaba con Atenas en ser la capital más contaminada de Europa. El río Manzanares que atraviesa Madrid, y el río Jarama, que la bordea, de hecho eran cloacas abiertas en las cuales se volcaban las aguas de desecho de la ciudad, sin el más mínimo tratamiento, y por esa vía llegaban al Tajo y salían al mar sobre la costa portuguesa.

El aire estaba tan contaminado que los diarios vespertinos solían publicar diagramas de contaminación salpicados de símbolos indicativos de la condición atmosférica en diferentes partes de la ciudad a lo largo del día. A medida que uno se acercaba a Madrid atravesando la meseta, alcanzaba a ver una nube enorme y sucia que se cernía sobre la ciudad la mayor parte del año. El peor período transcurría entre noviembre y enero, cuando el uso intenso de petróleo con fines de calefacción y el predominio de los sistemas de elevada presión se combinaban para aumentar el riesgo de una inversión de la temperatura*. Madrid nunca soportó las consecuencias de un *smog* asesino como el que afectó a Londres en 1952, pero hubo períodos durante los cuales en la Plaza de Cibeles, uno apenas podía distinguir el perfil de los enormes arcos de la Puerta de Alcalá a unos cuatrocientos metros de distancia.

Contra lo que podría creerse, la contaminación atmosférica de Madrid no era imputable a la industria. Prácticamente ninguna de las fábricas que están en la capital y sus alrededores pertenece a la industria pesada, y la mayor parte de la misma se encuentra sobre el límite oriental, de manera que los vientos usuales alejan de la ciudad el humo de desecho. El problema era que Madrid –lo mismo que otras ciudades que se expandieron rápidamente durante los años del auge– fue construida en sentido vertical más que horizontal. La densidad demográfica es elevada, y no solo incluye muchos habitantes por kilómetro cuadrado, sino también elevado número de automóviles, viviendas particulares y oficinas, todo reunido en un área relativamente reducida. Los principales contaminadores de Madrid son, por orden ascendente de importancia: el monóxido de carbono (que proviene de los sistemas de calefacción central alimentados con petróleo y de los vehículos impulsados por derivados del petróleo), el dióxido sulfúrico (que se origina principalmente en los sistemas de calefacción central), y los minúsculos fragmentos de cenizas denominados por los científicos

* Una inversión de la temperatura modifica la situación normal, en virtud de la cual el aire que se extiende sobre una ciudad es más frío que el aire que está a nivel del suelo. Es un fenómeno que se manifiesta con frecuencia de noche en las regiones templadas, pero generalmente se ve modificado por la llegada del día. Los problemas comienzan cuando el fenómeno persiste. El humo y los gases atrapados descienden hacia el suelo y actúan como núcleos que permiten la formación del smog. Después, el smog impide que la luz del sol llegue a la ciudad, de modo que la temperatura a nivel del suelo se mantiene baja, y se forma un sistema que puede continuar fijo durante varios días.

"partículas suspendidas", y que recibirían de un lego la denominación de humo, que en Madrid provienen principalmente del tránsito. Entre las fuentes más prolíficas de partículas suspendidas están los vehículos diesel, especialmente los que se encuentran en malas condiciones. En 1975 el nivel *promedio* de partículas suspendidas en la capital española alcanzó la cifra de 217 microgramos por metro cúbico. Comparado con esta cifra, el nivel recomendado por el gobierno se eleva a 80. En ese momento las autoridades locales comenzaron a actuar. Organizaron dos centros de control de vehículos, y formaron una Patrulla Ecológica de la Policía Municipal, con atribuciones para multar a los propietarios de vehículos que despidieran un caudal excesivo de gases. Si el propietario no realizaba las reparaciones necesarias, la Patrulla tenía el derecho de secuestrarle el automóvil, el camión, el autobús o el vehículo que fuese. Con sus automóviles verdes y sus accesorios verdes (incluidas las pistoleras verdes), los miembros de la Patrulla Ecológica exhibían una apariencia extraña e incluso cómica. Pero en todo caso ejercieron considerable influencia. Hacia 1977 el nivel promedio de partículas suspendidas había descendido a setenta y uno, y continúa disminuyendo unos pocos puntos cada año. Se ha obtenido una transformación igualmente importante en los ríos. En 1981, el gobierno de izquierda que había asumido la gestión del consejo municipal dos años antes, inició la aplicación de un plan de 32.000 millones de pesetas con el fin de instalar siete plantas de tratamiento de agua, y hacia fines de 1984 toda el agua residual que llegaba al Manzanares y al Jarama venía purificada previamente. Liderada por el muy querido y respetado *viejo profesor* Enrique Tierno Galván –cuya muerte en 1986 dio lugar a uno de los más impresionantes funerales que Madrid haya visto– la administración de la ciudad también tuvo éxito al convertir a Madrid en un espacio mucho más verde.

En teoría, la capital española siempre contó con un porcentaje mucho más elevado de espacios verdes que cualquier otra capital de Europa. Pero esto es así porque la extensa Casa de Campo, que en realidad está fuera de la ciudad, se encuentra incluida en sus límites administrativos. No hay muchos parques en el resto de la ciudad, y los pocos existentes corresponden al centro y al norte, en general más prósperos. Este aspecto no importó mucho cuando Madrid era una ciudad con bulevares bordeados por árboles, muchos con jardines que se extendían a través del centro. Pero los años de desarrollo presenciaron cómo estas espléndidas avenidas se convertían en calles de varias pistas y una sola mano. La iniciativa más importante que ha tomado el Ayuntamiento dirigido por los socialistas –tanto por su valor simbólico como por el de carácter práctico– ha sido la inauguración de un "festival del árbol" celebrado anualmente. En esa ocasión los voluntarios plantan de 18 a 20.000 árboles jóvenes. Esta práctica ya ha creado una enorme diferencia en las sombrías extensiones de la M30, la autopista de circunvalación de Madrid. Se ha comenzado a trabajar en una serie de nuevos parques de la región meridional, la más pobre de la ciudad –que ocuparán el lugar que antes correspondía a un enorme basural–, y en el trazado de jardines a ambos lados del Manzanares recientemente purificado. Incluso se habla de restaurar alguna de las calles del centro para devolverles su antigua belleza. Pero todo esto requeriría una reducción drástica del tránsito, y es posible que en definitiva no sea más que un sueño.

Bilbao fue siempre otro foco de contaminación. En contraste con Madrid, la causa de la contaminación atmosférica está en la industria más que en la calefacción o el tránsito. Uno de los incidentes más dramáticos acaeció en 1980, cuando durante varios días la ciudad estuvo cubierta por una espesa nube de productos químicos, entre ellos DDT, que brotó a unos 350 metros del principal hospital de la provincia. La industria también es la responsable del estado del río Nervión, que atraviesa la ciudad de Bilbao. De acuerdo con una encuesta realizada en 1975, 385 fábricas vertieron sus efluentes en él y al pasar por la ciudad las aguas tenían sólo un 5 por ciento de oxígeno, comparado con el 60 por ciento que los peces necesitan para sobrevivir. Durante ese período el río estaba tan contaminado que podía cambiar de color ante los propios ojos del espectador cuando una carga de productos químicos seguía a otra en el camino hacia la desembocadura. La contaminación atmosférica continúa siendo un problema grave, pero en 1981 el consejo municipal inició la aplicación de un ambicioso plan de 23.000 millones de pesetas con el fin de depurar el Nervión, y se abriga la esperanza de que a mediados de la década de 1990 será posible nadar en él.

Aunque se han realizado considerables progresos en las grandes ciudades como Madrid y Bilbao, la contaminación continúa siendo severa en muchos de los centros industriales más pequeños. Quizás el peor de todos es Avilés, en Asturias. Desde principios de los años 60 Avilés ha crecido desde un pueblo de 25.000 habitantes a una ciudad de 200.000 personas, pues llegaron emigrantes de otras regiones del país para trabajar en el gigantesco complejo químico de propiedad estatal levantado allí. Alrededor de una vez por semana los niveles de contaminación del aire superan los niveles máximos establecidos por la ley, y durante los cinco años entre 1975 y 1980, el cáncer de pulmón aumentó en un 141 por ciento.

Por lo que se refiere al campo, el tema principal de controversia es la función de Instituto para la Conservación de la Naturaleza (ICONA), un organismo subordinado al Ministerio de Agricultura, que es responsable, entre otras cosas, de la administración de los Nueve Parques Nacionales españoles. Muchas cosas que suceden en ellos son tema de aguda crítica para los ecologistas. En el Parque Nacional de Covadonga, situado en el norte de España, los bosques de hayas han sido talados, se clausuraron las minas de hierro y manganeso y se autorizó la apertura de un hotel. En el Parque Nacional Teide, de Tenerife, todavía se extrae piedra pómez de la falda de la Montaña Blanca, un espectacular volcán que tiene una antigüedad de 3.000 años. A pesar del hecho de que la licencia de la compañía –que fue concedida antes de que se otorgase protección oficial al área– expiró en 1977, según parece nadie informó al ministerio de Industria y Energía acerca de los problemas ambientales en juego, y la solicitud de renovación de la firma fue aprobada. Por otra parte, hasta principios de los años 80, el ICONA permitía la intervención de grupos de cazadores que incursionaban en el ecosistema terriblemente precario del Parque Nacional Doñana. Pero, Doñana es un caso especial, y de ningún modo responsabilidad exclusiva del ICONA.

Doñana, una faja de 39.000 kilómetros cuadrados de dunas y pantanos al sur de Sevilla, es la principal reserva natural europea fuera de Rusia. Es el hogar de animales raros como la mangosta ibérica, el lince mediterráneo y el ave que por su rareza ocupa el cuarto lugar en el mundo, el águila imperial. En la actualidad sobreviven únicamente cincuenta parejas, y todas anidan en la España meridional y central. Del total, aproximadamente una cuarta parte se reproducen en el Doñana. No cabe duda de que el ICONA ha cometido errores en el Doñana (la política bien intencionada de eliminar los eucaliptus ajenos al medio que habían sido plantados durante los primeros años de la dictadura de Franco llevó a la destrucción de varios nidos de águilas imperiales). Pero el problema principal es que el ICONA en realidad no está en condiciones de controlar lo que sucede en el Parque Doñana. El inconveniente reside en que el Parque Nacional, aunque inmenso, no incluye todo el ecosistema del cual es parte. Excepto donde toca el Guadalquivir, el Doñana no se extiende hasta sus límites naturales. En dirección al mar está limitado por una faja de tierra de un kilómetro de ancho que corre a lo largo de la costa, y en dirección al interior abarca solo parte de los pantanos llamados Las Marismas. Sin embargo, lo que sucede en las áreas que están fuera del control del ICONA a menudo gravita directamente sobre las condiciones que prevalecen en el Parque Nacional.

La primera amenaza se manifestó durante los años 70 como resultado del plan de construcción de un camino principal de Huelva a Cádiz a lo largo de la costa. Pronto se abandonó el proyecto. Pero después se inició la ejecución de un plan de construcción de un gran sistema de urbanización, con apartamentos de descanso destinados a unas 70.000 personas. De hecho, consiguió avanzar cuatro kilómetros a lo largo de la costa antes que se lo interrumpiera. Los edificios de varios pisos, el ruido y la luz generada por las personas que habitan el complejo tenderán a afectar a los millones de aves migratorias que acuden a la región. Pero constituye una amenaza probablemente más grave lo que está sucediendo del lado contrario del Parque Nacional, donde el organismo oficial de desarrollo agrario, el IRYDA, está muy atareado desecando los pantanos.

En general, la vida silvestre soporta una situación muy precaria en España. La ignorancia y la pobreza representan un papel importante. Aunque se demostró hace mucho tiempo la falacia de este concepto, existe la difundida creencia de que las aves de presa reducen la reserva de animales de caza, y todos los años centenares de búhos, halcones y cernícalos, nominalmente protegidos por la ley, son masacrados por los guardabosques antes del comienzo de la temporada. Pese a la ayuda que estas aves ofrecen a los agricultores en la destrucción de pestes, y a las leyes que los protegen, las cuales se remontan a comienzos de siglo, millones y millones de insectívoros son atrapados todos los años: gorriones y otros en Navarra y Aragón (muchos terminan en forma de tapas o entremeses ofrecidos en los bares españoles), y zorzales en Jaén (vendidos a Francia donde se los transforma en *pâté de alouette*). Los responsables de esta matanza son los campesinos y los jornaleros y sus familias. En general, las autoridades no se deciden a reprimir una actividad que ayuda a aliviar la pobreza de la gente. Pero para ofrecer una idea de la magnitud de la masacre, se calcula que más de trece millones de aves perecen solo en Jaén, entre octubre y marzo. España es también uno de los pocos países que continúa la explotación de la ballena; la industria entera está en manos de una sola familia, los Massós, que dirigen dos factorías —en Cangas de Morrazo cerca de Vigo, y en Caneliñas, cerca de la Coruña— y una flota de tres naves (otras dos fueron hundidas por saboteadores en 1979). Alrededor del 60 por ciento de lo capturado por los Massós va a Japón.

Los movimientos españoles de consumidores y ecologistas todavía están afirmándose. El gobierno financió el Instituto Nacional del Consumo, que se mantuvo más o menos pasivo desde su fundación en 1977. Por lo que se refiere a los consumidores, la iniciativa ha permanecido firme en manos de organismos privados: la Federación de Amas de Casa y Consumidores, la Federación Española de Consumidores, y la Organización de Consumidores y Usuarios, cuyo espíritu rector, Antonio García Pablos, estuvo antes a cargo de los problemas del consumidor en el ministerio de Comercio. Renunció para organizar la OCU en 1975, y afirmó entonces que "el público necesita sobre todo que se lo proteja del propio gobierno". Después, organizó una enérgica campaña contra la negativa del monopolio telefónico oficial a detallar las facturas y a publicar las tarifas. Pero ni la OCU ni cualquier otro de los grupos ha abordado todavía el principal problema de los consumidores españoles, el bajo nivel de la inspección de los alimentos.

El primer grupo ecologista organizado en España fue la Asociación para la Defensa de la Naturaleza (ADENA), filial del Fondo Mundial de la Vida Silvestre, encabezado al principio por el desaparecido Félix Rodríguez de la Fuente, el "naturalista de la TV". ADENA, sin duda, hizo mucho para educar a la gente acerca de la vida silvestre, pero su crítica al gobierno siempre fue bastante limitada. El primer grupo de presión auténtico en el campo ambiental fue la Asociación Española para la Ordenación del Territorio y el Medio Ambiente (AEORMA), organizada en 1970. Cuatro años más tarde publicó una radical declaración de principios –El Manifiesto de Benidorm– que ha sido el punto de referencia de los ecologistas españoles a partir de su difusión. En 1976 AEORMA se derrumbó de un modo característico español, pues el secretario general, que había sido retirado del cargo, se negó a aceptar la medida. Pero por esa época el lugar de esta entidad al frente del movimiento ecologista había pasado a otro grupo, la Asociación de Estudio para la Defensa de la Naturaleza (AEPDEN), fundada a fines del año precedente. AEPDEN organizó la primera campaña realmente agresiva contra la edificación de una urbanización en las Sierras de Gredos, un área de gran belleza natural a pocos kilómetros de Madrid, y el hogar de algunas águilas imperiales españolas. Durante la década del 70 hubo un momento en que era imposible recorrer Madrid o sus alrededores sin ver las leyendas: "Salvemos a Gredos".

En parte porque el ascenso del movimiento ecológico en España coincidió con el entusiasmo cada vez más acentuado en favor de la autonomía regional, siempre padeció los efectos de una fragmentación excesiva. Nadie sabe cuántos grupos locales fueron fundados durante los años 70 para resolver problemas específicos, como la construcción de un dique o la destrucción de un bosque. Pero el total, ciertamente, puede representarse con cifras de tres dígitos.

En 1978 se aceptó a AEPDEN como miembro de pleno derecho de la Federación Internacional de Amigos de la Tierra. Pero eso no impidió que algunos de los grupos regionales se incorporasen después. Al año siguiente, se formó una Federación de Amigos de la Tierra (FAT) española, con el fin de reunir a AEPDEN y a los restantes grupos en una sola organización, y fue en este estilo, como "poniendo el carro delante del caballo" que España finalmente adquirió un movimiento auténticamente nacional. A partir de ese momento, la FAT y el recientemente creado brazo español del *Greenpeace* han demostrado que son capaces de organizar campañas eficaces. En 1985, después de una asamblea en Cardedeu en Cataluña, fue creado un Partido Verde que debutó en la campaña electoral para las elecciones generales del año siguiente.

10

LEY Y ORDEN,
CRIMEN Y CASTIGO

Con bastante frecuencia un infortunado turista sufre un asalto, una violación o incluso es la víctima de un asesinato en un lugar de veraneo español; aparecen en la prensa artículos que suscitan la impresión de que el índice de criminalidad se ha elevado considerablemente desde la muerte de Franco, hasta el punto de que Benidorm y Lloret son apenas mejores que Nueva York. Uno de los peores estados de pánico sobrevino durante el otoño de 1984 cuando, por lo menos, cuatro turistas británicos fueron asaltados y casi muertos o heridos en el lapso de un mes. Estos incidentes son particularmente terribles cuando las víctimas llegan con el propósito de pasar unas felices vacaciones. Pero, ¿son episodios representativos? ¿El nivel de los actos delictivos se ha elevado? Y en caso afirmativo, ¿en qué medida? ¿Quién, en el supuesto de que haya un culpable, merece que se le atribuya la responsabilidad? Y la España moderna, ¿es más peligrosa o más segura que otros países europeos?

En efecto, los últimos años han asistido a un aumento del índice de criminalidad, pero ese crecimiento es relativamente modesto. Entre 1974 y 1982 el número de delitos informados por la policía española pasó de aproximadamente 217.000 a alrededor de 368.000; el incremento anual durante la mayoría de los años ha sido del 5 al 10 por ciento. Más aún, es evidente que parte de ese au-

140

mento responde al hecho de que a causa de la mayor confianza en la policía, hay mayor disposición del público a denunciar los delitos. Desde el punto de vista de la imagen de España en el exterior, el problema es que una parte desproporcionada del aumento de delitos ocurre en las costas, donde las mujeres pasan las vacaciones y recorren los lugares con un bolso al hombro, de modo que se convierten en presas ideales para el tirón, a cargo de un motociclista o del ocupante de un vehículo de pasajeros que pasa a gran velocidad. Lo cual, por supuesto, puede provocar graves heridas. Hacia 1978 en Torremolinos, donde se producían de treinta a cuarenta tirones diarios, había suficientes delitos como para justificar los servicios de un cazador de recompensas: un gitano y ex legionario llamado Manuel.

Nunca es fácil definir el factor que determina la elevación del índice de criminalidad. En el caso de España, sería sorprendente que la desaparición de la dictadura y la anulación de las restricciones más severas en tan breve lapso no hubieran producido ciertos efectos. Pero si uno examina un gráfico basado en las cifras de los delitos, verá que la línea comienza a ascender el año *anterior* a la desaparición de Franco, y esto sugiere que el problema tiene que ver menos con los factores políticos que con las presiones económicas y sociales que se acumularon durante los años de desarrollo, los cuales, dicho sea de paso, concluyeron casi al mismo tiempo que la dictadura. Una de las formas que adoptó esa presión fue la aparición de una nueva clase en España: los desarraigados jóvenes de las ciudades. Los hijos y las hijas de los emigrantes que llegaron a la ciudad durante los años cincuenta y sesenta, alcanzaron la edad adulta más o menos por la misma época en que la crisis redujo el número de empleos y el valor de los salarios. En contraste con sus padres, tienden a medir su bienestar, no de acuerdo con las normas del campo español empobrecido, sino comparándolo con los espléndidos estilos de vida que aparecen en la televisión y los filmes. Cuando comprueban que sus propias circunstancias reflejan pobreza, a veces deciden modificarlas siguiendo el camino más directo posible. Pero comparados con los jóvenes británicos y norteamericanos desarraigados, quienes tienden a practicar el robo y a enredarse en riñas, los jóvenes españoles alienados son mucho más ambiciosos: su delito favorito es el asalto a mano armada. Precisamente en este sector las cifras del delito han mostrado aumentos realmente alarmantes. Por ejemplo, entre 1974 y 1978 el número de robos a mano armada creció en un 1000 por ciento.

El director cinematográfico Carlos Saura se sintió fascinado por estos jovencitos alienados y frustrados y en 1980 dedicó un tiempo a conocerlos en un suburbio de Madrid. A partir de sus experiencias realizó un filme *Deprisa, Deprisa*, en el que utilizó como actores a algunos de los jóvenes a quienes había conocido en esas barriadas. Al año siguiente, *Deprisa, Deprisa* ganó el Oso de Oro en el Festival de Cine de Berlín, pero pocos meses más tarde dos de sus jóvenes estrellas fueron arrestados por haber participado en asaltos a bancos.

Otro factor que ha contribuido a elevar los índices de criminalidad en España es el problema cada vez más grave de la droga. A causa de su proximidad con Africa del Norte y sus nexos con América Latina, no es difícil conseguir drogas en España. De acuerdo con una encuesta realizada por la unidad de control de drogas del ejército (y el hecho de que el ejército sienta la necesidad de tener una unidad de este tipo es significativo en sí mismo), el 60 por ciento de los reclutas ha probado las drogas en la época en que se alista, antes de los veinte años. Incluso este índice podría estar subestimado. La popularidad del consumo de marihuana ha aumentado significativamente como resultado de la desocupación, y en la actualidad es difícil encontrar españoles de cualquiera de los dos sexos que no hayan fumado un *porro* de marihuana. Pero el verdadero problema es el consumo de drogas fuertes. Este comenzó casi exactamente en el momento de la muerte de Franco, quizá porque reflejó la percepción de los traficantes en el sentido de que la España democrática parecía una "buena apuesta". El repentino comienzo y el rápido crecimiento del problema puede medirse por el número de robos cometidos contra las farmacias. En 1974 ni una sola farmacia sufrió este tipo de ataque en ningún lugar de España. Cinco años después, la cifra se elevaba a 1900. Por entonces España tenía 80.000 adictos a la heroína y 60.000 adictos a la cocaína. Aunque ahora posee uno de los equipos más perfeccionados de detección de drogas que el mundo conozca, el aeropuerto de Barajas en Madrid continúa siendo un importante lugar de entrada de las drogas destinadas no solo a España sino al resto de Europa. De acuerdo con Interpol el 60 por ciento de toda la cocaína peruana y boliviana entra por Barajas. Un correo arrestado hace poco había ocultado la droga en su propio intestino. Tuvo que ser operado para extraérsela.

Pero incluso con el actual problema de la droga, el nivel de los delitos cometidos en España es todavía muy inferior al de los restantes países europeos. Los 368.000 delitos informados a la policía durante 1982 representaron aproximadamente 970 delitos por 100.000 habitantes. En Gran Bretaña, ese año

142

se cometieron 3.708.000 delitos, un índice de 6.655 delitos por 100.000 personas, es decir, aproximadamente siete veces el índice español.*

A medida que el modo y el nivel de vida españoles se asemejan cada vez más a los de otros países occidentales, es muy probable que su índice de criminalidad también alcance niveles semejantes. Pero, por el momento, los españoles no son una nación que se caracterice especialmente por su nivel delictivo. En las condiciones actuales, en España el delito organizado está sobre todo en manos de extranjeros. Por ejemplo, en Barcelona la prostitución está casi totalmente bajo el control de franceses, corsos y latinoamericanos.

Sin embargo, la cantidad de policías por habitantes es comparable a la de los países más poblados y de más altos índices de delito. En total, en España hay unos 150.000 policías, es decir, más o menos el mismo número existente en Gran Bretaña. Esto significa que mientras en España por cada funcionario policial hay aproximadamente 250 habitantes, en Gran Bretaña esa cifra asciende a 400. Y en Gran Bretaña la policía debe lidiar con un número mucho más elevado de delitos.

Las áreas urbanas españolas son patrulladas por tres diferentes tipos de fuerzas. En primer lugar está la Policía Municipal, que actúa en todos los lugares con una población superior a 5.000 personas. Además, en las ciudades con más de 20.000 habitantes y en unos pocos centros muy industrializados con una población más reducida, está el cuerpo uniformado de la Policía Nacional (antes Policía Armada) y el Cuerpo Superior de Policía (antes Cuerpo General), constituido por agentes de civil, que en breve serán transformados en una fuerza única, en la cual la policía uniformada quedará bajo el mando de la policía de civil en lugar de subordinarse, como antes, a oficiales de alguna de las Fuerzas Armadas.

La Policía Municipal es reclutada y administrada localmente. Los ayuntamientos pagan los sueldos de sus miembros, y el trabajo de estos hombres se atiene esencialmente a los reglamentos locales. Son responsables del tránsito y el estacionamiento, y aseguran que los habitantes obedezcan las normas de planeamiento. Hay entre 25 y 30.000 policías municipales. La mayoría porta armas (en muchos casos de mala gana), pero en realidad nunca se la consideró una

---

* La disparidad es aún mayor, porque en el caso de Gran Bretaña he tenido en cuenta solo los delitos más graves: los que en Inglaterra y Gales se definen como "faltas notificables"; en Irlanda del Norte, como "faltas punibles", y en Escocia como "crímenes". En cambio, el total español corresponde a la categoría más amplia de los "delitos comunes".

143

fuerza represiva, ni siquiera durante el régimen de Franco. En Madrid, el ayuntamiento socialista ha jerarquizado y ampliado considerablemente la función de esta fuerza. "Cuando nos hicimos cargo, eran una especie de ejército de Sancho Panza", comentó un concejal, "hemos hecho todo lo posible para modificar esa situación." La disciplina ahora es más severa, y en 1980 se organizó por primera vez una escuela de entrenamiento. Durante el régimen de Franco, la Policía Municipal de Madrid era básicamente un gran departamento de tránsito, con inclusión de unas pocas unidades especializadas. Pero en los últimos años y, sobre todo, desde que la izquierda se hizo cargo, los agentes han sido separados de las tareas relacionadas con el tránsito y se convirtieron en los llamados policías de barrio. Una vez ejecutados totalmente los planes de los socialistas, cada una de las 123 zonas de la ciudad contará con dos patrulleros de la Policía Municipal, y la fuerza misma consistirá principalmente en policías de barrio complementados por diferentes unidades especializadas, una de las cuales se ocupará del tránsito. Durante los primeros años de transición, se especuló mucho acerca de la posibilidad de que la Policía Municipal fuese la piedra angular de una nueva política nacional de seguridad. Pero aunque su importancia ha aumentado en varias ciudades –como el caso de Madrid– la posibilidad de convertirla en la policía del futuro ha llegado a ser redundante en vista de los alentadores progresos realizados por la policía urbana paramilitar en España.

La Policía Armada fue quizás el cuerpo más odiado de España durante la época de Franco. Sea que estuviesen acariciando sus metralletas en la entrada de los edificios públicos o recorriendo las calles en sus motocicletas blancas, los grises, como se los llamaba por el color del uniforme, eran el símbolo visible de la represión. En 1978, en un esfuerzo por modificar su imagen, el gobierno los rebautizó Policía Nacional, y los vistió de pardo y crema. A los ojos de un extranjero, el nuevo uniforme de estilo militar de batalla parece más temible que el anterior. Pero es posible que el cambio haya cumplido su función. Los españoles no tienen ahora frente a la Policía Nacional la misma actitud que antes mostraban frente a la Policía Armada. Una de las razones de ese cambio, es que la modificación del nombre y del uniforme estuvo acompañada por un cambio mucho más profundo del enfoque y la actitud bajo el comandante que asumió el cargo poco tiempo después. Entre 1979 y 1982 la Policía Nacional fue responsabilidad de una de las figuras decisivas de la transición, prácticamente desconocida fuera de España: el teniente general José Antonio Sáenz de Santa María, un corpulento soldado de grandes bigotes cuyo rudo profesionalismo se combinó con una sincera adhesión a la democracia. En 1981 cuando Tejero ocupó las Cortes, Sáenz de Santa María tomó partido inequívocamente por el gobierno, y ordenó a su Policía Nacional que rodease el edificio. La gente no olvidó el hecho. En la actualidad, para el español medio la Policía Nacional es la fuerza que, a la hora de la verdad, se inclinó por la democracia.

La imagen de este cuerpo mejoró todavía más, unos meses después, cuando la unidad de combate cuerpo a cuerpo de la Policía Nacional, el Grupo Especial de Operaciones (GEO), formado para afrontar los secuestros terroristas y hechos semejantes, asaltó el Banco Central de Barcelona, y liberó a más de un centenar de rehenes inermes en una de las operaciones más espectaculares y exitosas de su tipo. Después, otros hombres de la misma unidad liberaron al padre del cantante Julio Iglesias, quien había sido secuestrado por criminales.

Hay alrededor de 50.000 miembros uniformados de la nueva fuerza conjunta y 10.000 agentes de civil. Los aspirantes al cuerpo de civil que necesitan poseer las calificaciones requeridas para el ingreso a la universidad, se someten a un riguroso curso de tres años en una escuela especial en Avila. En el seno de la fuerza se observa una clara división (de ningún modo peculiar de España) entre los policías de brigada, que pertenecen a los distintos grupos y ramas especializadas, la mayoría con base en Madrid, y los policías de comisaría que trabajan en las unidades locales, tradicionalmente enredadas en la lucha incesante y desigual contra el papelerío. Los primeros reciben más paga que los segundos; y siempre que las autoridades desean demostrar su desagrado con un miembro de una brigada, lo envían a una comisaría.

Como no están sujetos a la disciplina militar, los oficiales del Cuerpo Superior tienen derecho a afiliarse a un sindicato, y no mucho después de las primeras elecciones generales, el entonces ministro del Interior, Rodolfo Martín Villa –una de las figuras más conservadoras de la UCD, y antes presidente del sindicato oficial de estudiantes de Franco– sorprendió a los oficiales del Cuerpo sugiriendo la conveniencia de que formaran su propio sindicato. Aunque parezca irónico, la Asociación (después Sindicato) Profesional de Policía, fundada en 1978, fue organizada por oficiales que habían servido en la policía secreta de Franco, la Brigada de Investigación Social, y, sobre todo, por el entonces director general de policía, José Sáinz. ¿Un hecho irónico? Quizá la palabra "sospechoso" sería más apropiada. Siempre se sospechó que fue adoptada la iniciativa en la creencia de que un sindicato policial era inevitable, y con la esperanza de impedir que la izquierda conquistase influencia sobre una institución que ocupa un lugar fundamental en el Estado. Si ése fue el propósito, sus instigadores triunfaron, o podría decirse mejor, que apenas necesitaba preocuparse pues la opinión política en el seno del Cuerpo Superior siempre se ha orientado hacia la derecha del centro, como sucede en la mayoría de las fuerzas policiales.

Por otra parte, si el plan fue crear un sindicato que pudiera ser manejado por el gobierno, cabe señalar que se erró gravemente el blanco, porque el SPP nunca dejó de ser una espina clavada en el flanco de los gobiernos tanto de izquierda como de derecha. Las dificultades comenzaron en 1979, después de que asesinaron a dos policías en el País Vasco, y el OSPP emitió una declaración ahora famosa en la cual criticaba implícitamente a la democracia y declaraba que sus miembros estaban *"dolorosamente hartos"* (textuales palabras) por la pérdida de vidas en la policía. La declaración indujo a algunos de los oficiales más progresistas del SPP, pertenecientes casi todos a las comisarías, a organizar su propio grupo, la Unión Sindical de Policías, que en general simpatiza con el PSOE. Al año siguiente, el ministro de Interior, clausuró las oficinas del SPP en Madrid y Barcelona, y suspendió en sus funciones a cuatro de los líderes, después que uno de ellos, según se afirmó, llegó a sugerir que el gobierno debía celebrar un referendo en el País Vasco para comprobar si la población deseaba que la policía permaneciese allí.

Desde el ascenso de los socialistas al poder, se ha observado cierto acercamiento entre el SPP, que ahora tiene alrededor de 5.400 miembros, y la USP, mucho más pequeña, que cuenta con unos 900. Pero este proceso ha determinado la creación de un tercer sindicato, formado exclusivamente por oficiales superiores, y denominado Sindicato de Comisarios. En 1983 el SPP y la USP organizaron conjuntamente una jornada de trabajo a desgano y una manifestación de unos 3.000 policías frente a la central de policía en la Puerta del Sol.

Más que cualquier otro sector de la sociedad, los detectives no uniformados y, particularmente aquellos en unidades más políticas –tales como el escuadrón antiterrorista– son famosos por su afición a la intriga. Además de los problemas planteados por los sindicatos, tanto centristas como socialistas, tuvieron que afrontar un persistente clima de conspiración que flotaba alrededor del Cuartel General de Policía. Hay evidencia de que los oficiales de civil intervinieron los teléfonos de ministros y destruyeron archivos comprometedores. Desde la victoria del PSOE los niveles superiores del servicio han sido depurados.

En la forma que tenían muy recientemente, la Policía Armada y el Cuerpo General eran ambos creaciones franquistas. Se los organizó en 1941 con la ayuda de asesores de la Alemania nazi para reemplazar a dos fuerzas creadas durante la década de 1870: el Cuerpo de Seguridad y el Cuerpo de Vigilancia, los cuales, según las palabras de la ley que los disolvió, se habían "impregnado de apoliticismo". En contraste, la Guardia Civil –que patrulla el campo, los caminos y las fronteras, y suministra a España sus funcionarios de aduanas– se remonta a 1844, cuando fue creada por el gobierno para combatir el bandolerismo.

Hay más de 60.000 guardias civiles distribuidos en todo el país, y reunidos en 3.500 puestos. Los agentes uniformados, con sus peculiares tricornios de charol patrullan las inmensas extensiones escasamente pobladas de la España rural en automóviles y jeeps, en motocicletas y, a veces, incluso montados en caballos y burros. Pero aunque su tarea es llegar a saber todo lo posible acerca de la población local, ellos y sus familias tienden a vivir un tanto separados del resto de la comunidad. Rara vez pertenecen a la región en la cual sirven, sus alojamientos a menudo se encuentran en las afueras del pueblo o la aldea de la cual son responsables, y es frecuente que ni ellos ni sus familias mantengan relaciones sociales con los habitantes locales. La fuerza también cuenta con algunos detectives de civil, la mayoría de los cuales actúa en el campo de la inteligencia antiterrorista.

Richard Ford, el escritor inglés que vivía en España por la época en que fue creada la Guardia Civil, observó el alto grado de eficiencia de la nueva fuerza. Pero agregó: "Se los ha empleado... más con fines políticos que con los que se relacionan meramente con la función policial, pues se los utiliza para reprimir la expresión de la opinión pública indignada y no para atrapar a los ladrones y combatir a esos criminales de primera categoría, extranjeros y nacionales, que están despojando ahora a la pobre España de su oro y sus libertades." No fue el último de los comentaristas que vio en esta fuerza un instrumento utilizado por los ricos para oprimir a los pobres.

Los partidarios de la Guardia Civil arguyen que este cuerpo se ha limitado a defender la autoridad, sin prestar atención a su naturaleza política, y destacan que cuando la guerra civil dividió a España en dos campos, sus miembros se mostraron leales a la facción que prevalecía en la región del país en la que estaban. Eso es cierto, aunque omite el hecho de que en varias regiones la Guardia

Civil representó un papel importante en la tarea de asegurar que el alzamiento tuviese éxito, en lugar de defender a las autoridades legítimas. Como en el caso del ejército, la Guardia Civil se convirtió en un cuerpo ideológicamente más homogéneo y más reaccionario bajo la influencia de Franco. Pero a los ojos del español medio siempre fue mucho más popular que la Policía Armada. La cortesía y la eficiencia de las patrullas de caminos y autopistas de la Guardia Civil, que no solo obligan a respetar los límites de velocidad sino que además ayudan a los automovilistas en dificultades, contribuyeron a realzar todavía más la reputación de la fuerza. Sin embargo, de todas las fuerzas policiales españolas la Guardia Civil es la que tropezó con mayores dificultades para conciliarse con la democracia. Aún en 1980 varias unidades de la Guardia Civil recibieron un télex en su cuartel general –al parecer el mensaje provenía del nivel más alto– estipulando que "en todas las dependencias oficiales debía figurar en lugar preferencial el retrato de Su Majestad el Rey, y en un lugar bien visible, el retrato del Generalísimo Franco". En este sentido el papel de Tejero en el golpe abortado fue lamentable, porque suministró un héroe y un mártir a los elementos más reaccionarios del servicio.

La razón por la cual la Guardia Civil se ha mostrado más resistente al cambio que la Policía Nacional, es que está más cerca del ejército, tanto por sentimiento como por organización. Pese a su nombre, la Guardia Civil es –y siempre fue– un organismo esencialmente militar. Sus miembros están sujetos a la disciplina militar. Y tienen derecho a recibir condecoraciones militares. Los oficiales que no ascienden desde las propias filas son graduados de la Academia General Militar. (Ambas clases de reclutas siguen después un curso en la escuela de entrenamiento de la propia Guardia Civil.) Más aún, durante el régimen de Franco la Guardia Civil estaba subordinada al ministerio de Defensa, mientras que la Policía Armada y el Cuerpo General se subordinaban al ministerio del Interior: una división de autoridad que imposibilitaba prácticamente la coordinación de la vigilancia del país. Durante los primeros años de la transición se habló mucho de la necesidad de "conferir carácter civil" a la Guardia Civil entre los políticos que quizá no apreciaban por completo el fiel orgullo con que la fuerza contemplaba su jerarquía militar. En definitiva, se elaboró una fórmula en virtud de la cual la Guardia Civil se subordinó al ministerio de Interior en tiempos de paz y al ministerio de Defensa, en tiempos de guerra. Pero al llegar a ese punto la ultraderecha ya había aprovechado todas las posibilidades que pudo hallar en los temores de la propia fuerza. Muchas de las aprensiones acerca de la democracia en la Guardia Civil se originaron en ese período.

En 1983 el gobierno socialista sometió a la Guardia Civil al mando del general Sáenz de Santa María, con la esperanza de que él pudiera promover el mismo tipo de transformación que había logrado en la Policía Nacional.

Si dejamos de lado a la Policía Municipal, las tres fuerzas restantes –denominadas Policía Gubernativa– alcanzaron una temible reputación de dureza bajo el régimen de Franco, y todavía no la han perdido. Sería grato poder informar que ya no la merecen. Grato, pero no veraz. Es indudable que se han realizado algunos progresos. Las brigadas antidisturbios no se arrojan sobre manifestantes con la misma desaprensión que demostraban bajo Franco, y ahora uno ve a la gente acercarse a un policía en la calle para preguntar la hora o el camino, algo que habría sido inconcebible hace apenas unos años. Pero casi no pasa una semana sin que un inocente español reciba un tiro porque no advirtió un cierre de caminos o se enredó en una discusión en un bar con un policía fuera de servicio, y es muy poco usual que los responsables de estos actos sean castigados. De acuerdo con Amnesty International, la tortura y el mal trato de los detenidos es un fenómeno "persistente". La mayoría de las quejas provienen de las personas detenidas bajo la legislación antiterrorista, introducida por primera vez como medida de "emergencia" en 1977, y que permite que la policía retenga a todos los sospechosos de una amplia gama de delitos hasta un máximo de diez días. Pero las reglas que rigen la detención bajo las leyes antiterroristas no deben ser consideradas aisladamente. Son nada más que un aspecto de un sistema que perjudica al acusado desde el momento del arresto hasta el momento de la sentencia.

Incluso en casos normales, la policía dispone de setenta y dos horas antes de presentar al tribunal a la persona arrestada. Precisamente en un esfuerzo por limitar los abusos cometidos durante este período los socialistas introdujeron una ley que establece un derecho limitado de *habeas corpus*. De acuerdo con esta norma, los sospechosos pueden apelar a los tribunales si creen que fueron arrestados de manera ilegal o ilícita, si el período de detención excede el tiempo autorizado por la ley o si fueron maltratados. Los socialistas también han aprobado leyes que conceden a los sospechosos el derecho automático a la asistencia legal, si bien los sospechosos detenidos de acuerdo con las leyes antiterroristas –y de quienes se temía que utilizaran abogados simpatizantes para enviar mensajes a sus colegas– deben aceptar a un abogado de oficio.

Con respecto al período que media entre la detención y el

juicio, parece existir una alarmante discrepancia entre lo que debería suceder y lo que en efecto sucede. En teoría, todos deberían contar con un abogado, contratado por el acusado o designado por el Estado. Pero, en una encuesta realizada sobre la base de 500 detenidos en la cárcel de Carabanchel de Madrid, en 1977, el 67 por ciento de los que respondieron ignoraban que podían disponer de representación legal, alrededor del 90 por ciento dijo que nunca había visto al magistrado instructor, y que su declaración, en el momento de ser acusados, había sido recibida por un funcionario del tribunal. Aunque 341 de ellos habían escrito a los tribunales, sólo 34 habían recibido respuesta. De acuerdo con la ley española, el juicio mismo está dividido en dos fases: una etapa escrita y otra oral. La Constitución afirma inequívocamente que "el procedimiento será predominantemente oral". Pero pese a esta fórmula, la mayoría de los casos todavía se resuelve principalmente por escrito. Una ley aprobada en 1980, que autorizaba a los tribunales a prescindir de la fase inicial escrita en los casos en que el acusado había sido sorprendido *in fraganti*, fracasó por completo en parte porque hay muy pocos casos en que la culpabilidad es tan obvia. Ahora, los socialistas se proponen introducir una nueva clasificación relacionada con la gravedad del delito: los tribunales podrán prescindir de la parte escrita en los casos secundarios, pero no en los importantes.

Aunque continúa sufriendo inmensos defectos, el sistema legal ha progresado gracias a dos reformas de gran importancia durante los años que siguieron a la muerte de Franco. La primera liberó al sistema judicial de la influencia del gobierno, gracias a la creación del Consejo General del Poder Judicial. Este organismo, creado por los autores de la Constitución e inaugurado por la UCD en 1980, es un panel de veintiuna figuras veteranas de la profesión legal elegidas por el Parlamento. Su tarea principal es designar a los jueces y mantener ciertas normas éticas en la profesión legal. Existen organismos semejantes tanto en Francia como en Italia, pero ninguno tiene el mismo poder que su análogo español.

La otra reforma legal importante ha sido —o será— la reestructuración de la ley penal, abordada por los socialistas. Es improbable que por lo menos durante varios años se elabore un código penal totalmente nuevo. Hasta ahora, se ha preparado un bosquejo que considera la incorporación de varios conceptos progresistas, tales como el excarcelamiento de fin de semana. Pero los socialistas ya han ejecutado una reforma parcial muy importante, que afecta aproximadamente a una sexta parte de todos los artículos del código penal. Gran parte de dicha reforma tiene que ver con

150

la adaptación del código penal a la Constitución y la actualización de las bases jurisprudenciales del sistema. Pero en ese cuerpo de medidas también están incluidas la sentencia en suspenso, la aplicación de castigos severos a quienes no cumplen las reglamentaciones relativas a los alimentos y las bebidas, la transformación en delito de la contaminación del ambiente, y la formulación de una distinción clara entre las drogas "duras" y "suaves" por referencia a las penas aplicadas a los cultivadores, fabricantes y traficantes. Finalmente, y este es uno de los aspectos más polémicos, se reafirma una peculiaridad poco conocida de la ley española, que consiste en que la posesión de una pequeña cantidad de drogas suaves para uso personal no constituye delito. De hecho, hace poco la policía de Barcelona debió devolver a sus dueños cierta cantidad de hachís secuestrada en el curso de un allanamiento a un bar.

Los socialistas también han comenzado a abordar otro problema fundamental del sistema legal: la lamentable falta de fondos. Durante el gobierno de la UCD, el monto asignado al funcionamiento de los tribunales y las cárceles nunca representó más del 2 por ciento del presupuesto, es decir, menos de la mitad del promedio de la Comunidad Europea. La ausencia de fondos ha determinado que el sistema sea incapaz, antes como ahora, de resolver la carga cada vez más pesada que es la consecuencia de la elevación de los índices delictivos. Hay Juzgados de Guardia (los tribunales que deciden qué juzgados atenderán cada caso), que despachan unos 600 casos diarios; y la demora promedio en llevar un caso a juicio es de dieciocho meses para los delitos menores, y de dos a cuatro años para los casos graves.

De los detenidos que participaron en la encuesta mencionada más arriba, sólo el 10 por ciento había pasado menos de seis meses en Carabanchel. La mayoría −el 59 por ciento− había estado allí de seis meses a dos años, el 21 por ciento había permanecido en la cárcel de dos a cuatro años, y el 10 por ciento restante había estado esperando el juicio durante un período aún más prolongado.

Es difícil determinar la veracidad de esta historia, pero cuando un periodista visitó Carabanchel en 1981, se vio arrinconado por un sudamericano que le contó que estaba allí desde hacía quince años, y que jamás lo habían llevado a juicio a causa de la pérdida de su expediente.

Los retrasos originan corrupción, y más específicamente, lo que los españoles denominan la *corrupción de las astillas*: el soborno de los funcionarios de los tribunales por los abogados que tratan de acelerar el movimiento de los casos de sus clientes. Es un fenómeno tan usual, que a la Plaza de Castilla, donde se levanta el tribunal más importante de Madrid, se la suele llamar la Plaza de las Astillas.

Una de las paradojas de los últimos años ha sido que la cantidad de acusados mantenidos en custodia y no liberados bajo fianza fue más elevada en la nueva España libre que bajo la dictadura. La Ley de Enjuiciamiento Criminal, dictada durante el siglo XIX, y que continuó en vigor durante la dictadura de Franco, autorizaba a los jueces a conceder la libertad bajo fianza a todos los que no estuviesen acusados de un delito que mereciese una pena de seis años o más de cárcel. En la mayoría de los casos los magistrados concedían la libertad. Pero como reacción ante la inquietud provocada por el incremento del delito, y sobre todo a causa de la sospecha de que los delincuentes detenidos por la policía y liberados por los tribunales eran responsables de gran parte de dicho incremento, en 1980 se aprobó una ley en virtud de la cual podía concederse la libertad bajo fianza únicamente a los que no estuvieran acusados de delitos castigados con *seis meses* o más. En el momento en que la UCD abandonó el poder más de la mitad de los detenidos en las cárceles españolas continuaban esperando su proceso.

Los socialistas accedieron al poder decididos a convertir la libertad bajo fianza en la norma más que en la excepción, y a garantizar que teóricamente los detenidos inocentes en custodia no se viesen obligados a pasar períodos impropiamente prolongados en la prisión. Poco después de su victoria en las urnas, aprobaron una ley que restableció la situación contemplada por la Ley de Enjuiciamiento Criminal, y estipulaba que nadie debía permanecer en custodia más de tres años esperando su juicio por delitos graves o dieciocho meses en la cárcel esperando el juicio por acusaciones de menor importancia.

El problema fue que, a causa de los retrasos del sistema, un número elevadísimo de detenidos en custodia –culpables unos e inocentes otros– reunían las condiciones que autorizaban la libertad el día que la ley entró en vigencia, de modo que prontamente se los liberó. Los resultados fueron catastróficos. A lo largo de 1983 el número de delitos informados a la policía se incrementó en un tercio. El aumento más considerable correspondió a los robos a mano armada, que crecieron en un asombroso 60 por ciento. Ante el clamor público que esta situación originó, el gobierno se apresuró a elevar los límites de detención a cuatro y dos años respectivamente. Los socialistas abrigan la esperanza de que una inversión más considerable en la administración de la justicia resolverá gradualmente el problema al asegurar un juicio más rápido de las personas sometidas a procesos.

Las demoras soportadas por los detenidos en custodia fueron uno de los agravios que provocaron la sucesión de alrededor de cincuenta disturbios que conmovieron el sistema penal español entre 1976 y 1978, y que provocaron la muerte de tres detenidos así como muchos heridos. Daniel Pont Martín, el hombre que fundó la organización responsable de los disturbios, la Coordinadora de Presos en Lucha (COPEL), tuvo que esperar cinco años antes de ser llevado a juicio. Cuando en definitiva compareció ante el tribunal, él y sus dos coacusados provocaron un escándalo al extraer cuchillos, cortarse las venas de los brazos y, chorreando sangre por las heridas, lanzarse sobre el juez mientras gritaban: *"¡Fascistas!"*. Pero sean cuales fueren los agravios ostensibles de los detenidos, la causa subyacente de la inquietud en las cárceles fue la sucesión de amnistías concedidas después de la muerte de Franco. Primero, una de carácter general para los prisioneros comunes, y después una serie de amnistías parciales que beneficiaron a los detenidos políticos. La aprobación de la Constitución, que prohíbe categóricamente la concesión de otros perdones generales, ha destruido para siempre las esperanzas de los prisioneros comunes.

La prohibición constitucional que impide la concesión de amnistías ha detenido los disturbios pero, entre tanto, ha originado otro problema. Franco, quien otorgó muchas amnistías, las utilizaba para limitar la población carcelaria siempre que ella parecía ampliarse demasiado. El cierre de esta válvula de seguridad ha provocado presiones enormes que gravitan sobre el sistema carcelario y, para aliviarlas, el gobierno se ha visto obligado a ampliar la organización. Gran parte de los recursos suplementarios puestos a disposición del ministerio de Justicia, por eso mismo, han tenido que desviarse hacia un ambicioso programa de construcción de cárceles.

Pero, ¿qué condiciones prevalecen en las cárceles españolas? No es fácil llegar a una conclusión general. Contrariamente a lo que uno podría prever, los propios españoles tienden a criticar el sistema con más severidad que los extranjeros. En 1978 una comisión del Senado presentó un informe que suscitaba la impresión de que los detenidos vivían poco mejor que animales. Pero apenas un año antes, la Cruz Roja Internacional había comprobado que las instalaciones eran "satisfactorias en la mayoría de los casos", y describía a Yeserías, la cárcel de mujeres de Madrid, como "un modelo para el resto del mundo". Sin duda, hay cárceles que dejan mucho que desear. Por ejemplo, hace poco se descubrió que el director de la Cárcel de Valencia castigaba a los prisioneros confinándolos en las celdas denominadas "ciegas" o "negras", sin luz ni ventilación. Sin embargo, hay varias cárceles abiertas, donde se permite la salida de los detenidos por períodos que oscilan entre un día y una semana, y a todos los encarcelados se les permite mantener relaciones sexuales con sus esposas o sus maridos, o incluso con sus amantes, una vez cada cuarenta y cinco días. Aunque de hecho no existen instalaciones de rehabilitación, el índice de reincidencias no es más elevado que en Gran Bretaña y, en todo caso, es considerablemente menor que en Estados Unidos.

Quizás una razón de la discrepancia entre los juicios de los españoles y los que formulan los extranjeros, es que los primeros, con su pasión por la libertad, consideran que la idea misma del encarcelamiento es tan aborrecible que atribuyen carácter de ultraje a casi cualquier sistema penal. Es notable que durante los últimos cien años, un período en que España no estuvo precisamente al frente de la reforma social, hubo dos eminentes reformadores de las cárceles: Concepción Arenal y Victoria Kent, directora de cárceles de la República. La mayoría de las medidas que estas dos mujeres promovieron están superadas ahora, pero su ejemplo y su inspiración perduran, y yo me sorprendería mucho si, una vez que hayan superado el problema de la superpoblación, los españoles no consiguen crear un sistema penal de primera clase.

11

LOS MEDIOS DE DIFUSION:
PERDURA EL ESPIRITU DE FRANCO

Por tratarse de un pueblo que tiene una historia reciente colmada de episodios, los españoles revelan un entusiasmo sorprendentemente escaso por la lectura de periódicos. *El País*, el diario español de mayor venta, tiene una circulación media que no supera los 350.000 ejemplares, y solo ocho órganos de toda la nación venden más de 100.000 ejemplares diarios*. Menos de un español de cada diez compra un periódico y esta cifra incluye a quienes leen periódicos exclusivamente deportivos como *As, Marca, Sport, Dicen* y *Mundo Deportivo*. De hecho, los únicos países de Europa que poseen un público lector más reducido son Grecia, Portugal y Albania.

El número de lectores de periódicos es, evidentemente, un indicio importante del nivel de desarrollo de un país. No es coincidencia que los países que acabamos de mencionar y que tienen un reducido caudal de lectores de periódicos sean también los que exhiben menor desarrollo económico. Pero la correlación no es exacta. Por ejemplo, los británicos no gozan del mismo nivel económico que los franceses o los alemanes y sin embargo, com-

---

* Estas cifras se refieren a la circulación promedio entre martes y sábado. No hay periódicos dominicales propiamente dichos –los matutinos publicados durante la semana también aparecen el domingo– y las ventas de este día son generalmente un 50 a un 100 por ciento superiores. Con el objeto de que la mayoría de los periodistas no deban trabajar los domingos, las asociaciones de prensa de algunas ciudades organizan un equipo periodístico básico que produce un matutino especial de los lunes denominado *Hoja del lunes*.

pran más periódicos que cualquiera de estos dos pueblos. Algunas de las razones por las cuales los españoles compran tan escaso número de periódicos son propias de España misma y, sobre todo, de la ausencia de una prensa popular.

Los periodistas españoles dirán quizá que *El Periódico* y *Diario 16* corresponden a esa categoría porque utilizan titulares más grandes e incluyen más fotografías que los restantes periódicos. Pero están lejos de ser periódicos populares en el sentido que ese término tiene en Gran Bretaña, Alemania y Estados Unidos. Ambos conceden una amplia cobertura a las noticias "serias" de carácter político y económico, y aunque publican relatos, por ejemplo, acerca de la vida privada de las celebridades, rara vez les conceden un lugar de preferencia. Comparados con los periódicos populares de Estados Unidos y Europa septentrional, los recursos que consagran a la cobertura de crímenes y a la información proveniente de los tribunales son mezquinos. De hecho, *Diario 16* y *El Periódico* son precisamente el tipo de periódicos "populares" que los críticos de clase media desearían ver en lugar de *tabloids* como el *New York Daily News*, el *Sun* y el *Bild Zeitung*. El único periódico español que alguna vez llegó a emular a estos órganos fue *Diario Libre*, fundado en 1978, el cual cierta vez llevó el memorable titular *"Maricas en el Ministerio de Cultura"*. No alcanzó a conquistar un caudal considerable de lectores, y desapareció después de pocos meses.

La desaparición de *Diario Libre* destacó el hecho de que en España la lectura de los diarios es, en forma abrumadora, una costumbre de la clase media. Precisamente porque *Diario Libre* no atrajo a la burguesía y, en cambio, *El Periódico* y *Diario 16* sí lo hicieron, el primero fracasó mientras los dos restantes tuvieron éxito. Pero el episodio también demostró que los periodistas españoles eran incapaces de presentar un producto que atrajera a la clase trabajadora. Y esto es así porque en España la profesión periodística está prácticamente monopolizada por intelectuales de la burguesía. Casi sin excepción, los periodistas españoles son graduados de las "Facultades de Ciencias de la Información", fundadas por Franco con el fin de garantizar que los futuros periodistas estuviesen totalmente adoctrinados antes que se le ofreciera la oportunidad de ejercer la profesión. Y como se ha destacado en un capítulo anterior, la abrumadora mayoría de los jóvenes que concurren a la universidad proviene de familias acomodadas.

Como en muchas otras esferas de la sociedad, los cambios sobrevenidos en la industria periodística española han sido graduales y parciales. Los años que siguieron a la muerte de Franco han asistido a la recreación de una prensa diaria en idioma vernáculo, con la aparición de *Avui*, escrito totalmente en catalán y publicado en Barcelona, y de dos periódicos escritos parcialmente en vasco: *Deia* y *Egin*, que representan las vertientes moderada y radical respectivamente del nacionalismo vasco. Con respecto a la prensa en castellano, aunque prácticamente no se publicaron periódicos nuevos en las provincias, Madrid y Barcelona han incorporado tres nuevos cotidianos de carácter general: *Diario 16* en Madrid, *El Periódico* en Barcelona, y *El País*, que ahora publica ediciones separadas en ambas ciudades.

De la totalidad de los nuevos periódicos, el más influyente es, sin duda, *El País*, fundado en 1976. Su director, Juan Luis Cebrián, quien tenía solo treinta y un años cuando fue designado, recibió recursos generosos y pudo seleccionar a los mejores y más capaces periodistas jóvenes de España. Desde el primer día el periódico fue lectura obligatoria para todas las personas interesadas seriamente en los asuntos nacionales. Ha publicado varias primicias importantes, por ejemplo, el informe de los auditores oficiales acerca de la RTVE, mencionado más adelante de este capítulo. Pero quizá un aporte aún más considerable correspondió a los editorialistas de *El País* que, con mucha frecuencia durante la transición, explicaron paciente y claramente cómo se hacía esto, aquello y lo otro en una democracia. Lo que determinó que esta contribución fuera tan valiosa fue que si bien Suárez y sus ministros asumieron la responsabilidad de reintroducir la urna electoral en España, tenían muchas dificultades para comprender conceptos como la responsabilidad colectiva, la responsabilidad ministerial, y la determinación de la línea divisoria entre un gobierno permanente formado por funcionarios y un gobierno transitorio constituido por políticos. Desde la caída de la UCD y el ascenso de los socialistas, *El País* ha tenido que afrontar un papel más difícil, no solo porque Felipe González y su equipo poseen un dominio mucho más firme de lo que la democracia implica, sino también porque lo que están aplicando es lo que *El País* había estado proponiendo y los periódicos que apoyan al gobierno del momento siempre se encuentran en desventaja comparados con los opositores. De todos modos, Cebrián y su equipo han ocupado una posición tan influyente dentro y fuera de España que el futuro de su periódico parece asegurado.

Hay dos diferencias principales entre los periódicos fundados a partir de la restauración de la democracia y los que funcionaban bajo la dictadura. La primera es política. Como podía preverse, estos últimos tienden a ocupar posiciones a la derecha de aquellos. Pero la segunda tiene carácter simplemente profesional. Mientras los nuevos periódicos han llegado a las calles con un enfoque claro, nítido y moderno, los rivales más antiguos no consideraron conveniente modificar un método de presentación que ya había comenzado a parecer anticuado mucho antes de la restauración de la democracia. Los grandes matutinos conservadores –*La Vanguardia*, de Barcelona; *Ya*, propiedad de la Iglesia Católica y publicado en Madrid; y *ABC*, que fue el portavoz de los monárquicos alfonsinos bajo el régimen de Franco y se publica en Madrid y Sevilla– se inclinan todos en favor de una primera página que incluye fotografías en lugares destacados. Los vespertinos –*El Noticiero Universal, El Correo Catalán* de Barcelona y *El Alcázar* de Madrid– por lo menos, tienen primeras páginas normales (aunque solo ofrecen resúmenes de los artículos principales y remiten los detalles completos a las páginas interiores). Pero están dominados por gruesas líneas de color que contribuyen más a confundir el ojo que a atraerlo, y generalmente exhiben una diversidad de tipos, un número excesivo de recuadros y un número muy elevado de frases-resumen, a menudo subrayadas, encima o debajo del titular.

En sus distintos estilos, la diagramación de los antiguos periódicos madrileños y barceloneses refleja en todos los casos un concepto de la presentación que ha sido superado por los recursos visuales infinitamente más amplios de la televisión. Pero también refleja la mentalidad de los periodistas que, a causa de la censura, se acostumbraron a disfrazar el verdadero sentido y la importancia relativa de las noticias.

No puede sorprender, por lo tanto, que los periódicos más antiguos hayan venido perdiendo terreno constantemente en beneficio de sus rivales más jóvenes. Después de un principio difícil, los órganos en idioma vernáculo se han asegurado ahora firmes puntos de apoyo en sus respectivas áreas de influencia, y cada uno de ellos vende de 40.000 a 50.000 ejemplares diarios. Los tres nuevos periódicos en castellano publicados en Madrid y Barcelona, son todos miembros del grupo selecto que cuenta con una circulación superior a 100.000 ejemplares. *El País*, que sobrepasó a *ABC* a fines de los años setenta y se convirtió en el periódico de mayor venta de la capital, aventajó a *La Vanguardia* a principios de los años ochenta, y llegó a ser el periódico de más venta en el país entero. Una excepción a esta regla general es *El Alcázar*, el órgano de ultraderecha cuya circulación se ha elevado de menos de 15.000 ejemplares en 1975 a casi 100.000. Este proceso puede responder en parte a la nostalgia por el franquismo que se ha apoderado de ciertos sectores de la burguesía después de la desaparición del dictador. Pero también debe algo al hecho de que *El Alcázar* incluye una serie de artículos escritos por oficiales de las Fuerzas Armadas o referidos a ellos. Mucha gente lo compra para comprobar si puede recoger indicios acerca de alguna intervención militar.

A fines de los años setenta la industria periodística española entró en un período de crisis aguda como resultado de una serie de factores, por lo demás, desvinculados unos de otros: la profundización de la crisis económica, que redujo los ingresos provenientes de la publicidad y de la circulación, la aparición de la política de consenso que debilitó el interés del público por los asuntos del momento, y el alza vertiginosa de los precios del papel, agravada en el caso de España por las restricciones aduaneras que obligaron a los periódicos a comprar papel nacional de calidad mediocre a un precio más elevado que el que de otro modo habrían tenido que pagar en el mercado internacional. La crisis se ahondó especialmente en el caso de los periódicos tradicionales, que ya estaban perdiendo publicidad y circulación en beneficio de sus nuevos rivales. En una actitud característica, se volvieron hacia el Estado en busca de una solución a sus problemas. En 1978 se creó una comisión conjunta de trabajo para determinar el mejor modo en que el gobierno podía ayudarles a salir del aprieto. Una situación semejante sería inconcebible en Estados Unidos, o incluso en la mayoría de los países de Europa Occidental, pero los propietarios justificaron su iniciativa con el argumento de que una de las razones por las cuales el periodismo de propiedad privada estaba en tales dificultades era la competencia injusta proveniente de los medios de difusión administrados por el Estado. No solo se veían obligados, como algunos de sus colegas europeos, a competir por la publicidad con una red oficial de radio y televisión, sino que además debían competir por la circulación y la publicidad con una cadena de periódicos cuyas pérdidas eran absorbidas automáticamente por el Estado.

En 1936 Franco había decretado la expropiación de todos los diarios que pertenecieran a los partidos, los sindicatos o los individuos favorables a la República. Cuatro años más tarde, los órganos en cuestión fueron traspasados al Movimiento. Las instalaciones de *El Sol*, el gran periódico madrileño, fueron utilizadas para producir el periódico falangista *Arriba*; el periódico de los anarquistas, *Solidaridad Obrera*, se convirtió en *Solidaridad Nacional*; y en las provincias varios periódicos locales de orientación progresista y radical se convirtieron en portavoces del fascismo. El interés oficial por los medios de difusión se acentuó todavía más en un período ulterior con la creación de *Pueblo*, el vespertino madrileño que sería el órgano de los sindicatos. Hasta los años setenta, la mayoría de estos periódicos solventó sus propios gastos. *Pueblo* era el diario de más venta en el país. Pero durante los últimos años de la vida de Franco la circulación de esos órganos descendió, y desde el punto de vista del nuevo gobierno democrático los diarios heredados del Movimiento y los sindicatos representaban tanto un pasivo económico como una incomodidad política. Hacia 1977 los treinta y seis periódicos de la cadena le costaban al gobierno 640 millones de pesetas anuales. Por si solo *Arriba* representaba la mitad de esa suma. Pero no obstante su debilitamiento, los órganos de propiedad oficial todavía absorbían una parte de la circulación de la prensa de propiedad privada suficiente para deformar el funcionamiento del mercado.

La apelación de los grandes del periodismo al gobierno determinó una respuesta bastante generosa. Como modo de compensarlos ante la obligación de comprar papel español, el gobierno aceptó reembolsar la diferencia entre los costos del papel nacional y el extranjero. Pero también convino en aportar un subsidio de una peseta por ejemplar vendido, y un monto no especificado para financiar la producción de nueva tecnología. Desde el punto de vista de una prensa libre, el arreglo –iniciado en 1979– era y es peligroso. Sobre todo, el gobierno nunca definió los criterios que presidirían la asignación de dinero para la nueva tecnología y, por lo tanto, estaba en condiciones de distribuirlo selectivamente. El gobierno socialista ha prometido dar una base adecuada a todo el arreglo. Pero el proyecto que este gobierno propone también aportaría otro subsidio directo en la forma de tarifas postales y de telecomunicaciones especialmente reducidas, de manera que cabe preguntarse si es propio que cualquiera de las partes –los periodistas o los políticos– intenten convertir a la prensa en un caso especial en el contexto de una sociedad libre.

Lo que las conversaciones entre los ejecutivos de los diarios y los funcionarios oficiales no resolvieron fue el problema representado por la cadena de propiedad oficial. Ciertamente, la capacidad de esos órganos para provocar problemas se hizo evidente el mismo año en que comenzaron a aplicarse los nuevos subsidios. En efecto, *Informaciones*, el único vespertino madrileño de jerarquía, y un modelo de cultura y profesionalismo, tuvo que cerrar sus puertas. Es muy probable que de no ser por la competencia de un órgano muy subsidiado como *Pueblo, Informaciones* hubiera sobrevivido.

Ese año el gobierno cerró seis de los órganos más deficitarios de la cadena oficial, entre ellos *Arriba*, y al año siguiente se desembarazó de dos más. Pero aún restaban veintiocho, entre ellos

Pueblo, que hacia el fin del período de gobierno de la UCD le costaba al tesoro nada menos que 2.876 millones de pesetas anuales. Uno de estos órganos, *Suroeste*, tenía una circulación de solo 1.645 ejemplares, pese a que se lo publicaba en una ciudad tan importante como Sevilla. En 1981 las Cortes aprobaron un proyecto de la UCD que autorizaba al gobierno a rematar esos órganos con la condición de que se permitiera que las cooperativas formadas por los empleados pudieran ofrecer. Los socialistas se opusieron al proyecto con el argumento de que los periódicos en cuestión de hecho habían sido robados a sus legítimos propietarios, y privatizarlos equivalía a respaldar una injusticia. Pero cuando ellos mismos asumieron el poder, no tuvieron más alternativa que atenerse al espíritu ya que no a la letra de la política de la UCD. El nuevo gobierno clausuró inmediatamente otros seis periódicos y puso el resto –con excepción de *Pueblo*– en venta durante los primeros meses de 1984. Con bastante frecuencia estos periódicos pasaron a manos de empresarios e instituciones locales. Solo uno fue adquirido por una cooperativa de empleados. *Marca*, el órgano de los aficionados al fútbol, pasó a manos –extraña situación– de una firma que mantiene estrechos vínculos con el Opus Dei. Pero fue necesario clausurar solo unos pocos, y el personal gráfico y los periodistas que se vieron privados de su empleo como resultado de la venta recibieron todos cargos en la administración pública. Con respecto a *Pueblo*, también fue clausurado poco tiempo más tarde, pese a las protestas del sindicato socialista, que deseaba convertirlo en un moderno periódico sindical.

La venta o la clausura de los periódicos del Movimiento y de los Sindicatos no significa que el Estado se ha retirado por completo del mundo del periodismo escrito, pues todavía es dueño de la principal de las dos agencias de noticias españolas: EFE. Los sucesivos gobiernos estuvieron excesivamente preocupados con el problema del destino de los diarios de propiedad oficial para inquietarse mucho acerca de EFE. Pero es evidente que tarde o temprano alguien tendrá que enfrentar el anacronismo de una prensa ostensiblemente libre que recibe gran parte de su información rutinaria y su ilustración de un organismo que es totalmente propiedad del gobierno y que recibe del mismo elevados subsidios.

Nadie que visite España por primera vez dejará de sentirse impresionado por los puestos de publicaciones de las grandes ciudades, sobre todo, los de la Gran Vía de Madrid y las Ramblas de Barcelona. Cerrados por la noche para adoptar la forma de misteriosas cajas de acero sobre el pavimento, se abren por la mañana como si fueran flores tropicales de abigarrados colores. Sobre las paredes interiores, todo el espacio disponible, lo mismo que las propias puertas abiertas, están ocupados por las tapas de vivos colores de todos los tipos concebibles de revistas. Generalmente hay tantas en venta que el propietario del puesto necesita armar caballetes al frente y los costados para acomodar el material. Hay revistas de noticias y revistas generales y especiales, entre ellas varias publicadas en Estados Unidos y en otros países de Europa. Hay revistas humorísticas, culturales, para adultos (para homosexuales y lesbianas, así como para heterosexuales), revistas literarias y científicas, comics o historietas para niños y adultos.

Los puestos de periódicos son una muestra no solo del genio de los españoles para la exposición, sino de la resistencia del negocio español de las revistas, pues si hay una actividad que ha soportado presiones muy intensas durante la transición es precisamente ésta. Como en la mayoría de los países, sobrevive llenando los huecos dejados por la industria periodística. Por ejemplo, ninguno de los diarios españoles incluye un equivalente de las columnas sociales o de rumores que uno encuentra en los diarios británicos y norteamericanos. Por eso mismo, España abunda en lucrativas revistas consagradas a la vida y los amores de los personajes famosos. La precursora fue *¡HOLA!*, fundada en 1944. Después se le unieron otras como *Pronto, Diez Minutos, Lecturas, Semana* y *Garbo*. Estas revistas –denominadas genéricamente *Prensa del Corazón* – ocupan seis de los diez lugares principales en la mesa de venta de revistas, y venden más de 2.750.000 ejemplares semanales.

Como percibieron que había otro vacío en la cobertura periodística, las revistas hicieron todo lo posible para satisfacer el reclamo de información sin disimulo de los asuntos del momento durante los últimos años de la dictadura y los primeros de la monarquía, cuando los diarios no querían o no podían seguir ese camino. La primera revista opositora de temas de actualidad apareció con un título extraño: *Cuadernos para el Diálogo*, y fue fundada por un grupo de demócratas cristianos en 1963. Pero *Cuadernos* era sobre todo una publicación intelectual que tendía a reflejar los resultados de investigaciones sociológicas. La primera revista noticiosa auténtica fue *Cambio 16*, que llegó a los puestos de venta en 1972. Análoga a *Times* o *Newsweek*, rápidamente alcanzó un elevado nivel de profesionalismo, y se unió a ella en el mercado una serie de semanarios análogos. Hacia 1977 había quince, con una venta total de dos millones de ejemplares semanales. Pero cuando *El País* y los demás diarios de reciente publicación comenzaron a afirmarse, estas revistas decayeron. *Cuadernos* fue una de las primeras en desaparecer. Siguieron otras en rápida sucesión. En la actualidad, *Cambio 16* es la única sobreviviente de esos días dorados, si bien ahora se le ha unido *Tiempo*, un rival levemente sensacionalista.

Cambio 16 fue el producto típico de la atmósfera bastante grave y apasionada que prevaleció durante los años que desembocaron en la muerte de Franco. Pero la revista que mejor refleja el espíritu más liberado de los años que siguieron es *Interviú*. Fundada en Barcelona poco después del final de la dictadura, *Interviú* se propuso suministrar a sus lectores las dos cosas que les habían sido negadas durante el régimen de Franco: la cobertura libre de la política e imágenes de mujeres desnudas. Lo ha hecho de un modo que resultó particularmente atractivo para el mercado español. En lugar de acuñar sus informes en lenguaje codificado y metáforas, según había sido costumbre hasta entonces, *Interviú* acudió directamente a los propios políticos, les formuló preguntas directas y sugestivas, e imprimió las respuestas palabra por palabra. En lugar de basarse en los modelos profesionales, generalmente extranjeros, que comenzaban a aparecer en otras revistas, *Interviú* se aproximó a las actrices y los cantantes españoles con la sugestiva idea de que si se quitaban la ropa demostrarían de un modo indudable sus credenciales democráticas. El mensaje proyectado a los lectores era –y es– que la liberación sexual y política son una y la misma cosa. Para quien no haya vivido en España a fines de los años setenta se trata de una mezcla muy peculiar, y para quien no es español parece aún más peculiar en vista de la inclusión regular de fotos a todo color de operaciones quirúrgicas, asesinatos y accidentes, que a menudo son material considerado demasiado explícito por la prensa cotidiana. De todos modos, es una fórmula muy exitosa. En su momento culminante, el año 1978, *Interviú* vendía alrededor de 750.000 ejemplares semanales; después, su circulación disminuyó, como le sucedió a la mayoría de las revistas en España, pero continúa ocupando un lugar entre las diez primeras.

Interviú cumple la función de un puente muy específico entre el periodismo de actualidad y lo que H. L. Mencken denominó cierta vez la lectura "unilateral". En contraste con el mercado de las revistas de noticias, el mercado de las revistas eróticas ha soportado bien los cambios de la moda que sobrevinieron en España durante la era iniciada después de la desaparición de Franco. Quizá se trata de una prueba más del modo en que las revistas prosperan en sectores descuidados por la prensa diaria. Contrariamente a las predicciones iniciales, los productos extranjeros muy pulidos como *Playboy, Penthouse* y *Lui* no han desplazado a la producción nacional. La revista española para "adultos" de más venta no es ninguna de las mencionadas, sino un producto esencialmente ibérico llamado *Lib* que, de hecho, es una especie de informativo de barrio de los clubes barceloneses. Las fotos a toda página corresponden a conocidas *strippers* y a otras "artistas", y hay artículos acerca de la vida nocturna de las principales ciudades de España y otros países. En *Lib* el sexo no aparece como una actividad íntima sino como una forma social, comunitaria y dionisíaca. De hecho, casi podría decirse que *Lib* es la versión erótica de *¡Hola!*.

Sin embargo, la revista de más venta en España no es *Lib* ni *¡Hola!* Tampoco *Interviú* o *Cambio 16*. Es *Tele-Indiscreta*, la revista semanal de la televisión. Quizá sorprenda la afirmación de que los españoles son una nación de adictos a la televisión. Las cifras de telespectadores correspondientes a Europa entera revelan una situación que es precisamente la opuesta de la que uno anticiparía. En general, las personas que menos ven televisión son las que tienen reputación de retraídas, y habitan los países septentrionales más fríos; en cambio, las personas que más ven televisión son las que viven en las naciones sureñas más cálidas, y gozan de la reputación de poseer un espíritu gregario. Hay una excepción a esta regla general: Gran Bretaña, un país septentrional con una población de carácter proverbialmente reservado, exhibe las más elevadas cifras de telespectadores; pero esto puede ser el resultado de la calidad excepcionalmente alta de la producción televisiva británica. Si dejamos de lado a los británicos, el pueblo que permanece más tiempo frente a sus televisores es el español, seguido por el portugués y el italiano. En casi todos los hogares de España hay un televisor, incluso si la casa en cuestión carece de otras comodidades más útiles. Por ejemplo, Andalucía es la región más cálida de Europa y, sin embargo, allí hay más televisores que refrigeradores. La influencia de la televisión en la sociedad española se acentúa todavía más porque, como hemos visto, los españoles extraen una proporción relativamente reducida de su información y su opinión de las fuentes escritas. No es exageración afirmar que quien controla la televisión en España ejerce el control del estado de ánimo y las perspectivas de la nación, y esto explica por qué los sucesivos gobiernos se han interesado tanto en la identidad de quienes controlan este medio y en los propósitos para los cuales lo utilizan.

La Televisión Española (TVE) fue organizada como un monopolio estatal en 1956. Como en el caso de todas las actividades creativas durante el régimen de Franco, los programas transmitidos eran sometidos a censura. Pero la TVE estaba sometida a un doble filtro especial. En primer lugar, los planes de programación eran examinados atentamente por "comisiones asesoras" formadas por jueces, sacerdotes, oficiales de las Fuerzas Armadas, entre otros. Después, el producto acabado, producido en España o comprado en el exterior, sufría lo que eufemísticamente se denominaba "evaluación del contenido". En parte como resultado de este proceso, la censura en la televisión era mucho más severa que en otras áreas: aspectos permitidos en los filmes y en la escena teatral no aparecían en la pantalla del televisor.

En 1980 *El País* consiguió los informes de uno de los censores de Franco, un monje dominico llamado Antonio Sánchez Vázquez, quien era responsable del material importado. Estos fueron los cortes que el sacerdote ordenó en el caso de *Días sin huella*, de Billy Wilder:

> *"1) Beso en el momento de despedirse. 2) Cuando roba el bolso de una señorita, eliminar los planos en que ésta y su acompañante se comportan con excesiva afectuosidad (dos o tres veces). Al menos, aligerarlo en esos planos. 3) Beso y diálogo abrazados. Aligerar el beso. 4) Después de las "buenas noches" del enfermero, ya de noche en la sala, uno de los enfermos sufre de* **delirium tremens.** *Dejar que se inicie y cortar rápidamente, y unir cuando una vez entrados los médicos, se escapa con el abrigo del médico."*

Pero fray Antonio no se preocupaba únicamente por el sexo y la violencia. Después de ver una película cómica francesa escribió que "aunque la intención puede ser humorística, se ridiculiza a la Gestapo y a su jefe en París, por la conducta que exhiben y las referencias al *Führer*". Ciertamente, parece que tenía unas antenas políticas muy sensibles tratándose de un sacerdote. Preocupado por la posición de España como potencia colonial, eliminó de un filme llamado *Jaguar* una frase acerca del modo en que los ingleses explotaban a los africanos. Poco después, las relaciones con Gran Bretaña ingresaron en una de las crisis periódicas con motivo de Gibraltar, y los antecedentes demuestran que fray Antonio envió otro informe sugiriendo la reinserción de la frase. Pero quizá puede afirmarse que su observación más memorable, acompañada por una recomendación en el sentido de que no se exhibiese el film denominado *La moral de la señora Pulska*, fue la siguiente: "Tema fuerte; crítica de la hipocresía. Advierto levantará polvareda."

Los censores no desaparecieron cuando concluyó la dictadura. En 1980, fray Antonio era todavía uno de los cuatro miembros del elenco de la TVE. Aunque por ese año su tarea no era tanto cortar material como encontrar el modo de suavizarlo, por ejemplo, reemplazar "mierda" por "estiércol" en los subtítulos. Lo que es más importante, el advenimiento de la democracia no ha liberado a la TVE del control oficial. En este sentido, fue muy lamentable que el Primer Ministro inicial de una España democrática haya sido un hombre que durante el régimen de Franco ocupó altos cargos en la RTVE, la corporación oficial que controla la radio y la televisión oficiales. Suárez había sido supervisor de la primera cadena de televisión, y más tarde ocupó el cargo de Director General. Por lo tanto, había asimilado profundamente el concepto franquista de la televisión como un instrumento del gobierno. Solo gracias a la insistencia de los comunistas y los socialistas los Pactos de la Moncloa de 1977 incluyeron el compromiso de crear un organismo gobernante, responsable de garantizar la objetividad de la RTVE, examinar sus finanzas y –lo que es más importante– elaborar un reglamento. Incluso entonces, la composición de este Consejo Rector, como se lo denominó, mostró considerable inclinación a favorecer al partido gobernante. El reglamento que elaboró para la RTVE, y que comenzó a aplicarse en 1979, creó un nuevo cuerpo dirigente denominado Consejo de Administración, formado por seis miembros elegidos por la cámara baja de las Cortes. Por consiguiente, su composición tiende a reflejar la del Congreso, y este siempre incluirá a un número más elevado de diputados que apoyan al gobierno que el de los que se le oponen. Hasta ahora, el Consejo de Administración ha demostrado que es bastante inofensivo. Aunque el reglamento dice que el Director General no puede ser sustituido salvo en caso de manifiesta incompetencia, la UCD consiguió desplazar a tres de ellos durante los tres últimos años de ejercicio.

La llegada de los socialistas aportó un nuevo director general, un abogado comercial llamado José María Calviño, quien antes había sido representante del PSOE en el Consejo de Administración. Pero esto no determinó ningún cambio evidente de actitud. Pocas semanas después de la designación de Calviño una emisión de un programa de actualidad, *La Clave*, que debía presentar a un político socialista rebelde fue abruptamente cancelada. En 1985 Calviño enfureció a Fraga autorizando un reportaje descarado y unilateral acerca de la actuación de éste como ministro del Interior, y después admitió en una entrevista de radio que él personalmente haría todo lo posible para evitar que el líder de la oposición volviese al poder. La ira de Fraga fue rápidamente compartida por otros críticos del gobierno: en la campaña para el referendo de la

OTAN, los votos fueron abiertamente manipulados para dirigir al electorado hacia el nuevo punto de vista de los socialistas.

La preocupación casi obsesiva de las autoridades por el enfoque político de la RTVE contrasta de manera dramática con su aparente indiferencia frente a la evidencia de corrupción y despilfarro en el seno de la organización, fallas que se han manifestado con intervalos frecuentes durante los últimos años.

Las acusaciones más tempranas fueron conocidas poco después del final de la dictadura. En 1977 un grupo de colaboradores organizó un "comité contra la corrupción". Y al año siguiente *Cambio 16* publicó un extenso informe denunciando algunos de los peores abusos: sueldos exagerados, personas que cobraban dos sueldos por desempeñar (o fingir que desempeñaban) tareas en la radio y la televisión, miembros del personal superior pagados a la tarifa que se aplicaba a los colaboradores independientes por tareas que ejecutaban durante las horas de trabajo para la RTVE, entre otros. "Hay personas que ganan literalmente el doble de lo que obtiene el rey", observaron los autores del informe, que entre otras cosas reveló el caso de un caballero que, mientras vivía y trabajaba en Brasil, donde era representante de una compañía española, obtenía 65.000 pesetas semanales por "coordinar" un programa que, según observaba la revista, probablemente no había visto jamás.

Sobre todo a causa de estos gastos extravagantes y este desorden la RTVE ha llegado a ser incapaz de pagar sus propios gastos con los ingresos que obtiene de la publicidad. En 1976 tuvo que solicitar un subsidio al gobierno, y durante todo el año siguiente soportó un estado de aguda crisis financiera. Era evidente que, a menos que se hiciese algo para restaurar las finanzas de la corporación, la RTVE pronto adoptaría la costumbre de reclamar aportes cada vez más considerables del Estado. En 1978 Suárez envió auditores oficiales a quienes se encomendó la tarea de descubrir en qué se gastaba el dinero. Desgraciadamente para el gobierno, el informe de estos auditores llegó a manos de *El País*, que encontró material suficiente para redactar siete artículos.

Escrito con un sentido del humor bastante mordaz, el informe reveló un grado de ineficiencia y deshonestidad que resulta casi inverosímil. En primer lugar, no se llevaban debidamente las cuentas. Los autores del informe observaron que: "En RTVE hay abundante y hasta excesiva información contable, pero no puede hablarse de la existencia de un sistema auténtico de información contable. Es imposible elaborar un balance, o estados de pérdidas y ganancias..." Por ejemplo, comprobaron que los ingresos de taquilla de la orquesta sinfónica de la RTVE se depositaban en una cuenta bancaria abierta por el administrador, quien también la utilizaba para solventar los gastos cotidianos de la orquesta.

Después de una investigación de nueve meses, los contadores oficiales confesaron que no podían determinar inequívocamente cuántas personas trabajaban para RTVE o cuáles eran las propiedades y los equipos de la entidad. Había departamentos con excesivo número de personas, y otros con muy pocas. En el caso de algunos empleados las descripciones del cargo no significaban nada, y en otros la descripción afirmaba una cosa pero ellos hacían otra. "En la RTVE hay auxiliares de programación presentando programas, redactores que realizan programas, realizadores que presentan, conserjes que filman reportajes y hasta locutores de radio que pasan a ejercer sus tareas ante las cámaras si se les asigna este plus que capacita para todo." Los empleados de la RTVE tenían derecho a una lista aparentemente interminable de pagos suplementarios a causa de las tareas que ejecutaban, los cargos que ocupaban, y así por el estilo. De acuerdo con el informe, trece miembros del personal ganaban más de 1.000.000 de pesetas anuales solamente en bonificaciones. Es decir, sin contar las horas extras. Cuando los auditores llegaron a Prado del Rey, –la central de la RTVE en las afueras de Madrid– el personal superior había conseguido asegurarse una semana de cinco días de siete horas cada uno, con lo cual se maximizaba la suma de dinero que era necesario pagar por el trabajo fuera del horario normal.

Se comprobó que faltaba un enorme número de libros y discos, y grandes cantidades de ropas y filmes. En realidad la práctica del robo estaba tan difundida que en la RTVE se utilizaba un eufemismo especial para designar los artículos sustraídos. Se los denominaba "depósitos personales". Al margen del robo, los auditores observaron que aparentemente existía sincera confusión en la mente de las personas acerca de la línea divisoria entre lo que pertenecía a la corporación y lo que correspondía a los individuos. Existen casos de directores, productores o realizadores de programas que consideran que sus programas son propiedad privada, llegando en casos extremos a negarse rotundamente a devolverlos." Esta situación quizá explica por qué en la televisión española se exhibe tan escaso material de archivo. La investigación oficial también descubrió que era usual que los actores retuviesen la ropa con las cuales se presentaban, y que esto había originado una forma de evasión impositiva, en virtud de la cual los artistas recibían una parte –a veces considerable– de su pago en prendas de vestir. "A la vista de algunos contratos", observaron los autores del informe, "pudiera pensarse que RTVE contrata al artista desnudo."

El planeamiento de los programas era tan caótico que los programadores disponían de muy escaso tiempo para esa tarea. Los productores y los directores a menudo coincidían en ciertas ideas sin haber visto siquiera un libreto, y llegaban a leer alguno pocos días antes de la emisión del programa en cuestión. El resultado era que, de hecho, se veían forzados a aceptar lo que se les daba.

Los artículos de *El País* provocaron una extensa e indignada refutación del entonces director general. Pero dos años más tarde una auditoría interna del programa "básico" de la RTVE, un programa transmitido vía satélite en conjunto con las naciones de habla española de Latinoamérica, denominado *300 Millones*, que también llegó a manos de *El País*, demostró que el despilfarro y la corrupción prevalecían como siempre.

El efecto de todo esto sobre la calidad de la producción posiblemente se expresa en la incapacidad de la RTVE para vender sus programas en el extranjero. La única idea originada en España que ha ejercido cierta influencia en el mercado europeo es el programa de preguntas y respuestas *Uno, Dos, Tres*. Es interesante el hecho de que el "entretenimiento liviano" no goza entre los españoles de la misma inmensa popularidad que tiene frente a otros públicos. Las cifras de telespectadores reflejan el mismo deseo de saber al que me referí en páginas anteriores de este libro. Los documentales son especialmente populares: los programas de Jacques Cousteau han ocupado un lugar de preferencia entre los Diez Mejores Programas durante varios años y lo mismo puede decirse de los principales programas de actualidad de la RTVE, *Informe Semanal* de la Primera Cadena y *La Clave* de la Segunda Cadena. Pero, para el extranjero lo más notable de la televisión española es que los programas a menudo no aparecen a la hora que han sido anunciados. A veces se los presenta media hora más tarde. En otras ocasiones, con media hora de anticipación. Y en ciertos casos no aparecen en absoluto, porque el equipo de producción no consiguió armarlo a tiempo. Cabe formular la esperanza de que la introducción de la televisión comercial, aceptada finalmente por los socialistas, consiga elevar el nivel.

En España la radio –en parte oficial y en parte privada– tiene nivel profesional y es entretenida. Los españoles exhiben un talento natural para la radiodifusión. Son buenos locutores (como dijo cierta vez el hispanista Ian Gibson: "¿Quién ha conocido jamás a un español que no sepa expresarse?") y comprenden instintivamente que la radio alcanza su mejor nivel cuando se muestra espontánea, flexible y solo apenas desestructurada.

Hasta la guerra civil las únicas estaciones españolas eran las privadas. Pero en 1937 Franco creó una red oficial, Radio Nacional de España (RNE). Durante su régimen también permitió que los grupos de presión del sistema, por ejemplo el Movimiento, los sindicatos y la Iglesia organizaran sus propias redes. En 1964 había alrededor de 450 estaciones, y todas competían por el espacio en la onda media (no hay estaciones de onda larga en España). Mediante una serie de medidas, el gobierno consiguió reducir el número a menos de 200 hacia mediados de los años setenta. Pero esta cifra era aún muy superior a la contemplada por la Conferencia de Ginebra de 1975, que admitió solo tres redes de onda media en cada país. España no pudo satisfacer los requerimientos de la Conferencia de Ginebra, pero en 1978 logró efectivamente reducir a cuatro el número de las redes de onda media: la RNE, cuyo primer canal se difunde por la onda media (los otros dos corresponden a FM), Radio Cadena Española (RCE), formada por estaciones que antes eran propiedad del Movimiento y los sindicatos; Cadena de Ondas Populares Españolas (COPE), propiedad de la Iglesia, y finalmente, SER, la principal de las redes comerciales. Las estaciones que no pertenecen a una de estas cuatro redes fueron clausuradas o transferidas a FM. A las cuatro redes de la onda media se ha sumado una radioestación catalana; todas transmiten también por FM. Con un promedio diario de más de seis millones de oyentes, SER es la cadena más popular de onda media.

Desde 1978 el centro del interés se ha desplazado de la onda media a FM. En 1982 el gobierno distribuyó las concesiones, y permitió la salida al aire de una serie de estaciones y redes nuevas. El resultado fue que se elevó de manera considerable la jerarquía, la calidad y la popularidad de la difusión por FM. Cierto número de importantes personalidades de la radio se han alejado de la onda media y, a su vez han persuadido a medio millón más de oyentes, de que se trasladaran a FM. En la actualidad, el número de españoles que escuchan FM es mayor que el de onda media.

Las posibilidades de difusión de noticias por la radio en el acto mismo o, por lo menos, muy poco tiempo después del episodio prácticamente no fueron aprovechadas en vida de Franco, por la evidente razón de que cuanto más rápido fuera el procesamiento de las noticias más difícil era censurarlas. De todas formas, se permitía a las estaciones comerciales difundir únicamente los boletines noticiosos preparados por la RNE. Después que terminó el monopolio de la RNE, en 1977, la cobertura se ha agilizado y ha mejorado, como lo demostró el desempeño de la radio durante el abortado intento de golpe. Los corresponsales de la radio en la galería de prensa de las Cortes continuaron transmitiendo sus comentarios hasta el momento en que Tejero ordenó a sus hombres que iniciaran el tiroteo; y en la noche que siguió sus colegas que permanecían en los estudios lograron transmitir el sentido de urgencia e inquietud sin dar la impresión de que se dejaban dominar por el pánico. Muchos españoles sintieron que los hombres de la radio "mantenían sus posiciones" durante esa noche angustiosa, y hay ahora un afecto y una admiración por la radio que sería difícil hallar en otros países.

12

LA VENGANZA DE LA DIOSA BLANCA

Las heridas provocadas por la guerra civil se cerraron con diferente rapidez, según el lugar donde se las había infligido. La economía recuperó en 1954 su nivel de preguerra. La política retomó su curso normal en 1977. Pero las artes todavía no se recuperaron de las consecuencias de la guerra civil, y hasta hace poco existía el sentimiento generalizado de que jamás lo lograrían.

En 1936 España era lo que podía denominarse una superpotencia creadora. Había dado al mundo tres de sus pintores contemporáneos más grandes: Picasso, Dalí y Miró. Podía afirmar que contaba con uno de los mejores compositores –Manuel de Falla– y con varios de los jóvenes más prometedores, como el catalán Roberto Gerhardt, y el valenciano Joaquín Rodrigo. Su naciente industria cinematográfica ya había conseguido producir un director del calibre de Buñuel. En literatura, las figuras principales de la celebrada "Generación del 98" –los filósofos Unamuno y Ortega y Gasset, el novelista Pío Baroja, el dramaturgo Jacinto Benavente y los poetas Valle-Inclán, Machado y Jiménez– aún vivían, y podían aconsejar o influir sobre los escritores más jóvenes. Pero lo que es más importante, una nueva generación, denominada "Generación del 25" o "Generación del 27" comenzaba a ingresar en la edad madura. Fuera de España, el más conocido de los escritores pertenecientes a este grupo es Federico García Lorca. Pero había muchos otros de igual o incluso más elevada jerarquía: poetas como Rafael Alberti, Vicente Aleixandre, Luis Cernuda, Gerardo

Diego, Jorge Guillén y Pedro Salinas y novelistas como Max Aub, Francisco Ayala y Rosa Chacel.

La gran mayoría de los artistas e intelectuales españoles tomó partido por la República contra los nacionalistas. Algunos, como Lorca, fueron muertos. De los que sobrevivieron, la mayoría marchó al exilio. Una vez concluido el período más duro de la represión, afrontaron una ingrata alternativa. El regreso a la patria ofrecía la oportunidad de restablecer el contacto con las tradiciones culturales de la tierra natal, pero también equivalía aportar al régimen una victoria propagandística y resignarse a una vida de sometimiento a la censura. Permanecer en el extranjero significaba perder contacto con las raíces pero, en todo caso, garantizaba la integridad creadora. Miró regresó, pero la mayoría prefirió el exilio. Considerada como un conjunto de decisiones personales de carácter individual, esta actitud era comprensible. Interpretada como un episodio de la historia cultural de la nación, fue catastrófica. La mayor parte de lo que los exiliados escribieron, pintaron, esculpieron y filmaron pasó totalmente inadvertida en España hasta los años 60, cuando Fraga, a cargo del ministerio de Información y Turismo, suavizó las restricciones impuestas a las obras importadas. Pero para esa época gran parte de dichos trabajos tenía diez, quince, incluso veinte años de antigüedad, y podía servir poco o nada como estímulo o inspiración.

La oposición de los intelectuales a Franco determinó que durante la dictadura él y sus partidarios adoptaran una actitud de profunda suspicacia frente a todo lo que fuera intelectual. La cultura *per se* llegó a ser peligrosa. "En nuestra casa, ni siquiera escuchábamos la radio", recordaría más tarde el cantante catalán de rock Pau Riba. "Los libros no eran más que objetos encuadernados que uno no tocaba." Lo que hace esta reminiscencia aún más notable es que Pau Riba no proviene de una familia de comerciantes o de obreros fabriles, sino de un linaje de eminentes figuras literarias: su abuelo, por ejemplo, fue el poeta y filólogo Carles Riba.

Los artistas y los intelectuales nacidos durante los años veinte, treinta y cuarenta tuvieron que abrirse paso como mejor pudieron sin guías ni mapas. Cuando se examina retrospectivamente la situación, lo que sorprende en la España franquista no es que hubiese tan escasa buena música, un arte y una literatura tan disminuidos, sino que hubiese tanta abundancia. Es probable que la obra creadora más conocida de la época de Franco sea el popular clásico de Rodrigo, *Concierto de Aranjuez*. Pero el mismo período también presenció la aparición de una serie de pintores destacados como Tapies, Saura, Gordillo y Millares y, por lo menos, un escultor de renombre internacional, en la figura de Eduardo Chillida. Los dramaturgos, quienes unas veces engañaban y otras desafiaban a los censores –por ejemplo, Antonio Buero Vallejo–, y los cineastas como Luis García Berlanga, Juan Bardem y Carlos Saura, consiguieron crear obras profundas e íntegras. La palabra impresa se convirtió en medio de protesta, un modo de registrar la vacuidad y la hipocresía de la España franquista. Los precursores fueron el poeta Dámaso Alonso y los novelistas Camilo José Cela y Miguel Delibes, que comenzaron a gravitar a fines de los años cuarenta. Después, apareció una generación completa de escritores consagrados al "realismo social", del cual el representante más talentoso es quizá Juan Goytisolo.

Pero por mucho que forcemos la imaginación, no podríamos afirmar que la España franquista fue una fuerza importante en la cultura mundial. En efecto, probablemente era imposible que llegase a serlo cuando solo una proporción muy reducida de los recursos oficiales estaba consagrada a las actividades culturales. La falta de aliento y oportunidad indujo a muchos jóvenes españoles dotados de espíritu creador a buscar fortuna en otros lugares. El director de orquesta Jesús López Cobos, quien se convirtió en director general de la Opera de Berlín; Josep María Flotats, astro de la *Comédie Française*; Victor Ullate, principal bailarín del Ballet del Siglo XX de Maurice Bejart, y su esposa Carmen Rocha, primera bailarina del Gulbenkian Ballet, son solo unos pocos ejemplos del "drenaje de cerebros" sufrido por el país durante la era franquista.

El fin de la dictadura, el advenimiento de la democracia y la eliminación de la censura crearon general expectativa. En España y fuera del país se sintió que un torrente de capacidad creadora contenida estaba a un paso de la liberación, y que eso devolvería a España su lugar en la vanguardia artística e intelectual. De acuerdo con este concepto, España era como un atleta encadenado y sujeto. Lo que los defensores de esta idea no atinaron a percibir fue que las cadenas y las cerraduras habían contenido los movimientos durante casi cuarenta años, y que muchos de los músculos del atleta, entretanto, habían perdido completamente la fuerza. El Nuevo Renacimiento español no alcanzó a materializarse y los personajes de la cultura se encogieron de hombros y se apartaron desesperados. Algunos dijeron que España jamás se recuperaría de las consecuencias de la guerra civil y de los cuarenta años de abandono cultural que habían seguido. Otros pronosticaron que el esfuerzo insumiría cincuenta o cien años.

Pero en el curso de los últimos años, las cosas han comenzado a variar. El período que siguió inmediatamente a la muerte de

Franco fue de tremenda desorientación e introspección. El régimen que había suministrado a tantos españoles dotados de espíritu creador, un blanco sobre el que volcaban sus energías desapareció de la noche a la mañana. Mientras los partidarios del régimen se quejaban y decían que "Con Franco vivíamos mejor", el novelista Manuel Vázquez Montalbán expresaba la opinión de muchos de sus colegas intelectuales cuando observó que "Contra Franco vivíamos mejor". Al mismo tiempo, había nuevas libertades que aprovechar y otras influencias que asimilar. El sexo ya no era tabú, y la tentación de describirlo o narrarlo demostró ser irresistible para todos, excepto los individuos más ascéticos. Además, estaban los exiliados que retornaban a España en número considerable y cuyo trabajo, según lo entendían todos, debía ser publicado o exhibido, y luego juzgado antes de dar nuevos pasos. Con respecto al público, muchos españoles comprobaron que estaban demasiado inquietos por el destino de la democracia como para preocuparse excesivamente por el destino de las artes. Este período más o menos anormal concluyó a principios de los años ochenta. Hasta cierto punto, sucedía sencillamente que la gente se había fatigado del aprovechamiento de la nueva situación y había comenzado a decidir qué aspectos de la experiencia y la producción de los exiliados merecían ser reincorporados. Pero la evolución del proceso también tuvo algo que ver con el abortado golpe de Tejero el cual, al mismo tiempo que ratificó los peores temores de la gente, también la tranquilizó, exactamente como el aguacero que sobreviene al cabo de un día tormentoso. De pronto, se sintió en el aire esa excitación que presagia el advenimiento de grandes cosas.

Hasta ahora, los signos de recuperación aparecen distribuidos desigualmente. Pero es visible que la recuperación ha sido más lenta y más débil en las formas artísticas –por ejemplo la novela y el teatro– que fueron más utilizadas con fines políticos durante el régimen de Franco, y más sólida y más rápida en aquellas que, como el arte y el cine, sea por su naturaleza misma o por el rigor de la censura que se les aplicó, tuvieron escasa o nula utilidad para la oposición democrática.

En la obra *En Ciernes*, publicada el año que siguió a la muerte de Franco, el novelista catalán Juan Benet escribió que:

La literatura no perdona. Evoluciona de distinto modo que la sociedad. Tiene sus dioses y su culto, y nada le desagrada tanto como el hecho de que sus oficios rituales sean utilizados con fines diferentes de los puramente literarios. La Diosa Blanca es bastante

175

rencorosa, y más tarde o más temprano se venga de los que afirman amarla o venerarla cuando sus pensamientos en realidad se dirigen hacia otra deidad.

Por la época de la publicación de *En Ciernes* muchos de los mejores escritores españoles habían llegado a la misma conclusión que Benet. De hecho, el distanciamiento más temprano respecto del "realismo social" se había manifestado no menos de quince años antes con la publicación de *Tiempo de silencio*, la novela de Luis Martín Santos. Tenía el argumento de una novela "social" –la historia de una disputa ambientada en la pobreza y la sordidez de fines de los años cuarenta– pero se preocupaba principalmente del estilo y el lenguaje. Martín Santos, quien murió en un accidente automovilístico en 1964, se adelantó media década a sus contemporáneos. Solo en 1966 sus colegas comenzaron a separarse del género "social". En la prosa, la transición estuvo señalada por la publicación de *Señas de Identidad*, de Juan Goytisolo, y en poesía por *El Inocente*, de José Angel Valente, y *Moralidades*, de Jaime Gil de Biedma.

Por lo que se refiere a la poesía, el abandono del "realismo social" anunció la aparición de una nueva generación de escritores: los llamados "novísimos", cuya obra se caracterizó por una audaz mezcla de términos anticuados y vernáculos, el interés por el simbolismo y la fascinación ejercida por la cultura de los medios de difusión. Los realistas sociales inflexibles los consideraron señoritos decadentes y reaccionarios, pero los novísimos entendieron que ellos eran los sucesores de la Generación del 27, e incluso parece que los poetas más veteranos los juzgaban del mismo modo. Por lo menos, ese fue el caso de Aleixandre, quien escribió el prólogo de una de las primeras antologías de estos autores. Los novísimos fueron –y son– poetas de considerable jerarquía. *Arde el mar*, de Pere Gimferrer, publicado en 1966; *El sueño de Escipión* (1973), de Guillermo Carnero; *Sepulcro en Tarquinia* (1976), de Antonio Collinas; e *Hymica* (1979) de Luis Antonio de Villena, son consideradas obras fundamentales en todo el mundo hispánico.

Por lo que hace a la prosa, no apareció una generación análoga que llenase el vacío dejado por el "realismo social". De los escritores en prosa que alcanzaron la madurez antes de 1966 solo uno, Juan Benet, ha merecido la aclamación de la crítica universal y ahora se destaca a considerable altura sobre sus contemporáneos.

No es fácil explicar por qué los novelistas han marchado a la zaga de los poetas durante los años que pasaron desde que el "realismo social" quedó fuera de moda. Pero una razón podría ser

176

el éxito alcanzado en los últimos tiempos por los novelistas sudamericanos. Varios autores españoles se impresionaron tanto con las realizaciones de esos escritores que decidieron imitarlos y, como podía preverse, los resultados fueron decepcionantes. Por irónico que parezca, los novelistas españoles apenas gozan de cierta reputación en América del Sur, y, sus poetas, en cambio, han alcanzado gran prestigio.

El vacío no se ha llenado después de la muerte de Franco. Los poetas más jóvenes, la mayoría de los cuales proviene, quién sabe por qué, de las regiones principalmente rurales como Castilla, Valencia y Andalucía, han comenzado a rechazar los manierismos barrocos de los novísimos, al mismo tiempo que aceptan su adhesión a la pureza estética. Las singularidades de estos jóvenes poetas han suscitado esperanzas, aunque quizá todavía no expectativas, en el sentido de que parece estar a punto de surgir una nueva generación que llevará a la poesía española a explorar terrenos nuevos.

Los que trabajan en y con la prosa se muestran en general más pesimistas. "El gran descubrimiento que todos esperábamos no se ha materializado. Estamos pagando la deuda cultural contraída a lo largo de cuarenta años de dictadura", se lamentaba un amigo, director de producción de una de las grandes editoriales barcelonesas. Incluso así, se han observado algunos procesos alentadores desde fines de los años setenta. Benet ha comenzado un ciclo de novelas acerca de la guerra civil, y se espera que las mismas sean la obra literaria definitiva referida a la lucha fratricida de España. Gimferrer, precursor y teórico de los novísimos, ha abandonado la poesía por la prosa, y la publicación en 1983 de su primera novela larga, titulada *Fortuny*, fue lo más cercano a una sensación literaria de los últimos años. El período transcurrido desde la muerte de Franco también asistió a la aparición en escena de una oleada de mujeres jóvenes consagradas a la novela, la mayoría provenientes de Cataluña; de ellas la más conocida y exitosa es Monserrat Roig. Además, cabe mencionar la tarea extraordinaria abordada por el joven escritor Julián Ríos.

A principios de los años setenta, Ríos –alentado por el escritor mexicano Octavio Paz– comenzó una obra que, de acuerdo con las palabras de un crítico, apunta a "integrar toda la literatura universal, destruir y construir por otra el lenguaje literario de su tiempo, y finalmente colocarse en el punto más arriesgado y escandaloso de la vanguardia, para traspasarla..." Una tarea por cierto considerable para un autor que apenas había publicado nada antes de iniciar esa labor. Proyecta que la serie todavía innominada consiste en cinco volúmenes más un apéndice. El primero de ellos titulado *Larva*, cuya preparación le llevó diez años, fue publicado en 1984. Es el relato de una orgía escrita principalmente en castellano, que por momentos pasa a diferentes idiomas, incluido el bengalí. Las notas que aparecen sobre las páginas de la izquierda son un comentario del texto presentado en las páginas de la derecha. Como en el caso de Sterne, el texto está mezclado con diagramas. Si el trabajo de Ríos tiene éxito, aportará el ímpetu que la prosa española viene necesitando desde hace años. Pero si sus colegas se sienten impresionados por la consagración y la ambición de Ríos, muchos también experimentan aprensiones acerca de lo que ha producido hasta ahora. Como dijo uno de ellos: "¿Qué sentido tiene hacer lo mismo que hizo Joyce, solo que sesenta años más tarde y en castellano?"

Desde el punto de vista de los editores el proceso más rentable ha sido el desarrollo de la novela policíaca española. La novela más temprana de este género escrita en castellano fue *El inocente*, de Mario Lacruz, publicada durante los años cincuenta. Pero la novela policíaca no adquirió verdadero ímpetu hasta que la descubrió y adoptó Manuel Vázquez Montalbán, quien había sido una figura secundaria de los novísimos. Vázquez Montalbán escribe con destreza y verbo, y ha creado al inspector Pepe Carvalho, un héroe seductoramente humano. Otros escritores ahora han comenzado a imitarlo. Un Simenon o una Christie españoles ya no son inconcebibles.

Durante el último siglo, Richard Ford escribió que el teatro español soportaba "la constante hostilidad del clero, que combatía al rival de sus propios espectáculos religiosos y sus melodramas eclesiásticos... El clero atacó al teatro negando sepultura a los actores fallecidos, a quienes en vida no se les permitía utilizar el tratamiento de *Don*". La hostilidad de la Iglesia desapareció hace mucho tiempo. Pero creo que todavía se observan rastros de su legado en la actitud del público español frente al teatro. No se trata de una actitud opositora, sin embargo, en general la gente no aprecia su herencia dramática ni respeta a los actores y a las actrices tanto como se hace en otros países.

A menudo se afirma que España posee la tradición teatral más fecunda del mundo después de Inglaterra. Sin embargo el país que produjo a Lope de Vega, Tirso de Molina, Guillén de Castro, Calderón, Benavente y Guimerá nunca tuvo una compañía de repertorio dedicada exclusivamente a representar a los clásicos hasta 1985, cuando la Compañía Nacional de Teatro Clásico se creó bajo la dirección del actor y productor Adolfo Marsillach. Solamente en Madrid funcionan de veinticinco a treinta teatros permanentes, y esa cifra, incluso teniendo en cuenta el hecho de que muchos de ellos son bastante pequeños y un tanto sórdidos, es considerable por tratarse de una ciudad de sólo tres millones de habitantes. Sin embargo, la mayoría de esos teatros se mantienen activos gracias al precio ridículamente bajo de las butacas. Y la razón por la cual las respectivas administraciones pueden mantener reducido el costo de los asientos es que los actores y las actrices son explotados severamente. Hasta 1972 la mayoría de las piezas eran representadas dos veces por noche (a las siete y a las diez y media u once) durante siete noches semanales. Apelando a la amenaza de la huelga, los actores y las actrices consiguieron obtener un día de descanso. Pero la práctica de ofrecer dos representaciones por noche todavía está muy difundida, aunque muchos teatros no incluyen ahora dos funciones cada una de las noches.

El papel del Estado en el teatro español se orienta hacia la obtención de un mínimo de calidad en la escena. Tiene dos modos de alcanzar esta meta. El primero es subsidiar a los teatros comerciales que deciden presentar obras "serias". El segundo es actuar a través del Centro Dramático Nacional, creado en 1978. El CDN, cuya base es el teatro María Guerrero de Madrid, no es una compañía de repertorio como, por ejemplo, el Teatro Nacional de Gran Bretaña. Es un centro de producción dirigido por un director que revisa libretos originales e ideas para presentar reposiciones, y después organiza una temporada de producciones de calidad, contratando a distintos actores para cada una de ellas. Se utiliza al María Guerrero para representar piezas importantes y, en cambio, las obras experimentales pasan a otro teatro dirigido por el CDN, la Sala Olimpia. Poco después de acceder al poder, los socialistas se atrevieron a designar a un productor catalán de treinta años, Lluis Pasqual, que así se convirtió en director del CDN. Como un modo de expresar su intención de fortalecer la atracción del CDN, Pasqual inició su primera temporada con una comedia que fue representada gratuitamente a orillas del lago del Parque del Retiro de Madrid. Después, el mismo Pasqual ha organizado recitales y conciertos, y ha preparado seminarios acerca de las producciones representadas por el CDN, además de organizar giras con varias de sus producciones.

El problema estructural básico del teatro español es su excesiva centralización. La gran mayoría de los teatros españoles están en Madrid y Barcelona. De acuerdo con una encuesta realizada por el ministerio de Cultura y publicada en 1978, más del 95 por ciento de las personas que viven en los pueblos y las aldeas con una población menor a 10.000 habitantes nunca ha asistido a un teatro.

Hubo un período en que las provincias estaban colmadas de teatros, pero la competencia de la radio, la televisión y el cine, combinada con la indiferencia oficial, determinó que todos, salvo un puñado, cerraran sus puertas. A largo plazo, los socialistas planean renovar algunos de los varios centenares de deteriorados teatros de provincias, así como estructurar un circuito de locales de propiedad pública que permita la realización de giras. Pero como primer paso y como modo de reavivar la afición al teatro en las provincias, el gobierno ha aportado incentivos a los empresarios de Madrid y Barcelona, de manera que salgan de gira con sus producciones.

Durante el régimen de Franco el teatro fue utilizado con fines políticos, incluso en mayor medida que la literatura. Los censores parecieron preocuparse menos por lo que se mostraba en escena que por lo que se mostraba en la pantalla, quizá porque el teatro tenía un público más reducido que el cine o la televisión. Los autores no estaban en libertad de escribir lo que desearan pero, con la condición de disimular con metáforas sus críticas, gozaban de una posibilidad mucho mejor de ver representada su obra que lo que era el caso de los autores de guiones de cine, críticos o de libretos televisados. Durante los últimos años de la dictadura, el teatro adquirió un público entusiasta y considerable reclutado entre los miembros de la clase media que se oponían al gobierno de Franco; y los dramaturgos del momento de buena gana escribían piezas que criticaban al régimen, aunque lo hacían con ciertos circunloquios. El fin de la dictadura provocó una grave crisis. Una vez eliminado el sistema contra el cual los dramaturgos españoles habían orientado sus energías, gran parte del drama español moderno perdió sentido. Con excepción de Antonio Buero-Vallejo, prácticamente todo el caudal de la época franquista ha pasado a la reserva. Adolfo Marsillach cierta vez observó lo siguiente: "Tendremos que esperar hasta que los mismos autores escriban nuevas obras, en las cuales la viejecita de negro ya no sea España y el cacique local no sea Franco." Pero lamentablemente los mismos autores hasta ahora han demostrado ser incapaces de adaptarse. Solo un par de dramaturgos cuyas obras se representaban en la España franquista han conseguido que sus obras suban a escena con frecuencia desde el advenimiento de la democracia.

Por consiguiente, para los empresarios el problema es que en España durante los últimos cincuenta años no se ha escrito prácticamente nada que merezca representarse. Una solución ha sido sustituir la fascinación de la política por la fascinación del sexo.

Los años que siguieron inmediatamente a la muerte de Franco presenciaron una sucesión de revistas y farsas cuyo principal propósito era asegurar la exposición de la mayor superficie posible de carne humana. Otra forma de respuesta ha consistido en conservar el factor de crítica política, pero invirtiendo su dirección. Así como el teatro había sido una plataforma de las ideas democráticas durante la dictadura, se ha convertido en plataforma de las ideas autoritarias en una democracia. A principios de 1978 el Teatro Arlequín de Madrid montó una pieza titulada *Un Cero a la Izquierda*, escrita y dirigida por el líder de una compañía provinciana poco importante de repertorio, cierto Eloy Herrera. Alcanzó extraordinario éxito. Compuesta como sátira a los que trasfirieron convenientemente su adhesión del totalitarismo a la democracia, *Un Cero a la Izquierda*, no era en sí misma antidemocrática. Pero provocó escenas indudablemente antidemocráticas. En más de una ocasión el público comenzó a cantar el himno fascista, *Cara al Sol*, y abundaron los *"¡Vivas!"* a Franco y los *"¡Muera!"* para sus sucesores. La obra siguiente de Herrera fue inequívocamente franquista, y no pasó mucho tiempo antes que otros lo imitasen. Sobre todo, Fernando Vizcaíno Casas, un abogado convertido en autor, quien más o menos por esa época alcanzaba inmenso éxito con una novela titulada *Y al tercer año, resucitó* que prodigaba desprecio a la democracia al mismo tiempo que envolvía a la época de Franco en una atmósfera de afectuosa nostalgia.

La reacción más generalizada frente a la crisis ha consistido en ahondar en el pasado y revivir piezas escritas antes de la guerra civil. Los últimos años han presenciado la reposición de obras de Valle-Inclán, García Lorca, Muñoz Seca, Jardiel Poncela, Casona y Azaña. La única solución que no ha sido ensayada es montar obras serias de autores nuevos. No puede imputarse la culpa de esta situación total o siquiera principalmente a los empresarios. En 1984 Lluis Pasqual me dijo que las quinientas obras enviadas al CDN desde que él había asumido el cargo, no había contemplado la posibilidad de montar más que unas tres. Aunque a su pesar, había llegado a la conclusión de que España estaba padeciendo la misma crisis de libretos que por alguna razón afecta momentáneamente a todos los países latinos. A pesar de esta situación, la temporada 1983-84 presenció un inesperado aumento de las recaudaciones de taquilla, y los actores, los productores y los empresarios contienen el aliento y sustentan la esperanza de que el teatro se beneficiará relativamente con el renacimiento que ahora comienza a cobrar fuerza y ritmo en las restantes artes.

13

EL ESTADO DE LAS ARTES

El símbolo del renovado éxito de España en las artes es la esbelta estatuilla de oro que el joven director cinematográfico español José Luis Garcí recibió de la Academia de Cine de Hollywood en abril de 1983. El Oscar de Garcí –premio al mejor filme extranjero– fue una sorpresa total. En España se lo considera un director competente pero no sobresaliente, y su filme *Volver a empezar*, había sido un fracaso de taquilla en su país natal. Los españoles consideraron que el tema –el romance entre un exiliado que regresa y su novia de la niñez– era demasiado sentimental. Sin duda, su popularidad con el jurado de Hollywood debió algo al sabor acentuadamente norteamericano de la obra (el personaje principal había pasado gran parte de su vida en Estados Unidos, y el tema musical de la película era "Begin the Beguine", de Cole Porter). De todos modos, *Volver a empezar* demostró qué clase de impresión podía originar un director español en un público extranjero cuando contaba con la ayuda de cierto terreno común.

La era que siguió a la dictadura de Franco ha presenciado la aparición de varios directores jóvenes de primera clase, entre ellos Jaime Armiñán, Fernando Trueba, Manuel Gutiérrez Aragón y Pilar Miró, a quien los socialistas pusieron a cargo de los asun-

182

tos cinematográficos en el ministerio de Cultura*. Estas figuras han tenido éxito allí donde los dramaturgos y los novelistas no han conseguido aprehender la atmósfera de la nueva España. Han producido filmes acerca de la juventud urbana, como *Opera Prima* de Trueba; acerca de la violencia fascista, como *Camada Negra* de Gutiérrez Aragón; y acerca de algunos de los hechos más dramáticos de la historia reciente de España. Pero lo que es más importante, sus intentos de trascender los problemas y los hechos cotidianos a menudo tuvieron éxito. *El nido* de Armiñán, es quizá el mejor ejemplo: un filme obsesivo y alegórico acerca del poder del amor y la atracción de lo irracional.

Entretanto, aunque Bardem ha quedado fuera de moda −y a menudo sin trabajo− durante gran parte del período que siguió a la muerte de Franco, las dos restantes figuras importantes de la era franquista, Berlanga y Saura, han continuado creando filmes con sustancia y calidad. Berlanga consagró sus esfuerzos a una trilogía acerca de la aristocracia española: una visión hilarante pero afectuosa de una clase que está desapareciendo, en la cual el papel principal está representado por un actor que es él mismo, un marqués. La producción de Saura ha sido más desigual: ha creado filmes realmente muy malos como *Dulces horas*, pero también ha aportado obras excelentes como *Carmen*.

Los éxitos cinematográficos de los últimos años han sido alcanzados sobre el trasfondo de un conflicto permanente en el seno de la industria entre, por una parte, los productores y los directores, y por la otra, los propietarios y los administradores de las salas de exhibición. El nervio de la cuestión es el número de filmes extranjeros cuya introducción debería permitirse. España ha sido durante mucho tiempo un mercado importante para los filmes. El gobierno de Franco convirtió uno de los países más vivaces del mundo en uno de los más tediosos. Los filmes ofrecían a la gente parte del esplendor y la excitación que le faltaba en la vida. En determinado momento España tuvo más butacas de cine por 1.000 habitantes que cualquier otro país del mundo, excepto Estados Unidos. Ir al cine se convirtió en una costumbre firmemente arraigada, y durante los últimos años el público del cine ha disminuido más lentamente en España que en otras regiones de Europa.

---

* La designación de Miró representó un hecho irónico, porque esta directora había pasado más de un año, a principios de los ochenta, batallando con las autoridades para obtener el permiso que la autorizara a exhibir uno de sus filmes, El Crimen de Cuenca, el cual había inquietado a los militares.

Pero lo que realmente convierte a España en una mina de oro para los distribuidores extranjeros es el hecho de que la mayoría de los filmes extranjeros presentados allí están doblados. Un ejemplo del efecto del doblaje fue suministrado recientemente por el filme británico *Carros de fuego*. Inicialmente se lo envió a España en una versión con subtítulos y fracasó. Después, ganó un Oscar. Distribuido nuevamente y doblado, fue un tremendo éxito de taquilla. El predominio del doblaje es otro legado del régimen de Franco. Se lo declaró obligatorio en 1941 con el propósito de dar a los censores el control total del contenido de los filmes importados. Durante la dictadura, el negocio del doblaje se convirtió en una industria importante. Hoy hallamos en España a muchos actores y actrices muy bien pagados que hacen muy poco, salvo doblar, y sus voces – seleccionadas de manera que se asemejen por el tono y el timbre a las voces de las estrellas cuyos textos dicen– están indisolublemente vinculadas en la mente del público con esos actores y actrices. Por lo que se refiere al espectador español que concurre al cine, Robert Redford, Steve McQueen y Woody Allen hablan todos un perfecto español, y algunos sin duda se sentirían impresionados si supieran que "Robert Redford" (Simón Ramírez) usa gafas y que "Steve McQueen" (Manolo Cano) es calvo. Por extraño que parezca, el "doble" vocal de Woody Allen (Miguel Angel Valdivieso) también se parece al actor norteamericano. El doblaje ya no es obligatorio. De hecho, los distribuidores ahora necesitan conseguir un permiso del gobierno antes de doblar un filme. Pero el sistema continúa siendo popular entre el público.

Sin protección, es casi seguro que la introducción del doblaje obligatorio habría dejado de lado totalmente a la industria cinematográfica española. Pero a Franco le agradaban los filmes españoles – incluso escribió el guión de uno, titulado *Raza*– y percibió que eran un modo de difundir las ideas del régimen. En 1955 el gobierno español adoptó medidas proteccionistas tan firmes que la American Motion Picture Export Association organizó un boicot contra España que duró tres años. Pero en definitiva la AMPEA debió ceder, y de mala gana aceptó una norma por la cual el número de filmes extranjeros distribuidos en España no podía ser superior a cuatro veces el número de obras españolas y habría un impuesto sobre las recaudaciones de los filmes doblados. El monto de dicho impuesto pasó a financiar las producciones españolas. Hacia el final de la dictadura, las obras dirigidas y producidas en el país representaban casi el 30 por ciento de la recaudación de taquilla, una proporción sólida sea cual fuere el criterio con el cual se la juzgue.

Pero en 1977 el decreto que abolió la censura en el cine y la sustituyó por un sistema de clasificación, también eliminó la norma de la distribución cuatro-a-uno, y la reemplazó por otra condición mucho más rigurosa: por cada dos días de exhibición de filmes extranjeros, debía consagrarse un día a los filmes españoles. Esta denominada "cuota de pantalla" estaba destinada a vigorizar a la industria, pero fue sancionada en un momento en que –por diferentes razones, entre ellas el estado caótico de las finanzas de la producción cinematográfica nacional– los productores españoles de filmes no podían responder al desafío. Los propietarios y los administradores de las salas de exhibición, que tenían que desenterrar filmes de la época de Franco para cumplir las exigencias del decreto, apelaron a los tribunales, y en 1979 la Suprema Corte abolió por completo la cuota de pantalla.

El fallo del Tribunal Supremo llevó a la industria al borde del desastre. Se salvó únicamente gracias a una ley aprobada al año siguiente. De acuerdo con la misma, por una parte se reimplantaba la cuota de pantalla y por otra se la fijaba en un índice más razonable: tres días de filmes extranjeros por uno español. También estableció un complejo sistema en virtud del cual el número de servicios de doblaje otorgado a una compañía de distribución depende del éxito de los filmes españoles financiados por dicha firma. El propósito ha sido impedir que los distribuidores extranjeros introdujesen filmes extranjeros en España mediante la financiación de filmes españoles de bajo costo y escasa calidad. Hasta ahora el sistema ha funcionado bien, y en 1983 los socialistas lo ajustaron todavía más, y limitaron el número máximo de permisos de doblaje asignados por cada producción española de cinco a cuatro. La misma medida también creó un nuevo sistema de ayuda oficial, gracias al cual el gobierno puede aportar hasta el 50 por ciento de los costos de producción. En los últimos años, los filmes españoles han representado casi el 30 por ciento del número de obras distribuidas y más del 20 por ciento de la recaudación de taquilla.

El talento demostrado por los españoles en la producción de filmes tal vez deba algo a su sensibilidad visual, atestiguada por una larga lista de grandes artistas que se extiende desde Velázquez a Picasso. La pintura y la escultura son las formas artísticas españolas por excelencia y no puede sorprender que, pocos años después que los españoles recuperaron su libertad, el arte haya comenzado a reafirmar su preeminencia. El punto decisivo fue la temporada de 1979-80, que comenzó con una oportuna exposición titulada *1980*, organizada por tres críticos madrileños como modo de demostrar al público la clase de trabajo que, según ellos creían prevalecería en el mundo del arte español durante la década siguiente. La misma temporada presenció también una revitalización del interés por el arte español contemporáneo en Estados Unidos, donde el Museo Guggenheim organizó una exposición de obras de jóvenes artistas españoles, y *Art News* consagró un número entero a la España contemporánea.

El efecto de todo esto fue inspirar una voluntad diferente y una confianza más firme que se manifestaron durante la temporada siguiente. Comenzó con otra exposición fundamental: *Madrid Distrito Federal*. El catálogo que acompañó a la exposición, escrito por uno de los críticos que había seleccionado las obras de *1980* un año antes, incluía una declaración resonante:

> Hay épocas, ciudades, que en un momento dado, y por un conjunto de circunstancias, logran la capitalidad de un estilo, casi sin proponérselo y a veces casi sin enterarse ellas mismas. Decir *París 1905*; o *Nueva York 1944* o *Lisboa 1915* o *Londres 1960* supone con la brevedad del *hai-Kai* definir sucesivas y tajantes situaciones del arte. Puede que algún día baste también decir *Madrid 1980*.

Era una aspiración ambiciosa, pero las autoridades han hecho todos los esfuerzos posibles para realizarla, y en ese sentido han canalizado una importante proporción de sus recursos hacia las exposiciones contemporáneas más que hacia las de carácter histórico.

Por otra parte, toda la confianza de la crítica y todo el entusiasmo oficial del mundo no valen absolutamente nada sin el apoyo del público. Durante años, la actitud de los españoles frente al arte moderno ha sido más o menos la misma combinación de hostilidad de la mayoría y entusiasmo de la minoría que puede verse en otras naciones occidentales. Pero en determinado momento de principio de los años ochenta esa actitud sufrió un profundo cambio. Es imposible decir cuál fue el instante exacto en que sobrevino ese cambio, pero es posible señalar el momento en que comenzó a manifestarse: febrero de 1983, cuando el Festival Internacional de Arte Contemporáneo, patrocinado por el gobierno y celebrado en Madrid con el título de *Arco-83*, se vio casi desbordado por el número de personas que acudieron a la cita. Cuando visité Madrid, un año más tarde, me impresionó la atmósfera que nunca había observado antes: la de una ciudad dominada por la fiebre del arte. En todos los lugares que visitaba – los cafés, los bares y los restaurantes – había carteles anunciando exposiciones, y por todos lados los amigos y los conocidos contaban que habían tenido que formar filas durante horas para visitar estas o aquella exposición. Como escribió más o menos por esa época Antonio Bonet Correa, profesor de Historia del Arte de la Universidad Complutense:

> De repente, los españoles –que durante años ignoraron el mundo del arte y estuvieron privados del arte contemporáneo universal–, han despertado y descubierto un nuevo territorio... El hábito de visitar las exposiciones para poder conocer el arte actual: ha entrado en las costumbres del profesional que se precia de culto.

Lo que extraña tanto en esta explosión de interés es que se ha manifestado en un país donde, por el momento, el nivel de la promesa artística no es, en realidad, muy elevado. Los artistas españoles más jóvenes pasaron los años setenta divididos en los campos contrapuestos del arte abstracto y el arte figurativo, y aunque hacia fines de la década se había concertado una tregua entre los dos grupos, ninguno había demostrado de manera concluyente que sabía hacia dónde se orientaba. A pesar de la considerable proporción de fanfarronería, también hay mucha confusión. Las influencias extranjeras son rechazadas activamente en un momento, y asimiladas con disimulo al siguiente. El resultado adopta la forma de obras de enfoque contradictorio, pero de ejecución desafiante. Con mucha frecuencia esos trabajos son torpes y exagerados. Sin embargo, es difícil creer que la actual oleada de entusiasmo no elevará a los jóvenes pintores y escultores españoles a mejores logros en el futuro próximo.

Desde hace varios siglos la música es la Cenicienta de las artes españolas. Durante el siglo XVI la calidad de la música compuesta en España fue comparable a la de casi cualquier otra nación europea. Pero la Contrarreforma aisló a España del norte protestante de Europa, en el instante mismo en que Alemania arrebataba a Italia la función de principal influencia musical en el marco europeo. Las obras de Bach, Handel, Haydn y Mozart llegaron a España como débiles ecos. Durante el último siglo España se abrió nuevamente a la influencia extranjera, y gracias a las realizaciones, en primer lugar de Albéniz, después de Granados y finalmente de Falla, comenzó a recobrar su reputación; entonces estalló la guerra civil y el país se vio nuevamente separado del resto del continente. Otra razón del tradicional atraso de España en esta área ha sido la carencia lisa y llana de fondos. A diferencia del arte y la literatura, la música no puede prosperar sin dinero. Una novela o un cuadro es el producto de una sola persona dotada de espíritu creador, y de unos pocos materiales más o menos baratos. Los conciertos, las óperas y los ballets exigen instalaciones amplias, un número considerable de ejecutantes y muchos equipos caros. Pero la monarquía y la aristocracia españolas, tradicionalmente se resistieron a patrocinar a la música. En ese sentido, Franco fue un gobernante típicamente español. El monto del dinero asignado a la música mientras él ejercía el poder fue lamentable. Una serie de excelentes compositores como Luis de Pablo, Cristóbal Halffter, Carmelo Bernaola y Juan Hidalgo llegaron a destacarse durante la era franquista. Pero lo consiguieron solo gracias a un inmenso sacrificio personal.

Dijo cierta vez Luis de Pablo: "Siempre que miro mi *curriculum-vitae* siento un fuerte deseo, que nadie tenga que luchar lo que yo he luchado... en Berlín con la beca del DAAD, fue la primera vez en mi vida –tenía treinta y siete años– que podía consagrar las venticuatro horas del día a componer."

El y la mayoría de sus contemporáneos han tenido que pasar prolongados períodos fuera de su patria, y muchos son aún más conocidos y apreciados en el exterior que en España. *Ukanga*, de Hidalgo, fue ejecutado por primera vez en Darmstadt en 1957. No llegó a Madrid hasta 1970. Un destino análogo esperaba a los jóvenes ejecutantes de talento. Jesús López Cobos, cierta vez observó que nacer director de orquesta en España se parecía un poco a nacer torero en Finlandia. Cuando Franco falleció, había solo dos orquestas que recibían ayuda oficial: la Orquesta Nacional de España y la Orquesta Sinfónica de RTVE, un teatro de ópera y absolutamente ninguna compañía de ballet clásico. Si durante los años que siguieron España consiguió convertirse en una fuerza de importancia menor en el mundo de la música, el hecho constituye una realización considerable.

En la base de este logro hallamos un cambio de actitud de parte del gobierno que ha demostrado en general más simpatía hacia la música y, sobre todo, hacia la música contemporánea. Ha organizado un Centro de Divulgación de la Música Contemporánea y los compositores han comprobado que ahora se ha facilitado la ejecución de sus obras en España. *Kiu*, la primera ópera de Luis de Pablo, que debía estrenarse en París, en cambio, fue presentada por primera vez en Madrid.

Por lo que se refiere a la música orquestal, el retorno de López Cobos, quien asumió el control de la ONE en 1983, ha sido decisivo. A semejanza de Francia y de Italia, España no es un país que posea una gran tradición orquestal. Quizá este hecho guarda cierta relación con la sociedad latina, que aprecia la espontaneidad más que la disciplina, y recompensa la realización individual más que la colectiva. Sea como fuere, los conservatorios de Europa meridional están concebidos para producir solistas más que músicos de orquesta. Un ex miembro de la ONE dijo cierta vez que el problema para afinar una orquesta española reside en que "cada uno tiene su propia concepción del *la*". López Cobos, que dedicó gran parte de su carrera a dirigir orquestas alemanas y británicas, ha concentrado sus esfuerzos en inculcar lo que él denomina la "disciplina musical". También se propone organizar conciertos para los ancianos y los jóvenes y preparar ejecuciones de obras semi-clásicas como un modo de ampliar la atracción que ejerce la orquesta. Sin embargo, su principal preocupación se orienta hacia el futuro. A principios de los años ochenta se creó la Joven Orquesta Nacional de España; pero todavía se advierte la urgente necesidad de reformar y perfeccionar los conservatorios.

La ópera es el sector de las artes españolas en el cual el contraste entre el talento y los recursos es más visible. España ha dado al mundo un número más elevado de grandes cantantes contemporáneos que cualquier otra nación: Plácido Domingo, Monserrat Caballé, Teresa Berganza, Victoria de los Angeles y José Carreras son todos españoles. Sin embargo, la ópera española, por el número y la calidad de las representaciones ofrecidas en España, carece relativamente de importancia. Hasta los años veinte, España tenía dos grandes teatros de ópera: el Teatro Real de Madrid y el Teatro del Liceo en Barcelona. En 1925 el Teatro Real debió cerrar sus puertas por razones de carácter estructural, y cuando las reabrió fue para cumplir la función de una sala de conciertos. Durante los años del régimen de Franco, la única ópera ofrecida a los madrileños correspondía a un breve programa en cada prima-vera (un hecho significativo es que solía denominarse a este pe-ríodo "festival", más que "temporada") y se lo montaba en el Teatro de la Zarzuela, el teatro de operetas subvencionado por el Estado. De modo que durante bastante más de medio siglo el único teatro de ópera ha sido el Liceo, o Liceu, como se lo llama en catalán.

Como, por lo menos en los tiempos modernos, Barcelona no ha tenido una corte, la clase alta catalana ha tendido a utilizar el Liceo como el sustituto más apropiado. Al referirse al fin del siglo XIX y al principio del XX el autor catalán Víctor Alba escribió que "tener asiento en el Liceu era casi un sello de nobleza, y otro tanto podía decirse de la afiliación al círculo del Liceu, el club instalado en el mismo edificio que la ópera". Las anécdotas acerca de la frivolidad de los públicos del Liceu son innumerables. La razón principal para asistir a las funciones era ver y ser visto (aunque algunos de los palcos incluyen espejos hábilmente dispuestos, que atestiguan el hecho de que para algunos –especialmente ciertas viudas– lo que importaba era ver y *no* ser vistas). En 1903 la decisión de la administración de apagar las luces del auditorio durante las representaciones originó el envío de una carta redactada por un grupo de asistentes regulares, que arguía que "si bien la representación es un atractivo que motiva la asistencia al teatro, el interés principal se centra en la sala más que en el escenario". Los firmantes continuaban destacando que casi no valía la pena que las damas comprasen vestidos y joyas de elevado precio si nadie podía verlas. Antes era costumbre cenar durante las representaciones, y retornar al auditorio solo en los momentos más importantes. Más recientemente, siempre que jugaba el Barcelona, no era raro ver a los ocupantes de las plateas escuchando el comentario del partido por radio. Todas estas características determinaron que el Liceo fuese el blanco no sólo de los anarquistas, quienes le pusieron bombas durante la década de 1890, sino también de la comunidad creadora e intelectual. Y como después de 1925 el Liceo *fue* la ópera en España, este género soportó el mismo estigma que el propio Liceo.

Es un hecho revelador que hasta hace muy poco ninguno de los compositores contemporáneos españoles haya escrito una partitura operística. Solo durante la década de 1970 comenzó a manifestarse cierto interés. Durante los años ochenta componer ópera se ha convertido en auténtica moda. Los compositores han conseguido imponer respeto gracias a los esfuerzos decididos del mundo operístico que ha tratado de modificar su imagen "social". En años recientes, el Liceo ha organizado notables temporadas, con muchas "estrellas"; pero lo que es más importante, ha alcanzado un equilibro aceptable –por primera vez en décadas– entre las obras tradicionales y las de carácter experimental.

Hasta hace muy poco, las únicas compañías españolas de ballet estaban consagradas exclusivamente al ballet español, una fusión de influencias del flamenco y de los géneros clásico y moderno. Había escuelas de danza occidental de tipo convencional, sobre todo la de María de Avila en Zaragoza, donde se formaron Víctor Ullate y Carmen Rocha. Pero después de graduarse, los jóvenes bailarines promisorios que deseaban hacer carrera en el escenario inevitablemente debían viajar al extranjero.

En 1977 el ministerio de Cultura finalmente se decidió a

destinar fondos a un Ballet Nacional de España, formado por dos compañías, una de ballet español y la otra de ballet clásico. Se designó a Antonio Gades director de la primera, y Víctor Ullate regresó en el momento culminante de su carrera para dirigir la segunda. Su idea original era reunir a los muchos bailarines de talento que, como él mismo, se habían visto obligados a trabajar en el exterior. Pero pronto fue evidente que la mayoría de ellos tenía otros compromisos, y Ullate se vio obligado a hacer lo que pudo con los jóvenes egresados de las escuelas, y sobre todo, del instituto oficial inaugurado al mismo tiempo que el Ballet Nacional, y dirigido por su esposa. En vista de estos comienzos poco auspiciosos, debe reconocerse el inmenso mérito de su trabajo, pues en el lapso de solo cinco años Ullate consiguió formar una compañía de ballet nacional digna de su nombre. En 1983 el gobierno socialista que asumió el poder – al parecer preocupado porque las dos compañías presuntamente nacionales estaban convirtiéndose en feudos de sus respectivos directores– despidió a Ullate así como a Antonio Ruiz, sucesor de Antonio Gades, y puso a María de Avila, la antigua profesora de Ullate, al frente de ambas compañías. Fue una retribución impropia e injusta para el hombre que sin ayuda había revivido el ballet clásico español. Las palabras de despedida de Ullate fueron: "Me iré dolido porque no entiendo mucho lo que ha sucedido. O mejor: lo entiendo, pero me parece imposible."

En general, la música popular española ofrece un panorama bastante más saludable que la música clásica. "Begin the Beguine", de Julio Iglesias, presentado en 1981, fue el primer disco en idioma no inglés que superó la cifra de ventas de un millón de ejemplares en el mundo entero. No cabe duda de que Iglesias es ahora una figura internacional, más que simplemente española o hispánica. Raphael, otro cantante de baladas, ha conquistado un público inmenso en Latinoamérica. Pero estos son solo los nombres de mayor éxito comercial de un grupo de cantantes de elevado nivel profesional, como Miguel Bosé, Camilo Sesto, Mari Trini, Massiel y Marisol.

En el campo de la música rock, España está retrasada. La historia del rock español es la de una serie de imitaciones sucesivas. Estados Unidos produjo a los Hermanos Everley y España, entonces, presentó al Dúo Dinámico. Gran Bretaña produjo a los Beatles, los Who y los Rolling Stones, y de pronto en España apareció una multitud de grupos, aunque solo uno de ellos – Los Bravos– suscitó cierta impresión en el exterior, con una canción titulada "Black is Black". En este sentido, España no es distinta de la mayoría de los restantes países de Europa Occidental, aunque es interesante observar que las naciones septentrionales –y sobre todo Alemania– son más capaces de producir rock auténtico que las meridionales. Por lo demás, este hecho probablemente tiene bastante que ver con la naturaleza de la sociedad latina. El rock es el producto de una cultura juvenil, la cual, a su vez, es el resultado del rechazo de los valores sociales establecidos. En las sociedades en que los lazos de familia todavía son sólidos, es imposible crear esa cultura juvenil. El problema de los músicos españoles de rock –incluso de los más talentosos, como Miguel Ríos, que ha gozado de mucho prestigio desde los años sesenta, o del grupo Tequila, que alcanzó su apogeo en los años setenta– es que por la apariencia y el sonido dan la impresión de ser –y son– chicos buenos con las caras lavadas y los cabellos bien peinados que no alcanzarían a identificar un abismo generacional aunque cayeran en él. Por otra parte, el rock es también el producto de la sociedad urbana más que de la rural, y de la clase trabajadora más que de la clase media. La vida urbana en la España actual requiere, por lo menos, algo de la rudeza y de la astucia necesarias para desenvolverse, por ejemplo, en Detroit o Liverpool; y el progreso económico de los años sesenta y los cambios políticos de los años setenta han aportado a la clase trabajadora española una prosperidad y una influencia que antes nunca ha tenido. Todo esto se ha reflejado en el rock español, y hasta cierto punto ha contribuido a reducir la distancia entre España y los países anglosajones.

Hasta aproximadamente la época de la muerte de Franco, el centro de gravedad de la música popular estuvo en Cataluña. Pero hacia fines de los años setenta, una serie de grupos pseudo punk comenzó a aparecer en Madrid. El primero en provocar cierta impresión, aunque solo fuese a causa de su nombre, fue Kaka de Luxe. Siguieron muchos otros, y el más perfecto es probablemente Radio Futura. En conjunto, forman lo que se denomina la *movida madrileña*, que ahora prevalece en el rock español. (*Movida* es la palabra clave en España en los años ochenta). En general, las raíces de los grupos modernistas que forman la *movida madrileña* están en la clase media, pero durante los últimos años también ha aparecido una auténtica música de la clase trabajadora en los suburbios industriales pobres: el llamado rock duro, análogo al Heavy Metal.

Sin embargo, hay una excepción importante a la regla general de que la música de rock producida en España es simplemente una imitación inferior de las canciones creadas en Gran Bretaña y Estados Unidos pocos años antes, y es el *rock con raíces*. Como su nombre io sugiere, es una fusión del rock con la música popular y étnica. El fenómeno es más antiguo que el nombre. Allá por los años setenta, varios músicos andaluces jóvenes se sintieron impulsados por la idea de combinar el rock y el flamenco. Se formaron dos grupos –Triana y Veneno–, y aunque después ambos desaparecieron, la idea que ellos originaron se ha desarrollado. Ahora hay grupos que tocan *rock con raíces* en Cataluña y Galicia (en ambos casos la fusión se realiza con la música tradicional catalana y gallega respectivamente), y también hay varios grupos de rock gitano, como Los Chichos, Los Gitanos y los Chunguitos, que ofrecen una combinación particularmente atractiva de estilos.

La aparición del *rock con raíces* es, hasta cierto punto, solo un reflejo de uno de los procesos más dramáticos, intensos y completamente inesperados de los últimos años: nos referimos al auge del flamenco. Hasta cierto punto, el flamenco ofrece a los españoles más o menos lo mismo que a los turistas: un toque de lo desusado en un mundo cada vez más gris. Las canciones son exóticas, las danzas tienen un sesgo dramático y la historia del flamenco está salpicada de bailarines que exhiben nombres gloriosamente inverosímiles como "La niña de los peines", "Frasco, el colorao" y "el loco Mateo". Pero la tradición del flamenco también ofrece uno de esos nexos con el mundo de una humanidad más joven que tanto abundan en España, porque puede originar ese sentimiento de éxtasis que, según se cree, ha sido el propósito de toda la música temprana. Un cantante flamenco no actuará hasta haber alcanzado algo parecido a un trance: un estado de sentimiento reprimido en el cual la necesidad de expresión poco a poco llega a ser tan intensa que ya no es posible contenerla. El ingrediente estático del flamenco se refleja espléndidamente en la descripción que ofrece José María Caballero Bonald de una reunión en una venta al costado del camino, en el centro de la ondulante campiña andaluza:

La noche avanza, y ya el día viene clareando sobre los árboles. Dentro del caserío de la venta hay un grupo de hasta siete y ocho personas. Se bebe vino parsimoniosamente, con toda calma. El tocaor busca el acorde de su guitarra. De pronto, cuando las notas musicales marcan ya la iniciación de un cante, alguien modula los lamentos preparativos. El cantaor aclara su voz y busca el compás de la música. Todo el mundo guarda un respetuoso silencio, un religioso silencio. Al fin salta la copla. Las palmas empiezan a batir maravillosamente al compás de la guitarra. El cantaor tiene el mirar perdido, mueve la cabeza, contorsiona el cuerpo según las dificultades del cante, levanta su mano con un gesto de majestad.

El flamenco nació a fines del siglo XVIII en los ambientes gitanos de las provincias de Sevilla y Cádiz. La palabra misma significa "gitano" en la lengua de los gitanos andaluces. Por consiguiente, al principio la música del flamenco fue música gitana, y esta ha continuado siendo el núcleo de la tradición del flamenco, pese a que distintas canciones del sur de España, por ejemplo, el fandango, de origen moro, han sido incorporadas al repertorio. Del mismo modo, muchos que no son gitanos se han convertido en maestros del arte en la función de *cantaores, bailaores* y *tocaores* (guitarristas). La inmensa mayoría de las canciones del flamenco está formada por auténticas canciones populares, creadas por algún aldeano ahora olvidado, y modificadas a través de la repetición interminable, hasta que cristalizan en la forma que el público considera más atractiva. Todos los intentos de transcribir la música han fracasado, de modo que la tradición flamenca depende por completo de la transmisión oral, la imitación y el ejemplo. Pero esto significa también que se ofrece un amplio campo a la interpretación individual.

Las canciones o coplas tienen de tres a seis versos, pero como cada palabra se alarga mediante quejas y lamentos, la interpretación insume varios minutos. El lenguaje es siempre muy sencillo y directo. Hay unos cuarenta tipos distintos de canción. Algunas están destinadas a ocasiones específicas, como las bodas. El resto, las exuberantes, que pueden ser bailadas y las más probablemente conocidas por el turista, forman solo una proporción relativamente reducida. En la mayoría de los casos se trata de lamentos dolorosos por la muerte de un ser querido, especialmente una madre (una figura aún más importante para los gitanos que para sus vecinos latinos), o por la pérdida de la libertad (los gitanos españoles han pasado en las cárceles del país más tiempo del suficiente), por la fugacidad de los placeres de la vida y la persistencia de sus sufrimientos. Como escribió Ricardo Molina, crítico e investigador del flamenco, este género es "la respuesta de un pueblo reprimido durante siglos" y esto explica por qué llegó a ser tan popular entre los campesinos no gitanos de Andalucía durante el siglo XIX, cuando también ellos fueron víctimas de otro tipo de opresión, pues se cercaron las tierras que ocupaban y los campesinos se vieron reducidos a la condición de jornaleros desarraigados.

La difusión del flamenco durante este siglo ha sido desigual. Dos veces pareció iniciar una etapa de decadencia definitiva, y dos veces renació a través de competencias organizadas: la de Granada en 1922 y la de Córdoba en 1956. Estos episodios inspiraron una sucesión de competencias menos importantes que reavivaron el interés y revelaron la existencia de ciertos talentos. El segundo renacimiento fue mucho menos espectacular que el primero, pero se ha mostrado más duradero.

El flamenco vio debilitado su ímpetu después de la guerra civil, sobre todo, porque se convirtió en instrumento político. En su búsqueda de una "cultura española auténtica", los nacionalistas cayeron sobre el flamenco y procedieron a promover una versión bastardeada del mismo. El renacimiento más reciente es imputable sobre todo a un solo hombre, el cantaor Antonio Mairena, quien ha insistido en ejecutar un repertorio sin adornos ni deformaciones, y ha organizado y promovido incansablemente festivales de flamenco. Pero Mairena y sus discípulos también contaron con la ayuda de ciertos factores económicos y sociales. La recuperación del flamenco "puro" sobrevino precisamente en el momento en que centenares de miles de andaluces estaban preparándose para empacar e iniciar una vida nueva en Madrid o en las ciudades industriales del norte. La era posfranquista ha presenciado una acentuación muy intensa del interés, y en la actualidad el flamenco tiene un público firme en todas las regiones del país, excepto quizá en Galicia, Cantabria, y las islas Baleares y Canarias. De este modo, el flamenco ha dejado de ser una forma artística puramente andaluza para convertirse en un género al que, con justicia, puede considerarse español.

Esta afirmación es válida desde hace mucho tiempo para la corrida de toros, otra forma artística principalmente andaluza.* Pero esto no implica afirmar que la fiesta nacional, como se la denomina a menudo, goce del mismo nivel de salud que el flamenco. Lejos de eso. Las corridas de toros están decayendo desde hace varias décadas, a pesar del aumento de las recaudaciones de la

---

* Los lectores pueden considerar sorprendente e incluso ofensivo que incluya a las corridas de toros en un capítulo acerca de las artes. Pero así se las considera en España. En 1918 varias figuras importantes de las artes y las letras ofrecieron un famoso banquete al torero Juan Belmonte, precisamente para destacar el hecho de que lo consideraban un colega en el arte. Los periodistas que escriben acerca del tema en los periódicos españoles reciben el nombre de críticos de lidia (no de corresponsales o cronistas), y están sometidos a la autoridad del jefe de la sección de cultura. Por el momento, las corridas de toros corresponden a la responsabilidad del ministerio del Interior, pero los aficionados creen desde hace mucho tiempo que el asunto compete más bien al ministerio de Cultura.

taquilla durante los años sesenta. Este se produjo como resultado de la elevación de los ingresos disponibles, el aflujo de turistas, y el no menos importante fenómeno de *El Cordobés*, y disfrazó el proceso durante muchos años.

Esta declinación se remonta, por lo menos, a la guerra civil. Tantos toros de lidia fueron sacrificados, para consumir la carne o por venganza, durante el conflicto que los ganaderos no pudieron, durante los años que siguieron inmediatamente a la guerra, suministrar suficiente número de toros de la edad y la calidad apropiadas. El reglamento taurino estipula que solo se permite la lidia de toros de cuatro años. Pero durante los años cuarenta prevalecieron cada vez más los animales de tres años que habían sido engordados.

Es posible también que la guerra haya provocado un cambio en el enfoque general de los que participan en las corridas de toros, porque el período que siguió al conflicto presenció dos procesos que reflejan ambos el deseo de reducir todo lo posible el riesgo involucrado. En primer lugar, y a raíz del ejemplo establecido por Manolete –el gran torero* muerto en el ruedo en 1947– el estilo predominante de lidia pasó a ser *de perfil*, más que de frente. Segundo, en los años de la posguerra se produjeron el nacimiento y el desarrollo del afeitado de los cuernos del toro. El afeitado, que se realiza con una sierra, llega hasta el nervio que atraviesa el cuerno, y después se redondea éste para formar una punta roma que daña menos en caso de cornada. Por consiguiente, el resultado es que no solo se obtiene un toro menos peligroso, sino que se lo somete a un trauma horroroso. Se ha comparado el afeitado con lo que significaría arrancar las uñas a un boxeador y acortar el alcance de sus brazos varios centímetros en la víspera de un combate. Pero generalmente se hace con tanta habilidad que solo pueden descubrirse las pruebas mediante el auxilio de un microscopio.

Sin embargo, la causa principal de los problemas de la lidia de toros se manifestó, no durante los años cuarenta, sino durante los años cincuenta, cuando el arte, el espectáculo, negocio o como quiera llamárselo cayó en manos de un pequeño grupo de empresarios. Los empresarios, que arriendan los ruedos al ayuntamiento

---

* El torero puede ser un <u>picador</u>, el responsable de lancear al toro desde su caballo durante la primera etapa de la lidia; un <u>banderillero</u>, que clava los dos dardos de colores durante la segunda etapa; un <u>matador</u>, el miembro más importante del equipo que mata al toro en la tercera y última etapa; o uno de los ayudantes del matador, denominados <u>peones</u>. Incluso es posible que sea un <u>rejoneador</u>, es decir un matador montado al estilo portugués. Pero, por lo menos en España, este último nunca es "toreador".

local, organizan el programa, compran los toros y contratan a los toreros, no se propusieron crear un monopolio por el gusto del monopolio, sino más bien para destruir la influencia de los apoderados (los representantes de los toreros) que amenazaban crear su propio monopolio. Pero esto no es mucho consuelo para los aficionados, que han tenido que asistir a la crisis más prolongada y profunda de las corridas de toros.

Como todos los buenos hombres de negocios, los empresarios se propusieron minimizar los riesgos. Para equiparar el número de toreros con el de corridas, organizaron "planteles" de toreros, cada uno sujeto a contrato exclusivo. Esto hubiera debido significar que los mejores toreros tenían garantizado un trabajo regular. Pero con mucha frecuencia el resultado ha sido que los toreros que mantienen una relación permanente con un empresario pueden continuar lidiando mucho después de haber perdido el estado físico; en cambio, otros hombres, mejores que los primeros, se ven paralizados por la falta de contrato y el monopolio de los empresarios en los ruedos.

Los empresarios también presionaron sobre los ganaderos, y les reclamaron toros que pareciesen impresionantes pero que carecieran de *casta*, de modo que no representasen un desafío grave para los toreros, quienes ahora recibían su sueldo de los empresarios. En una etapa anterior, cuando la cría de toros era sencillamente un pasatiempo de la aristocracia, los ganaderos hubieran podido resistir, pero ahora esta actividad se ha convertido en una actividad cada vez más comercial, y como, en ese momento estaban criándose más toros que los necesarios, los ganaderos no se encontraban en condiciones de ofrecer resistencia. Los toros de la posguerra eran pequeños y jóvenes pero, por lo menos, mostraban fiereza. A medida que avanzó la década de 1960, se obtuvieron animales cada vez más débiles, y hacia principios de los años setenta algunos de ellos casi no podían sostenerse en el ruedo. Solo entonces se adoptaron medidas, por ejemplo, la marcación y el registro. Sin embargo, el predominio del toro aparentemente poderoso, pero más o menos controlable, hoy es tan acentuado que muchos aficionados temen que el linaje esté deformado irreparablemente. En la actualidad, las corridas de toros continúan en manos de un puñado de empresarios: Manuel Chopera (quien dirige Las Ventas, la plaza de toros de Madrid); Pedro Balañá, Diodoro Canorea y los hermanos Jardón. Cuando en 1977 el torero Paquirri intentó oponerse al sistema, se vio excluido de la fiesta de San Isidro celebrada ese año, la más importante serie de corridas del calendario de la lidia de toros, y nunca volvió a intentarlo.

Después del retiro de Paco Camino y El Viti, a fines de la temporada de 1978, Paquirri –yerno del legendario Antonio Ordóñez– era quizá la única figura real del ruedo. Su muerte, como resultado de una cornada recibida en 1984, fue una tragedia lamentada por todos los aficionados. Sin embargo, dejó atrás una fiesta nacional, la cual, si bien no ha incluido a un torero de jerarquía sobresaliente, ha exhibido perfiles un tanto mejores que los que prevalecían pocos años antes.

Varios factores se han combinado para elevar el nivel de las lidias durante las temporadas recientes. En primer lugar, el retorno al ruedo de una serie de veteranos talentosos. La reaparición más publicitada fue la de El Cordobés en 1979. Pero este torero no atinó a capturar la imaginación del público, como había hecho durante los años sesenta, y después de una sucesión de lidias en general mediocres, sobre todo, en ruedos poco conocidos, retornó a su finca. Más importantes fueron las reapariciones de dos de los grandes "puristas", Manolo Vázquez y Antoñete, ambos en la cincuentena, cuando de nuevo vistieron el traje de luces. El estilo clásico de lidia de ambas figuras fue un gran éxito, no solo desde el punto de vista de la crítica sino también en vista de la reacción del público.

En segundo lugar, en las temporadas recientes han aparecido varios toreros jóvenes interesantes, la mayoría de los cuales son graduados de la Escuela de Tauromaquia fundada en Madrid a principios de los años setenta por un novillero sin trabajo llamado Enrique Martín Arranz, quien se propuso restaurar en las corridas de toros la solidez técnica y la perfección que habían perdido incluso antes de los años sesenta. Otro torero muy interesante es Francisco Esplá, que utiliza pases que no habían sido vistos en los ruedos desde hacía décadas.

Es posible que estemos al comienzo de un período de renacimiento. Las corridas de toros afrontaron crisis en el pasado, por ejemplo, durante el período de 1900 a 1912. Pero siempre revivieron y sobrevivieron. Sin embargo, se oponen a la posibilidad de recuperación los efectos de la creciente inquietud que manifiestan los españoles respecto del sentido moral de su fiesta nacional. En España siempre existió una minoría activa y enérgica que consideró que las corridas de toros no son un deporte ni un arte, sino sencillamente una masacre ritualizada; y durante los años que siguieron a la muerte de Franco creció de manera inequívoca el número de personas que se oponen públicamente a las corridas de toros, tanto por escrito como por la radio y la televisión. Aunque ninguno de los partidos políticos ha considerado todavía la posibilidad de oponerse a las corridas de toros, es evidente que ninguno de ellos desea que nadie crea que los problemas de esta actividad les preocupan. Esta actitud es muy notable en el caso de los socialistas, varios de cuyos líderes, entre ellos el propio Felipe González, provienen de Andalucía, y son aficionados. Hasta ahora —y quizá con un ojo puesto en la opinión pública de la Comunidad Económica Europea— se han contentado con tratar a las corridas de toros con una especie de benigno descuido.

14

LA RELIGION Y LA IGLESIA

Contrariamente a la imagen proyectada por los anuncios de la bebida, Jerez es una ciudad pobre con una antigua tradición de anarquismo, marxismo y ateísmo. A fines de los años sesenta los trabajadores de las grandes plantas productoras de jerez organizaron lo que, en definitiva, fue una huelga prolongada y agria. Entre sus reclamos estaba la concesión de dos días libres todos los años para los bautizos. Uno de los jefes de la huelga más tarde recordó que el director de la firma les había preguntado por qué "una pandilla de comunistas" necesitaba tiempo libre para asistir a la iglesia. "Dijimos que eso era diferente. Uno podía no creer en Dios, pero tenía que creer en el bautismo; de lo contrario, los hijos serían moros, ¿verdad?" contestó él.

A semejanza de Pakistán, España se convirtió en nación como resultado de un proceso de segregación religiosa. El cristianismo fue tan esencial para la nacionalidad española como el Islam para la de Pakistán. Como lo demuestra la observación del trabajador de la planta productora de jerez, afirmar que uno es cristiano puede ser –incluso hoy– una fórmula de identidad nacional tanto como una profesión de creencia religiosa.

Y si ser español significa ser cristiano, en España ser cristiano significa ser católico. La Reconquista apenas había terminado cuando comenzó la Reforma, y después de siglos de combatir al infiel, los españoles cristianos no estaban con ánimo para soportar a los herejes o a los discrepantes. España fue la jefa indiscutida de la

Contrarreforma. Ignacio de Loyola, un soldado convertido en sacerdote, originario del País Vasco, suministró al movimiento sus tropas de choque espirituales, los jesuitas, y algunos comandantes españoles como Alba, Spínola y el cardenal Infante Fernando encabezaron la ofensiva militar contra las naciones protestantes del norte.

En España, la Inquisición se aseguró de que en 1570 no hubiese un solo protestante en el país. Abolida en 1813, durante la Guerra de Independencia, la Inquisición fue restablecida al año siguiente por Fernando VII, y se la disolvió definitivamente solo durante la década de 1830. Incluso después de esa fecha −y excepto bajo las dos repúblicas− la libertad religiosa generalmente fue más conceptual que real. Ciertas almas valerosas como George Borrow, autor de ese clásico exuberantemente idiosincrático que es *La Biblia en España*, se propuso quebrar el dominio del papado, pero solo logró crear un extraño grupo religioso. Un resultado de la ausencia del protestantismo fue que la discrepancia con las doctrinas del catolicismo, que en otras regiones de Europa se orientó hacia el luteranismo o el calvinismo, en España tendió a adoptar la forma de la francmasonería. Muchos de los pronunciamientos del siglo XIX fueron el resultado de conspiraciones masónicas.

Franco en realidad no excluyó otras formas de culto, pero ilegalizó sus manifestaciones externas. No se les permitía anunciar los servicios en la prensa o mediante carteles, y como solo la Iglesia Católica gozaba de una situación legal, otras congregaciones no estaban autorizadas a poseer propiedades o a publicar libros. La declaración histórica del Segundo Concilio Vaticano acerca de la libertad de conciencia obligó al régimen a abandonar esta política, y en 1966 se promulgó una ley que, al mismo tiempo que mantenía la situación privilegiada de la Iglesia Católica, liberaba a los restantes credos de las restricciones que se les habían aplicado. Pero solo cuando la Constitución de 1978 cobró vigencia, los españoles gozaron del derecho inequívoco de practicar el culto que preferían. En la actualidad, hay a lo sumo alrededor de 200.000 a 300.000 protestantes españoles, de los cuales un número desproporcionado −alrededor de cada tres de cada diez− corresponde a Cataluña.

En España el catolicismo es no tanto *una* religión como *la* religión. Más del 95 por ciento de la población ha sido bautizada católica, y las encuestas recientes sugieren que entre el 80 y el 90 por ciento se autodefine como católico, aunque sólo del 55 al 60 por ciento asiste realmente a la iglesia. De ese total, una parte considerable asiste a la iglesia en contadas ocasiones, generalmente para Pascua. Un estudio encargado por la Conferencia Episcopal calculó que asistían a misa un domingo típico de 1982 aproximadamente nueve millones de personas, poco más del 29 por ciento de los individuos en condiciones de asistir. La última encuesta fidedigna antes de la mencionada, en 1967, arrojaba la cifra del 34,7 por ciento. Por lo tanto, parece que la asistencia a misa, que decayó durante los años treinta bajo la República, y después se elevó constantemente bajo Franco, ahora vuelve a declinar. De todos modos, nueve millones es una cifra importante. Como lo destacó el director del departamento de estadísticas de la Iglesia cuando se publicaron las cifras, ni el fútbol ni el cine atraen a tanta gente los fines de semana.

La asistencia varía enormemente de una región a otra. Siempre fue más elevada en el norte, sobre todo en el País Vasco y en Castilla la Vieja, y menor en el sur. Por extraño que parezca, es la misma pauta que existe tanto en Italia como en Portugal. Pero la teoría –aplicable a casi todos los países– de que la gente que vive en la ciudad concurre a la iglesia menos que las personas que viven en el campo, no es válida en el caso de España. O más bien cabe afirmar que es válida únicamente en el norte. En el sur, la asistencia a misa es más elevada en las ciudades que en las aldeas. Se han formulado varias teorías para explicar por qué el norte es más piadoso que el sur. Una, afirma que a causa de la Reconquista el norte tuvo 400 años más de cristianismo que el sur; pero eso no explica por qué el mismo fenómeno se manifiesta en otros países católicos de Europa latina. Quizá una explicación más plausible es que en el sur de las tres naciones, la Iglesia estuvo más estrechamente vinculada con un régimen opresor. Ello también podría explicar la ruptura de la correlación usual entre la residencia en la ciudad y la irreligiosidad en Andalucía, pues el campesinado es la clase que más ha padecido las depredaciones de una casta gobernante apoyada por el clero.

Hubo un período en que la religiosidad fue casi el dominio de la derecha española. En la actualidad ya no es el caso. De acuerdo con una obra publicada recientemente acerca de las relaciones entre la Iglesia y el PSOE, más de la mitad de los católicos practicantes del país y un quinto de sus comulgantes cotidianos votaron por los socialistas en las elecciones generales de 1982. Aunque el liderazgo del PSOE es agnóstico en una mayoría abrumadora, un número cada vez más elevado de católicos no solo vota por el partido sino que se afilia a él. Un estudio reciente de su Grupo Federal de Estudios Sociológicos comprobó que más del 45 por ciento de los afiliados afirmaban su condición de creyentes.

Menos del 20 por ciento de los que se habían incorporado durante la era de Franco eran católicos, pero entre los que se habían afiliado después, la proporción ha venido aumentando año tras año, y en el caso de los ingresados más recientes se eleva al 50 por ciento.

El número de españoles pertenecientes a las órdenes religiosas es elevado, sea cual fuere el criterio con que se lo juzgue. En 1984 había 21.423 sacerdotes parroquiales, 10.905 monjes ordenados, 7.695 monjes no ordenados y el número abrumador de 79.829 monjas. Pero es evidente que el clero —y sobre todo el clero diocesano— pronto afrontará una crisis respecto del número de sus miembros. Es así porque en la actualidad la distribución por edades es absolutamente anómala. En lugar de observarse una disminución regular del número de los más jóvenes a los más viejos, hay una enorme acumulación entre los treinta y cinco y los sesenta años. Lo cual refleja el auge de las vocaciones durante la primera mitad del dominio de Franco. Por encima y por debajo de este grupo —que representa más del setenta por ciento del clero diocesano— los números aparecen severamente empobrecidos. En el caso de los sacerdotes de más edad, eso responde en parte a los efectos de la guerra civil, que cobró las vidas de más de 4.000 sacerdotes parroquiales. En el caso de los sacerdotes más jóvenes, responde a la crisis vocacional observada en escala mundial, que comenzó a sentirse durante los años sesenta y cuyos efectos se manifestaron con particular intensidad en España.

La crisis se manifestó de dos modos. En primer lugar, hubo una disminución de la cantidad de jóvenes deseosos de incorporarse al sacerdocio. El número de seminaristas en España, que se había elevado a más de 9.000 durante los años cincuenta, descendió a 3.500 durante los sesenta y a 1.500 durante los años setenta. Pero a partir de 1979 se ha observado un incremento leve pero constante. La disminución de la cantidad de seminaristas determinó un efecto inevitable en las ordenaciones: 825 en 1961, 395 en 1972 y solo 163 en 1981. Otro síntoma, por cierto más controvertido, de la crisis de vocaciones fue el aumento del número de sacerdotes que renunciaron a las sagradas órdenes. Durante los años sesenta más sacerdotes renunciaron a sus votos en España que en cualquier otro país, excepto Brasil y Holanda. En la mayoría de los casos la razón estuvo en la política de la Iglesia acerca del celibato. Una encuesta inédita realizada cuando Franco aún vivía, en la diócesis de Santiago de Compostela, la cuna del catolicismo español tradicional, comprobó que casi un cuarto de los sacerdotes parroquiales allí residentes creía que la castidad era una virtud irrealizable. "Lo inquietante y grave de verdad", comentaba la encuesta, "es que casi todos estos sacerdotes que la juzgan irrealizable son lógicos con su manera de pensar, y actúan en consecuencia."

La cantidad de secularizaciones alcanzó su nivel máximo a principios de los años setenta, y había descendido en un 50 por ciento cuando en 1978 el papa Juan Pablo II decidió abstenerse de firmar más documentos que liberaban de sus votos a los sacerdotes. De los 6.000 sacerdotes del mundo entero que solicitaron verse liberados del sacerdocio, por lo menos 500 –uno de cada doce– son españoles. Frustrados por la dura actitud del pontífice, están convirtiéndose en un factor desorganizador y problemático en el seno de la Iglesia. El celibato continúa siendo la queja principal, y desde la promulgación de la Constitución de 1978, que restableció el matrimonio civil, estos hombres han podido casarse sin la autorización de la Iglesia. Varios aprovecharon la oportunidad. En el curso de un episodio muy llamativo, el año 1979 en Córdoba, cinco sacerdotes que habían realizado un matrimonio civil participaron de una ceremonia de bendición, en el curso de la cual intercambiaron anillos con sus cinco parejas.

Hasta ahora, la crisis de vocaciones ha tenido, a lo sumo, un efecto leve sobre la magnitud global del clero. La razón reside en que son muy pocos los sacerdotes ancianos. El número de los que fallecen o se retiran ha sido casi tan reducido como el de quienes toman las órdenes. Pero a medida que el grupo de treinta y cinco a sesenta años ascienda en la escala de edad, originará un grave desequilibrio entre los que ingresan en el sacerdocio y los que lo abandonan, y eso determinará un efecto importante sobre el total.

Desde el punto de vista histórico el clero español ha sido uno de los más conservadores del mundo. La Iglesia que encabezó la Contrarreforma se mostró por completo incapaz de conciliarse con las nuevas ideas que se difundieron en España durante el siglo XIX, y se refugió en la frágil esperanza de que fuera posible restablecer el antiguo orden de cosas. La identificación de la Iglesia con la reacción determinó por implicación una alianza refleja entre el radicalismo y el anticlericalismo. A fines del siglo XIX y principios del XX, siempre que la derecha perdió el dominio del poder hubo frenéticos estallidos de violencia dirigidos hacia el catolicismo y sus representantes. Hubo iglesias incendiadas o profanadas. A veces los sacerdotes fueron asesinados y las monjas violadas. La guerra civil provocó las peores atrocidades: los cuatro mil curas párrocos que murieron fueron acompañados a la tumba por más de dos mil monjes y casi trescientas monjas.

Los horrores perpetrados por los republicanos permiten entender mejor la actitud de la Iglesia frente a los nacionalistas. Los prelados españoles bendijeron a las tropas de Franco antes de la entrada en combate, e incluso se los fotografió realizando el saludo fascista. En una famosa emisión destinada a los defensores sitiados en el Alcázar de Toledo, el cardenal Isidro Gomá y Tomás –futuro primado de España– arremetió contra "el alma bastarda de los hijos de Moscú y las siniestras sociedades manipuladas por el internacionalismo semita". El día de su victoria, Franco recibió del papa Pío XII un telegrama de felicitación que decía: "Elevamos nuestros corazones al Señor, y nos regocijamos con Vuestra Excelencia en la victoria, tan profundamente deseada, de la España católica."

Pero durante los veinticinco años que siguieron a ese telegrama, la Iglesia española pasó de la condición de uno de los aliados más entusiastas de Franco a la de su crítico más expresivo. Para entender este cambio extraordinario se necesita una explicación. Hasta cierto punto fue el reflejo del decreciente apoyo de toda la sociedad al régimen de Franco. A diferencia de los oficiales militares españoles, que se ufanan de sus orígenes en el "pueblo", pero en realidad provienen de un sector bastante reducido de la sociedad, el clero, en efecto, representa a todos los estratos y, por lo tanto, tiende a mostrarse más sensible a los sentimientos de la nación en general. En parte fue también un asunto de moralidad. La distancia entre lo que el régimen prometía y lo que suministraba en la esfera de la justicia social se amplió año tras año, y muy pronto se comprobó que discrepaba con los ideales cristianos. Además, la Iglesia española, a semejanza de las restantes iglesias católicas, se vio profundamente influida por el espíritu progresista que emanó del Vaticano apenas Juan XXIII fue elegido papa, y que se plasmó en las medidas adoptadas por el Concilio Vaticano Segundo. Pero quizá la razón principal del cambio fue, aunque parezca irónico, la propia victoria de Franco.

Así como el conservadurismo político de la Iglesia había contribuido a forjar una alianza entre el anticlericalismo y la izquierda, también el anticlericalismo de los izquierdistas había confirmado el conservadurismo de la Iglesia. La muerte y el exilio de tantos masones, anarquistas y marxistas en efecto destruyó el anticlericalismo como fuerza social y otorgó a la Iglesia una libertad de acción que antes hubiera sido inconcebible. Entre otras cosas, indujo a la Iglesia a buscar almas en la clase trabajadora urbana, tradicionalmente anticlerical. A principios de los años cincuenta, los jefes de la Acción Católica, la organización laica inspirada por el Vaticano, fundaron tres nuevas sociedades, las Hermandades Obreras de la Acción Católica (HOAC), la Juventud Obrera Católica (JOC), y las Vanguardias Obreras Juveniles (VOJ) con el fin de conquistar prosélitos en la clase trabajadora, y sobre todo en el sector de los jóvenes. Después, actuó en los suburbios pobres una sucesión de sacerdotes jóvenes e idealistas. Quizás el más conocido fue fray José María de Llanos, un jesuita de familia acomodada, que había desempeñado la función de capellán más o menos oficioso de los jóvenes falangistas, y que incluso había sido convocado por Franco con el fin de que prescribiese ejercicios espirituales para él y su esposa. En 1956 fue a vivir con los inmigrantes andaluces que se habían asentado en Pozo del Tío Raimundo, un área de terrenos baldíos en las afueras de Madrid.

En definitiva, las clases trabajadoras urbanas influirían mucho más sobre la Iglesia que esta sobre aquellas. En una entrevista concedida en 1981, fray Llanos reconoció de mala gana que "esta gente me ha enseñado a ser comunista, pero yo no he podido enseñarle a ser cristiana". Llanos es un caso extremo –no muchos sacerdotes se convirtieron en comunistas– pero, en general, el resultado del experimento fue elevar la conciencia social, primero del laicado, y después del clero, más que la conciencia religiosa de las personas a quienes este había intentado convertir. Hacia principios de los años sesenta, una parte considerable de la Iglesia discrepaba con el régimen. Fue el momento culminante de los "curas rojos", como fray Llanos, quienes aprovecharon los privilegios y las inmunidades concedidos a la Iglesia por Franco para permitir que se realizaran reuniones de huelguistas en la sacristía y "sentadas" en la nave. Algunos, por ejemplo Francisco García Salve –el cura Paco–, un sacerdote convertido en obrero de la construcción que fue encarcelado tres veces bajo el régimen de Franco, se convirtieron en "sacerdotes obreros" según el modelo francés, y renunciaron por completo a sus sotanas para desempeñar empleos corrientes que los acercaran aún más a la clase trabajadora.

La antipatía que el clero más joven sintió por el franquismo se acentuó en ciertas áreas a causa de la hostilidad del régimen al nacionalismo regional. Esta observación era especialmente válida para el País Vasco, la región más devota de España. Allí, el clero se había identificado estrechamente con los reclamos del restablecimiento de los derechos y los privilegios tradicionales; si bien durante el siglo XIX esta actitud había tendido a adoptar la forma del apoyo al carlismo. En contraste con lo que sucedió en el resto de España, el clero vasco tomó partido por la República durante la guerra civil, y pagó el precio de su decisión después de la victoria de Franco, cuando dieciséis de sus miembros fueron ejecutados. Es natural que muchos sacerdotes vascos simpatizaran con la resurgencia del nacionalismo militante. Las iglesias y los rectorados fueron escondrijos favoritos de la ETA durante los primeros años del movimiento y he escuchado a varios antiguos simpatizantes relatar cómo almacenaban armas y municiones en los monasterios. Aunque el apoyo del clero a la ETA se debilitó cuando la organización mostró actitudes cada vez más duras, los vínculos individuales sin duda persistieron. Dos de los dieciséis acusados del famoso juicio de Burgos, en 1970, eran sacerdotes.

La revuelta en el seno de la Iglesia, sobre todo en el País Vasco, alcanzó tales proporciones que fue necesario organizar en Zamora una cárcel especial para los sacerdotes. El periodista francés Edouard de Blaye calculó que hacia 1970 habían ido a la cárcel 187 sacerdotes. "Una de las paradojas de este régimen que se autodenomina cristiano", observó, "es que en España hay más sacerdotes encarcelados que en todos los países comunistas de Europa reunidos." Al principio, el radicalismo de los sacerdotes de la base desconcertó a la jerarquía. La suspicacia mutua que se manifestó entre los obispos y los sacerdotes se acentuó por el hecho de que, en esa época, España tenía el sacerdocio más joven y el episcopado más anciano de todas las iglesias católicas del mundo. Pero los dos nuncios designados por el papa Pablo VI promovieron una transformación de la jerarquía, de modo que entre 1964 y 1974 la edad promedio de los obispos españoles disminuyó en diez años. Hacia el fin de los años sesenta, la jerarquía misma comenzó a exhibir signos de discrepancia. En 1972 la Iglesia pudo sumar un "obispo rojo" a sus muchos "curas rojos": el obispo Iniesta, que fue designado a Vallecas, suburbio obrero de Madrid. En 1973 el obispo Palenzuela de Segovia fue obligado a comparecer ante el Tribunal de Orden Público porque afirmó que las condiciones en la cárcel de sacerdotes de Zamora eran "inhumanas", y en 1974 el obispo Añoveros de Bilbao fue puesto bajo arresto domiciliario a causa de una carta pastoral en la cual argumentaba en favor de los derechos de las minorías. Un año más tarde, después de haber criticado el empleo de la pena de muerte, el obispo Iniesta se vio obligado, a causa de las amenazas de la ultraderecha, a huir a Roma para salvar su vida. Por esa época, incluso el moderado arzobispo −más tarde cardenal− Tarancón, quien había asumido el control de la Iglesia española en 1971, necesitaba la protección de guardaespaldas de la policía.

La publicidad consagrada a los obispos y a los "curas rojos" de la era franquista tendió a suscitar la impresión de que la iglesia había adoptado una postura más extrema de lo que era en realidad el caso. Hacia el final de la dictadura, en la Iglesia había –para decirlo con las palabras del obispo Iniesta– "un ala derecha minoritaria, un ala izquierda minoritaria y una mayoría de centro". El cardenal Tarancón quien, en su carácter de arzobispo de Madrid y de presidente de la Conferencia Episcopal, ocupaba los dos puestos claves de la Iglesia española, era la expresión de este centro eclesiástico. Amigo y admirador del papa Pablo VI, compartía el enfoque prudente pero realista del desaparecido pontífice en relación con el mundo moderno. Su retiro de las actividades administrativas y pastorales a principios de los años ochenta provocó un cambio visible en la dirección de la Iglesia española. Fue reemplazado en la jefatura de la Conferencia Episcopal por la figura más o menos apolítica de Gabino Díaz Merchán, obispo de Oviedo. Cuando en 1983 Tarancón llegó a los setenta y cinco años y se vio obligado a presentar su renuncia al arzobispado de Madrid, el papa Juan Pablo II lo sustituyó por el obispo de Santiago de Compostela, Angel Suquía, admirador y partidario del misterioso Opus Dei.

Es un hecho profundamente irónico que la "exportación" más exitosa y notoria de la Iglesia cada vez más progresista que se formó durante la era franquista haya sido una sociedad tan reaccionaria como el Opus Dei. El Opus Dei –la Obra de Dios– ahora tiene entre 75.000 y 95.000 miembros en ochenta países. Su ideología es una extraña mezcla de ideas copiadas o heredadas. Algunas como la mortificación de la carne provienen directamente del Medioevo. Su sentido misional y su extraña mezcla de retórica religiosa y militar recuerdan a la Contrarreforma. Por su secreto, su exclusivismo y su estructura jerárquica, refleja a la francmasonería, y por su exaltación del trabajo duro se asemeja a alguna de las formas más rígidas del protestantismo. En estos dos últimos aspectos, de hecho el Opus Dei es quizás otro producto de la ausencia en España de un rival serio que se oponga al catolicismo.

Pese a su título oficial –Comunidad Sacerdotal de la Sagrada Cruz– solo alrededor del 2 por ciento del Opus Dei está formado por sacerdotes. Pero los que en efecto pertenecen al movimiento ejercen enorme poder sobre él. Todos los miembros del Opus Dei –trátese de sacerdotes, de hombres o de mujeres laicos– pertenecen a una de tres categorías. En la cima están los numerarios, subdivididos en tres categorías, de acuerdo con sus atribuciones y responsabilidades. Los numerarios deben tener buen intelecto (generalmente son diplomados universitarios), y no pueden padecer deformaciones físicas. Viven en residencias del Opus, entregan sus ingresos al director de la casa, quien después da a cada uno de ellos lo que necesita para sostenerse. Como la mayoría tiene empleos bien pagados, esta práctica representa una fuente muy importante de ingresos. Los numerarios asumen los tres votos monásticos de pobreza, castidad y obediencia. Por lo menos una vez por semana deben flagelarse las nalgas con la *disciplina*, un látigo de cinco colas, durante el tiempo que se necesita para recitar la plegaria "Salve Regina", y durante dos horas todos los días deben usar el *cilicio*, una cadena de eslabones puntiagudos atada al muslo superior, de forma que ni el artefacto ni las heridas que inflige puedan ser vistos.

Después de los numerarios vienen los supernumerarios, que deben poseer las mismas calificaciones intelectuales y físicas que los primeros, pero viven la vida normal de una familia, aunque con la importante diferencia de que entregan una parte de sus ingresos a la sociedad y mantienen secreta su afiliación incluso ante sus amigos más íntimos y parientes. Finalmente, están los colaboradores (antes denominados oblatos), hombres o mujeres de limitado intelecto o que padecen un defecto físico y que, como los numerarios, toman los votos y viven en comunidades, pero encargados de las tareas serviles propias del desenvolvimiento de la residencia. Además de sus miembros, el Opus reconoce la existencia de una cuarta categoría, los denominados cooperadores. No son afiliados y se les atribuye la condición de simpatizantes de la organización. Es interesante el hecho de que los cooperadores ni siquiera necesitan ser cristianos, y de que a veces no tienen la más mínima idea de que se los incluye en esta categoría.

Pese a la atmósfera de secreto que envuelve a la organización, no es difícil identificar a un miembro del Opus. Tienden a mostrarse desusadamente puntillosos en el modo de hablar y vestir, y sus hogares casi siempre incluyen aquí o allí el pequeño modelo de un burro, que representa aquel en el cual Cristo entró montado en Jerusalén. Es especialmente fácil identificar a los sacerdotes del Opus. A diferencia de sus contemporáneos, quienes en general hacen todo lo posible para evitar la apariencia propia de los sacerdotes, estos usan sotanas y cuellos clericales, e imitando al fundador del Opus Dei a menudo utilizan la colonia Atkinson's. Pero, un hecho un tanto inesperado es que muchos de ellos adoptan una actitud ampliamente campechana y cordial, y fuman los fuertes cigarrillos Ducados.

Desde el punto teológico, el Opus Dei representa un paso hacia atrás, un hecho que se refleja con particular eficacia en la actitud del movimiento frente a la confesión. Durante los últimos años, los católicos de muchas regiones del mundo han llegado a considerar a la confesión como un anacronismo. En España ciertas iglesias, sobre todo en los distritos de trabajadores, ya no tienen confesionario. Pero el Opus Dei ha realizado todo lo posible para invertir la tendencia, y si uno va al santuario levantado por el Opus Dei en Torreciudad, cerca de Barbastro, encuentra una cripta atestada de confesionarios. Desde el punto de vista político, el centro de gravedad de la organización está bastante a la derecha del punto medio. Algunos miembros progresistas, por ejemplo Rafael Calvo Serer, que fue director del diario *Madrid* hasta que en 1971 las autoridades lo clausuraron, son sencillamente excepciones que demuestran la regla.

El Opus Dei fue fundado en 1928 por José María Escrivá de Balaguer y Albás, joven sacerdote aragonés, hijo de un tendero. Conocido por sus partidarios como *el padre*, parece que Escrivá durante sus últimos años fue víctima de una especie de monomanía. En Madrid ordenó construir una cripta especial para sus padres (conocidos en los círculos del Opus como "los abuelos"), y solicitó −y se le concedió− el título extinguido de marqués de Peralta. Tan agudas fueron las críticas que este hecho provocó, que Escrivá se vio obligado a ceder el título a su hermano. María Angustias Moreno, directora de una residencia del Opus en Andalucía, quien se retiró de la organización a principios de los años setenta y después publicó una obra acerca de sus experiencias, escribió de él que "cuando llegaba, había que regar la casa con colonia Atkinson's. Solo bebía agua mineral francesa y había que enviarle melones por avión cuando viajaba a América." Seis años después de la muerte de Escrivá, en 1975, la Congregación de la Causa de los Santos comenzó a examinar las posibilidades de su canonización.

Solo después de la publicación (en 1939) de *El Camino*, la colección de máximas de Escrivá, el movimiento comenzó a influir realmente. A diferencia de otros grupos católicos de presión, por ejemplo la Asociación Católica Nacional de Propagandistas (ACNP), que ejercieron considerable influencia sobre el régimen a fines de los años cuarenta, el Opus Dei no se contentó sencillamente con situar a sus miembros en cargos de influencia política. Apuntó −y continúa apuntando− a una "infiltración" mucho más completa de la sociedad. A semejanza de los jesuitas anteriormente, Escrivá comprendió los beneficios que podrían obtenerse mediante la ocupación de posiciones estratégicas en el mundo de la educación, y su aprovechamiento para concitar el apoyo de la *élite*. Los esfuerzos del Opus Dei se han orientado principalmente hacia la educación superior. En 1941 José Ibáñez Martín, amigo de uno de los colaboradores más estrechos de Escrivá, fue designado ministro de Educación. Por la época en que dejó el cargo −en 1951− se admitía que entre el 20 y el 25 por ciento de las cátedras de las universidades españolas estaban ocupadas por miembros y simpatizantes del Opus. El año de la salida de Ibáñez Martín el Opus fundó también una universidad cerca de Pamplona, el Estudio General de Navarra. En 1962 esta entidad alcanzó la jerarquía de una universidad, y después asumió la responsabilidad de educar a muchos de los miembros más inteligentes de las clases superiores españolas. Además, el Opus Dei fundó una escuela de comercio, el IESE, en Barcelona, así como un colegio de administración, el ISSA, en San Sebastián. A medida que los jóvenes, cuyas simpatías el Opus había conquistado en las universidades y en los colegios, se elevaban a diferentes posiciones en el mundo, difundían la influencia de la organización en todos los sectores de la vida española. Eran y son factores poderosos en los medios de difusión. Por la época del fallecimiento de Franco, había miembros del Opus en la cumbre de Europa Press, la principal agencia noticiosa privada, o en cargos muy próximos a la cima; en la principal cadena de radio comercial, SER; y en varias editoriales, incluso la que produce la enciclopedia más popular de España, Salvat. Pero los miembros del Opus Dei adquirieron especial influencia sobre todo en el campo de los negocios. Por ejemplo, es sabido que grandes sumas del Opus contribuyeron a la organización de RUMASA, el gran holding que, hasta su espectacular derrumbe en 1983, controlaba varios bancos, compañías de seguros y casas de comercio, así como muchas firmas industriales y agrícolas.

Aunque parezca irónico, precisamente los manejos comerciales del Opus provocaron el contraste más desastroso de la organización. En agosto de 1969 MATESA, una importante firma de máquinas textiles dirigida por un miembro del Opus Dei, se derrumbó dejando enormes deudas. Manuel Fraga, quien miraba con malos ojos el poder y la influencia de los tecnócratas, y que era por entonces ministro de Información y Turismo, intencionalmente dio la pista al periodismo, con la esperanza de que descubriese bastante para avergonzar y desacreditar a la organización. Los resultados no lo decepcionaron. Se reveló que en el curso de los diez años precedentes MATESA había recibido miles de millones de pesetas del Estado como subsidio a la exportación de telares que jamás fueron vendidos. Parte del dinero fue a financiar las actividades educacionales del Opus Dei. Otra parte incluso, fue a engrosar los fondos de la campaña de Richard Nixon.

Ciertamente, el escándalo de MATESA consiguió quitar la credibilidad de los tecnócratas, aunque por extraño que parezca, también costó su cargo a Fraga. Durante los últimos años de la vida de Franco el Opus –pese a toda su influencia económica y social– ejerció muy escasa influencia política directa. Y esta situación se ha mantenido. Incluso mientras la UCD ejercía el poder, solo un miembro conocido de la organización consiguió ocupar una banca en el gabinete. Sin embargo, la falta de éxito de la organización en España se ha visto ampliamente compensada por la decisión del papa Juan Pablo II, (en 1982) de otorgarle la jerarquía de una Prelatura Personal. La nueva condición, perseguida por el Opus Dei desde principios de los años sesenta, significa que los miembros de la sociedad ya no están subordinados a las autoridades diocesanas locales. Esto es muy importante en la propia España, donde la mayoría de los obispos siempre se mostró muy suspicaz frente al Opus, y ciertamente votó contra la concesión de la Prelatura Personal. Bien puede suceder que durante los próximos años asistamos a un nuevo ascenso de esta extraña organización.

Las relaciones entre la Iglesia y el Estado en España tradicionalmente fueron muy estrechas, y a pesar de todos los cambios que han sobrevivido a partir de la muerte de Franco, esa es todavía la situación. A medida que la Reconquista ensanchó los límites de la España cristiana, la Iglesia adquirió inmensas parcelas de tierra, sobre todo en la mitad meridional de la península. Poco después que fueron confiscadas por el político progresista Juan Alvarez Mendizábal, durante la década de 1830, sus sucesores consideraron que debían rectificar la situación. De acuerdo con el Concordato concertado entre Madrid y el Vaticano en 1851, el gobierno aceptó –como indemnización– pagar los sueldos del clero y solventar el costo de la administración de los sacramentos. Este compromiso extraordinario fue cumplido por todos los gobiernos hasta 1931, cuando fue denunciado por los autores de la Constitución Republicana. Pero dos años después, cuando un gobierno conservador asumió el poder, se restableció el subsidio.

Franco no solo continuó pagándolo, sino que también suministró dinero del gobierno para reconstruir las iglesias dañadas o destruidas durante la guerra civil, y aprobó una serie de medidas que armonizaban las leyes españolas con las enseñanzas de la Iglesia. Se abolió el divorcio, la venta de anticonceptivos (pero no, quién sabe por qué razones, la fabricación) fue prohibida, y la instrucción religiosa del catolicismo romano se convirtió en enseñanza obligatoria en la educación pública y privada de todos los niveles.

En compensación, el Vaticano otorgó a Franco algo que los gobernantes españoles venían reclamando desde hacía siglos: el control efectivo sobre la designación de los obispos. La cooperación entre la Iglesia y el régimen llegó a ser incluso más estrecha después del fin de la Segunda Guerra Mundial, cuando Franco necesitó mostrar al mundo un rostro no fascista. Varios prominentes legos católicos fueron incluidos en el gabinete, y uno de ellos, Alberto Martín Artajo, consiguió negociar un nuevo Concordato con Roma.

Firmado en 1953, el Concordato puso fin al aislamiento diplomático en el que España había caído a causa de la victoria de los Aliados, y Franco se mostró muy dispuesto a hacer todas las concesiones que fueran necesarias para consolidarlo. La Iglesia quedó eximida de impuestos, y se le ofrecieron subsidios para construir iglesias y otros edificios religiosos. Adquirió el derecho de pedir que se retirasen de la venta las publicaciones que consideraba ofensivas pero las suyas propias quedaron liberadas de la censura. Se reconoció el matrimonio canónico como el único válido para los católicos. La Iglesia tuvo oportunidad de fundar universidades, administrar estaciones de radio y poseer diarios y revistas. La Acción Católica se convirtió en una excepción a las leyes que prohibían las organizaciones no oficiales. Se prohibió a la policía entrar en las iglesias, excepto en caso de "necesidad urgente". El clero no se vio obligado a prestar servicio militar, y no se le podía acusar de delitos penales, excepto con el permiso de su obispo diocesano (en el caso de los sacerdotes), o de la propia Santa Sede (en el caso de.los obispos).

Fue el Concilio Vaticano Segundo quien primero cuestionó los términos de esta relación tan grata. El Concilio, que se manifestó inequívocamente en favor de una separación clara de la Iglesia y el Estado, invitó a todos los gobiernos que tenían algo que ver con la designación de los funcionarios eclesiásticos a renunciar a dicha participación. Pero nada —ni el ejemplo de Argentina, y ni siquiera una carta personal de Pablo VI— pudo convencer a Franco de la necesidad de renunciar a lo que él consideraba —acertadamente— un instrumento de control inmensamente poderoso. Gracias al mismo, pudo bloquear el ascenso de muchos sacerdotes de mentalidad progresista, sobre cuyas cabezas el papa Pablo VI deseaba ceñir la mitra. El único modo como las autoridades eclesiásticas podían ascenderlos era convertirlos en obispos auxiliares (el caso de Iniesta) o en administradores apostólicos (como Añoveros). Hacia 1968 más de un tercio de las diócesis españolas carecían de pastor titular. El primer indicio de un compromiso llegó a principios de los años setenta, cuando los obispos españoles anunciaron que estaban dispuestos a renunciar a algunos de los privilegios concedidos a la Iglesia en el Concordato. No renunciaron a su derecho al subsidio oficial pero lo describieron como "un mal necesario", y lo justificaron como un pago por los aportes de la Iglesia a la educación y al bienestar social, más que como una compensación por el secuestro de su propiedad. Durante los últimos años de la vida de Franco, los ministros y los funcionarios viajaban constantemente a y desde Roma, con el fin de sugerir cambios en el Concordato. Pero todos los intentos de modificarlo chocaron con la cerrada negativa del envejecido dictador, a ceder un átomo de su poder sobre la designación de los obispos.

Sin embargo, en 1976 el rey Juan Carlos renunció unilateralmente al privilegio, y abrió paso a progresos futuros. En agosto de ese año, Marcelino Oreja, ministro español de Asuntos Exteriores, y el cardenal Villot, secretario de Estado del Vaticano, firmaron un acuerdo que devolvía formalmente a la Iglesia el poder de designar a sus propios jefes en España. Ahora tocaba a la Iglesia cumplir su parte del acuerdo. En diciembre de 1979 la Iglesia aceptó una modificación parcial del Concordato, que preparó el terreno para la separación financiera entre la Iglesia y el Estado. En primer lugar, solo las propiedades eclesiásticas utilizadas como lugares de culto o que poseían méritos históricos o artísticos especiales, se verían exentas del pago de impuestos. En una alusión a la prolongada expiación oficial de las confiscaciones del siglo precedente, se convino en que "el Estado no puede ignorar ni prolongar indefinidamente las obligaciones jurídicas adquiridas anteriormente". Pero en un gesto de reconocimiento tácito en el sentido de que la Iglesia no podía desenvolverse sola de la noche a la mañana, el gobierno propuso un período de transición de seis años, dividido en dos etapas de tres años cada una. Durante la primera etapa el gobierno continuaría pagando el subsidio acostumbrado. Pero durante la segunda etapa se aplicaría un nuevo sistema de financiación. Los contribuyentes tendrían derecho a declarar o a señalar en sus declaraciones impositivas si deseaban que un reducido porcentaje de sus impuestos fuese a manos de la Iglesia, y después el gobierno entregaría la suma total a los obispos. La prensa inmediatamente lo denominó *impuesto religioso*, aunque como nunca se le asignó el carácter de un gravamen especial, el rótulo era un tanto inexacto. De hecho, dado que el contribuyente individual decidía y no modificaba en absoluto la magnitud de su declaración impositiva, era más cuestión de palabras que otra cosa. De acuerdo con el cronograma trazado en 1979, solo después de concluido el período de transición, y cuando la Iglesia se autofinanciara del todo, podía llegarse a la situación de que los protestantes, los testigos de Jehová y los ateos residentes en España se viesen liberados de la carga determinada por la obligación de pagar el mantenimiento de la Iglesia Católica. Pero de hecho, no se ha cumplido el cronograma. En 1984, cinco años después de la modificación parcial del Concordato, ambas partes continuaban aferradas a la primera de las dos etapas de transición: el gobierno aún suministraba a la Iglesia un subsidio anual de más de once mil millones de pesetas y no había indicios de que el impuesto religioso se aplicase.

Se han sugerido varias razones para explicar el retraso. Se dijo que la idea de pedir a los contribuyentes que declarasen si deseaban que parte de su dinero fuese a manos de la Iglesia contradecía la norma constitucional en el sentido de que no debía exigirse a nadie que revelase sus creencias religiosas. Después, se afirmó que al desviar fondos hacia la Iglesia Católica exclusivamente, el gobierno, de hecho, discriminaba en perjuicio de las restantes congregaciones. Pero ninguna de estas cuestiones representa un dilema insoluble. Se ha encontrado una forma verbal para evitar el problema constitucional, y se han mantenido conversaciones con los representantes de otras congregaciones, para decidir cuáles son las religiones y las sectas que disponen de adeptos suficientes en España, de manera que tengan derecho a la condición de entidades legales habilitadas para recibir fondos.

Los sucesivos gobiernos aparentemente se han visto contenidos por el temor de que la Iglesia sencillamente no pueda desenvolverse sin el subsidio. Es difícil determinar si ese temor está justificado. La Iglesia tiene otras dos fuentes de ingreso: el dinero que obtiene de sus propiedades e inversiones, y las donaciones que recibe de los fieles, entre ellas el dinero depositado como limosna en las iglesias, los pagos realizados a los sacerdotes por la celebración de servicios especiales como los bautismos y los funerales (los cuales, aunque está prohibido oficialmente, continúan siendo pagados y cobrados en las regiones más atrasadas del país) y los legados (muchos de ellos realizados por el donante con un propósito específico, por ejemplo, la construcción de una capilla, de manera que en realidad no puede considerárselo un ingreso disponible). Es imposible saber cuánto recibe la Iglesia de estas fuentes, pues siempre ha evitado cuidadosamente dar a publicidad sus cuentas. El cardenal Tarancón cierta vez aclaró que ese monto representaba más de la mitad del total, y algunos observadores creen que puede elevarse a las tres cuartas partes. Por otro lado, la Iglesia tiene muchos gastos, por ejemplo la compra de los ornamentos religiosos, el amoblamiento y mantenimiento de las iglesias, la administración de los seminarios y otros por el estilo, que no son – y nunca fueron – solventados por el subsidio oficial.

La impresión general que uno recoge de las finanzas de la Iglesia es que se parecen a las de ciertas familias nobles muy antiguas: muchos bienes, pero escaso dinero disponible. Esta fórmula ha sido particularmente válida a partir de los años sesenta, cuando se aprobaron leyes que prohíben a la Iglesia vender objetos de valor artístico o histórico. El desequilibrio entre lo que la Iglesia posee y lo que puede gastar se manifiesta del modo más gráfico en su aparente incapacidad para cuidar los tesoros que ella misma tiene. A fines de los años setenta, el 90 por ciento de los robos perpetrados en perjuicio de la herencia nacional tuvieron por escenario las instalaciones de distintas iglesias. Solamente en el curso de 1977 los ladrones entraron, en primer lugar en la catedral de Murcia, y se llevaron cruces, estatuas y joyas por valor de 150 a 300 millones de pesetas, y luego fue robada la catedral de Oviedo, de donde se llevaron un arcón de valor inapreciable, y desprendieron el oro y las joyas de dos cruces medievales. Entretanto, en Valladolid un ladrón fue sorprendido cuando salía de la catedral transportando la *Crónica de Nuremberg*, además de setenta y tres valiosos libros antiguos. Tres días antes, el *Libro de las Estampas*, que había sido robado de la catedral de León en 1969, fue rematado en Alemania.

La aparente impotencia de la Iglesia en estas cuestiones sugiere la pregunta más general del verdadero y auténtico poder de la Iglesia española. En los comentaristas se manifiesta la tendencia a sentirse deslumbrados por la grandeza histórica de la Iglesia española, hasta el extremo de que ignoran sus limitaciones contemporáneas. El freno más importante está en la Constitución. Este documento no mencionaba a la Iglesia Católica en su borrador inicial, y solo después de una campaña enérgica los obispos consiguieron que se aludiera a ella. Incluso así, la referencia incluida parece lo que es: una idea de último momento. Después de rechazar específicamente el concepto de una religión oficial, la Constitución continúa diciendo que "las autoridades tendrán en cuenta las creencias religiosas de la sociedad española y mantendrán las apropiadas relaciones de cooperación con la Iglesia Católica y las restantes religiones". No se incluye la afirmación explícita de que la mayoría de los españoles está formada por católicos, ni de que el Estado debería tener en cuenta las enseñanzas del catolicismo y, mucho menos, guiarse por ellas.

Otra limitación importante del poder de la Iglesia es la ausencia de un partido demócrata cristiano. Las fuerzas de la democracia cristiana se habían dividido en facciones pro y anti-franquistas bajo la dictadura, y no pudieron sepultar sus diferencias a tiempo para participar en las elecciones de 1977. Algunos demócratas cristianos apoyaron a la AP, y otros a la UCD, y por su parte un tercer grupo que se presentó con la denominación pura y simple de demócratas cristianos sufrió una aplastante derrota. La caída de la UCD y el ascenso de la AP ha servido para concentrar a la mayoría de ellos en un solo partido; pero continúan siendo una minoría en el seno del mismo.

En otras palabras, la Iglesia no posee la autoridad moral ni los medios políticos que le permitirían intervenir directamente en política. Por supuesto, eso no significa que no pueda hacerlo indirectamente. La mano de la Iglesia −y sobre todo la del Vaticano− puede discernirse claramente por las posiciones adoptadas por los políticos derechistas durante los debates acerca de la educación privada, el divorcio y el aborto. El catolicismo también ejerce una influencia más sutil pero no menos intensa sobre los asuntos de la nación, porque gravita sobre el modo en que la gente piensa y actúa. La Iglesia tal vez ya no sea capaz de derribar gobiernos, o incluso de bloquear proyectos de ley pero, como solía decir el cardenal Tarancón, la Iglesia Católica Romana es una "realidad sociológica" en España, y este hecho es particularmente cierto y pertinente en el campo de la educación.

El predominio de las actitudes instintivamente católicas es mucho más acentuado de lo que los propios españoles quizás advierten. El castellano está colmado de frases extraídas de la práctica y el dogma católicos. Por ejemplo, cuando un español desea expresar la idea de que algo o alguien merece confianza o es digno de fe, en el sentido más amplio de la expresión, dirá que esa persona o cosa "va a misa". Cuando se menciona en la conversación algo terrible, por ejemplo una esclerosis múltiple o una guerra nuclear, un español −incluso un hombre ostensiblemente irreligioso− a menudo dirá: "Que Dios nos coja confesados". Y cuando nació el primer bebé de probeta en el mundo, esa revista eminentemente secular que es *Cambio 16* encabezó el informe con estas palabras: "Nació sin pecado original".

15

LA REVOLUCION SEXUAL

El Club Privat Kira ocupa la parte inferior de un bloque de apartamentos situado en la cima de una calle muy empinada, en uno de los distritos residenciales más modestos de Barcelona. Allí no hay toldos de vivos colores o deslumbrantes luces de neón que permitan identificarlo, solo una discreta placa de bronce sobre un costado de la gran puerta negra.

Mientras esperaba que me abriesen, advertí que estaba siendo examinado por una cámara dispuesta a poca altura sobre mi persona, y manejada desde el interior del edificio. Si hubiera ido solo, es probable que la puerta hubiera permanecido cerrada eternamente. Pero estaba con mi esposa, de modo que –después de un largo intervalo– la puerta se abrió para dar paso a un joven contador de gafas, Juan Contreras, quien administra el club con la ayuda de su esposa, Ana Viana, psiquiatra infantil. Expliqué a qué veníamos, y Contreras nos llevó a un bar poco iluminado y nos preparó un par de copas. De acuerdo con las costumbres españolas, todavía era bastante temprano, y en el salón había solamente una pareja.

El bar mismo se parece a centenares de otros bares de Barcelona, hasta que uno echa una ojeada al tablero de anuncios que está en el rincón. "Pareja busca una muchacha bisexual", se lee en un mensaje. "Hombre bisexual busca pareja", dice otro. El bar es el primero de los cuatro sectores en que está dividido el club. El segundo es una pista de baile. El tercero está amueblado con sofás amurados a las paredes. El cuarto y último, varios peldaños más arriba, consiste en tres habitaciones de diferentes proporciones, sin muebles, el suelo cubierto de pared a pared con colchones. Los cuatro sectores están dispuestos en una secuencia, de modo que es imposible llegar al cuarto sin pasar por el segundo y el tercero. De ese modo, los clientes del Club Privat Kira pasan de uno al siguiente como los acólitos de un rito antiguo y sagrado. La idea es que las parejas que se reúnen allí y simpatizan mutuamente en el bar, puedan cambiar de compañeros en la pista de baile, y después, si lo desean, continúen acariciándose en los sofás y/o haciendo el amor sobre los colchones.

En rigor, el Kira no es un club. "Tener asociados obliga a llevar listas de nombres, y eso a la gente no le agrada. Hubo algunos clubes con asociados, pero todos quebraron", dijo Juan. Como sus predecesores, el Kira –fundado en 1981– parece existir en una zona de semipenumbra legal, tolerado más que autorizado por las autoridades. Esta situación otorga a la policía un amplio margen de discreción, y si los vecinos no se oponen, como han hecho con clubes análogos en otros sectores de la ciudad, la policía parece dispuesta a vivir y dejar amar. "Legalmente deberíamos cerrar a las tres de la madrugada", dice Juan, "pero en ciertas ocasiones, cuando las cosas marchaban realmente bien, el club ha permanecido abierto hasta las nueve de la mañana."

Ahora el bar comenzaba a recibir parejas de alrededor de treinta y cuarenta años. "¿Quién sabe?", dijo Juan. "Tal vez esta noche sea buena." Nos invitó a permanecer un poco más, pero ateniéndonos a las mejores tradiciones de discreción periodísticas, nos disculpamos y partimos.

El Club Privat Kira es excepcional solo en cuanto a que los clientes realmente pueden tener relaciones sexuales en las instalaciones. En Barcelona hay por lo menos media docena de bares donde las parejas suelen ir sabiendo que conocerán a otras personas dispuestas a intercambiar compañeros. Hace pocos años, hubo también una misteriosa y anónima compañía que operaba en la ciudad y organizaba bailes de máscaras con el mismo propósito. Lo que los anglosajones denominan *swinging* y los españoles *intercambio de parejas*, en España está limitado a Cataluña. Los únicos bares y los clubes consagrados a esta actividad se han instalado todos en Barcelona, y la mayoría de los clientes del Kira son catalanes más que "inmigrantes" de otras regiones de España. Una actitud "sofisticada" frente a la infidelidad ha sido siempre una de las características de la sociedad barcelonesa. Tomar un amante joven es bastante usual en los catalanes de clase media de ambos sexos y, de acuerdo con Juan Contreras, algunos de sus clientes más antiguos han estado "intercambiando parejas" durante veinte o treinta años, si bien durante el régimen de Franco debía hacerse privadamente.

Entre todas las ciudades españolas, Barcelona ha sido la más liberada o degenerada, según el punto de vista de cada uno. Probablemente eso tiene mucho que ver con el hecho de que Barcelona es un puerto. Se calcula que en esta ciudad hay alrededor de cuarenta y cinco mil prostitutas, la mayoría de las cuales vive y trabaja en el Barrio Chino, el laberinto de callejuelas e inquilinatos descrito por Jean Genet en *Journal du Voleur*. No es coincidencia que en el cercano monumento al doctor Fleming haya siempre por lo menos un ramillete de flores, dejado allí por alguien que ha contraído una deuda eterna con el inventor de la penicilina. El Barrio Chino ha sido el distrito de la vida alegre desde el siglo pasado, y ha dado su nombre a las áreas análogas que existen en otras ciudades españolas*. Pero si los distritos de vida alegre de otros lugares tienden a permanecer discretamente ocultos, el Barrio Chino de Barcelona está inmediatamente después de Las Ramblas, el principal paseo peatonal de Barcelona, de modo que las prostitutas y los rufianes rara vez están fuera de la vista —o del alcance del oído— de las familias que se pasean a través de los mercados de flores y animalitos, o que beben tranquilamente una copa en uno de los muchos cafés de Las Ramblas. Estoy seguro de que esta situación seguramente ha determinado un efecto significativo en la atmósfera moral de la ciudad.

En la actualidad, Barcelona es la Hamburgo de Europa Meridional. Uno puede adquirir pornografía audaz en los puestos de revistas, o contemplar espectáculos de sexo en vivo en los clubes nocturnos. En la Sala Lib, hay cabinas denominadas *tocómetros* y *besómetros* provistas de orificios a través de los cuales se proyectan manos y labios anónimos que esperan acariciar al cliente.

El Club Bagdag solía presentar un acto que incluía a un asno, hasta que la Sociedad Protectora de Animales apareció un día y se llevó al animal. Y si uno se sienta a beber una copa en Las Ramblas hasta aproximadamente las dos de la madrugada, estará ocupando un asiento de primera fila que le permitirá presenciar un desfile de travestis y transexuales tan extraño como cualquiera de los que existen en el mundo.

---

* En una expresión histórica de mal gusto, a principios de los años ochenta se vendía en España un juego de salón llamado El chino. Los jugadores movían piezas que representaban a rufianes, prostitutas y travestis. Los que tenían poca suerte y atrapaban una enfermedad venérea debían trasladarse a un cuadrado que decía "clínica".

Pero en este sentido Barcelona difiere del resto de España por el grado más que por la calidad. En los años que han pasado desde la muerte de Franco tal vez se han producido solo cambios provisorios y graduales en otras esferas de la vida española, pero en las cuestiones de carácter sexual hubo una auténtica revolución, motejada por los propios españoles con el término de *desmadre sexual*. La patria de Torquemada y Loyola ahora se vanagloria de poseer una cadena de lujosos cines "X" autorizados por el gobierno donde uno puede ver *Garganta profunda* y otros filmes sexuales no censurados desde la mañana hasta la noche. La mayoría de las grandes ciudades españolas cuenta con espectáculos de *strip-tease*. Varias tienen bares con camareras españolas en topless; incluso Burgos, el terco y grisáceo bastión de la ortodoxia católica, tiene su propio sex-shop. Oponerse al sexo casi en cualquier forma, excepto el abuso infantil, se ha convertido en un tabú tan grave como antes lo fue el propio sexo. Un aspecto que parece muy extraño a los extranjeros que llegan a España es el modo en que las prostitutas y los burdeles anuncian explícitamente sus servicios en las publicaciones "respetables". Cuando uno consulta la sección de anuncios de *El País*, encontrará por ejemplo: "Mayka. Muchachas. Hombres. Hotel o casa. 24 horas. Tarjetas de crédito." Con respecto a la televisión, si uno hubiera visto el show de música pop *La caja de ritmos* un sábado por la tarde en abril de 1983, se habría encontrado escuchando una canción titulada *"Me gusta ser una zorra"*. Los primeros versos decían:

Si tú me vienes hablando de amor
qué dura es la vida cual caballo te guía

Permíteme que te dé mi opinión
mira imbécil que te den por culo

Me gusta ser una zorra (estribillo)
Cabrón

Prefiero masturbarme yo sola en mi cama
antes que acostarme con quien me hable del mañana

Prefiero joder con ejecutivos
que te dan la pasta y luego pasa al olvido

Me gusta ser una zorra (estribillo)
Cabrón

Los excesos ocasionales de la revolución sexual española representan una medida de la intensidad de la represión que la precedió. Entre los países de Europa meridional, España es la única que durante los últimos años se vio sojuzgada por una opresión doble y especial.

A semejanza de los restantes países católicos del Mediterráneo, estaba sometida a las doctrinas de una religión que desde los tiempos de San Pablo, mantuvo una actitud profundamente suspicaz frente a todas las formas del goce físico. A los ojos de los monjes y las monjas que dirigían muchas de las escuelas privadas españolas, el pene era la "serpiente diabólica" y la vagina "el antro de Satanás". Por supuesto, hay un nexo directo entre las actitudes de este tipo y el tradicional entusiasmo de los españoles por la mortificación de la carne. Como escribió monseñor Escrivá, fundador del Opus Dei: "Si sabes que tu cuerpo es tu enemigo y enemigo de la gloria de Dios, ¿por qué le tratas con tanta blandura?"

El sexo estaba limitado rigurosamente a la procreación en el marco del matrimonio. El contacto preconyugal entre los sexos se hallaba reducido a un mínimo por los rigores del galanteo o noviazgo. Por increíble que ello pueda parecer ahora, la Iglesia tropezaba con muchas dificultades para aceptar todo lo que significaba una forma de contacto físico entre los novios. Todavía en 1959 las "Normas de la decencia cristiana" de los obispos españoles afirmaban inequívocamente que "no es posible aceptar que los novios caminen tomados del brazo". El fraile capuchino Quintín de Sariegos, quien escribió a principios de los años sesenta, había conseguido reconciliarse con el hecho de que las novias no solo tocaban a sus novios, sino incluso podían besarlos. Pero ofrecía este consejo: "Cuando beses a un hombre, recuerda tu comunión última y piensa: '¿Se podrán unir en mis labios la Hostia Santa y los labios de este hombre sin sacrilegio?'"

Pero lo que en realidad distinguió a España de otros países católicos como Italia y Portugal fue que, durante casi cuarenta años, la Iglesia pudo no solo preconizar sino imponer sus ideas con la ayuda de un régimen cuya legitimación dependía de ella.

La Iglesia participaba en la censura oficial en todos los planos, y asumía la responsabilidad especial de decidir en las cuestiones relacionadas con la decencia sexual. Como lo señaló el decreto que creó la junta de censores de filmes de la España franquista, la Junta Superior de Orientación Cinematográfica, "el voto del representante de la Iglesia será especialmente digno de respeto en las cuestiones morales". El cine preocupa particularmente a la Iglesia. Fray Angel Ayala, fundador del grupo católico de presión

ACN de P., afirmó que el cine era "la calamidad más grande que ha recaído sobre el mundo desde Adán a acá. Más calamidad que el diluvio universal, que la guerra europea, que la guerra mundial y que la bomba atómica." A pesar de su condición de representante privilegiada en la Junta, la Iglesia al parecer no estaba convencida de que las autoridades franquistas aplicaran un enfoque suficientemente riguroso, y cuatro años más tarde organizó su propia Oficina Nacional Permanente de Vigilancia de Espectáculos, cuyos funcionarios examinaban los filmes aprobados por la Junta después que los mismos habían sido censurados, y les asignaban una calificación con una escala que oscilaba entre 1 (apropiado para los niños) y 4 (gravemente peligroso). Aunque este organismo carecía de posición oficial, la "clasificación moral" de la Iglesia era reproducida invariablemente junto a cada filme en la correspondiente sección de periódicos.

Pero ni siquiera eso consiguió satisfacer a los miembros más celosos del clero. A veces, después que uno de esos filmes "gravemente peligrosos" se había deslizado a través de la red, los curas parroquiales se encargaban de fijar un anuncio en el vestíbulo del cine local, con este texto: "El que asista a la película de hoy, comete pecado mortal." Un obispo, ofendido porque se había autorizado un filme que a él le parecía objetable, llegó al extremo de organizar grupos de damas piadosas de la Acción Católica que esperaban en la entrada del cine. Cuando alguien se acercaba a la taquilla, la jefa exclamaba: "¡Un Padrenuestro por el alma de este pecador!", y las restantes se arrodillaban a rezar. Esta táctica redujo considerablemente la asistencia del público.

Bajo la guía de la Iglesia, la censura alcanzó niveles extraordinarios de puritanismo. Los encuentros de boxeo profesional se vieron excluidos de los informativos, con el argumento de que obligaban a mostrar los torsos masculinos desnudos. En efecto, en los periódicos se publicaban fotografías de los encuentros pero con chalecos pintados por los retocadores, empleados por todos los periódicos y las revistas hasta los años cincuenta. Además de cumplir otras tareas, los retocadores debían reducir el tamaño del busto de las mujeres. En un período ulterior, los productores de la TVE debían tener a mano un chal, para el caso de que una estrella apareciese en el estudio con un vestido excesivamente escotado. Un sentimiento análogo de horror ante las glándulas mamarias femeninas indujo a los censores de la TVE a suprimir de un filme de Jean-Luc Godard la imagen del anuncio de sostenes publicado en una revista, y a rechazar *Moana*, el clásico documental de Flaherty acerca de la Polinesia, con el argumento de que incluía excesivo número de tomas de nativas con el busto desnudo.

Durante los años cuarenta y cincuenta pudo argüirse que la atmósfera moral tenía, por lo menos, cierta base en la naturaleza de la sociedad. Es posible que la represión sexual fuese severa, pero por otra parte la sociedad tenía un carácter muy tradicional. Sin embargo, durante los años sesenta y setenta la distancia entre lo que era considerado aceptable por las autoridades y lo que parecía aceptable al público se amplió considerablemente. Las actitudes oficiales cambiaron, pero no tan rápidamente o tanto como las de la sociedad en general. En 1962 el Ministero de Información y Turismo, responsable principal de la censura, quedó fuera del control de Gabriel Arias Salgado, el fanático religioso que había dirigido el ministerio desde su nacimiento, once años antes, y pasó a manos de Manuel Fraga Iribarne, un hombre más pragmático y secular. El cambio representó la iniciación de un período durante el cual fueron anuladas algunas de las restricciones más absurdas. Incluso así, fue necesario esperar hasta 1964, por ejemplo, para conseguir que los censores aceptaran la presentación de una mujer con un bikini (el caso de Elke Sommer) en la pantalla cinematográfica. Por otra parte, la emigración del campo a las ciudades, el aumento de la prosperidad y el contacto más intenso con el mundo exterior como resultado del turismo y la emigración transformaron las costumbres y las actitudes sexuales de los propios españoles. De acuerdo con una encuesta realizada durante los últimos años de la dictadura de Franco por la revista de actualidades *Blanco y Negro*, el 42 por ciento de las muchachas españolas habían perdido la virginidad a los veinte años.

Después de la muerte de Franco, el mundo editorial fuè el primer sector que infringió los tabúes establecidos. En febrero de 1976 la revista española de moda *Flashmen* publicó la fotografía de una modelo cuyos pezones desnudos eran claramente visibles. Por casualidad o intencionalmente, el censor no hizo caso de la foto, y después *Flashmen* y otras publicaciones del mismo género decidieron ensanchar las fronteras de lo aceptable en un movimiento muy gradual, centímetro a centímetro y curva tras curva. La mayoría de las modelos desnudas de los primeros tiempos eran jóvenes extranjeras, pero Susana Estrada, una artista de revistas antes muy poco conocida, conquistó fama eterna convirtiéndose en la primera mujer española de los tiempos modernos que apareció con el busto desnudo en las páginas de una publicación española.

La situación en el área de la cinematografía era un tanto anómala, como sucedía con muchas cosas por esa época. La importación de filmes pornográficos para realizar proyecciones privadas fue prohibida, pero se permitió la importación de producciones más livianas destinadas a la difusión general; por consiguiente, durante varios años no se produjeron en España filmes de erotismo liviano. Pero un equipo llamado "Pubis Filmes" produjeron docenas de filmes pornográficos. Sólo a partir de 1978 se invirtió la situación. Se suavizó la prohibición aplicada a los filmes importados para la proyección privada, y la industria cinematográfica nacional presentó *El Maravilloso mundo del sexo*, un filme tan atrozmente inferior que el novio de una de las estrellitas salió en mitad de la proyección la noche del estreno. En otros aspectos, 1978 fue un momento decisivo. Ese año se abrió en España la primera tienda de artículos relacionados con el sexo −*Kitsch*− que comenzó a trabajar en Madrid durante el mes de febrero y fue clausurada por las autoridades cinco meses después. Fue también el año en que la moda *topless* −que modificaría definitivamente la actitud española frente al desnudo− llegó a las costas donde se encuentran los centros de vacaciones. Al principio, la Guardia Civil hizo todo lo posible para controlar la situación; a veces acusaba a las infractoras porque no tenían encima sus documentos personales*. Pero a comienzos de la temporada siguiente llegó a entender que era una tarea imposible. Desde entonces, la policía ha tendido a adoptar una actitud discreta y a cerrar los ojos, y el topless ha pasado a estar de moda entre las jóvenes españolas. Cuando uno las ve caminando por ahí prácticamente desnudas, es difícil creer que las respectivas madres probablemente siempre salían acompañadas de un chaperón/a.

Durante los años que siguieron a la muerte de Franco también hubo una serie de cambios menos obvios pero más importantes en la ley que ha reducido la brecha (aunque como veremos no la eliminó del todo) entre lo que sucede realmente y lo que se autoriza en forma oficial.

El primero ha sido la legalización de los métodos anticonceptivos. En la práctica, la prohibición aplicada a los anticonceptivos nunca fue total. Siempre podían obtenerse condones, aunque con cierta dificultad, en los barrios de vida alegre y los mercadillos de la calle. La invención de la píldora creó nuevas posibilidades porque −además de sus efectos meramente anticonceptivos− puede usársela para tratar ciertos desórdenes hormonales, por

---

* Del mismo modo que para los españoles es delito salir sin su identificación, el Documento Nacional de Identidad, en rigor es ilegal que los extranjeros transiten por España sin sus pasaportes.

ejemplo, la tensión premenstrual aguda. Durante los últimos años de la dictadura muchos médicos se mostraban dispuestos a recetar la píldora como remedio a las mujeres que la deseaban con fines anticonceptivos. De acuerdo con un informe confidencial elaborado por el Instituto de Estudios Laborales y de la Seguridad Social, que llegó a manos de *Cambio 16*, hacia 1975 más de medio millón de mujeres usaban la píldora, pero la demanda de anticonceptivos todavía era enormemente mayor que la oferta. Si hacia fines del dominio de Franco y pese a las exhortaciones oficiales en sentido contrario, la familia española media tenía solo 2,5 hijos, ese hecho respondía principalmente a la autocontención –el *coitus interruptus*, el *coitus reservatus*– y a una considerable proporción de abstinencia lisa y llana.

Es inevitable que el temor al embarazo indeseado reduzca el placer del sexo, sobre todo en el caso de la mujer, la que, de hecho, tiene que dar a luz al hijo. Una sucesión de investigaciones serias realizadas durante los últimos años de la dictadura sugería que entre el 60 y el 80 por ciento de las mujeres españolas casadas eran frígidas, en el sentido de que no obtenían placer en la relación sexual. En *Las españolas en secreto: Comportamiento sexual de la mujer en España*, los doctores Adolfo Abril y José Antonio Valverde observaron que "a lo sumo el 20 por ciento de la población (femenina) puede usar apropiadamente la palabra 'orgasmo', otro 30 por ciento ha oído o leído la palabra 'alguna vez', y el resto –la mitad de la población (femenina), es decir la mitad de todas las mujeres españolas– jamás oyó la palabra y por supuesto no conoce su significado".

También hay pruebas de que la pobreza de las relaciones heterosexuales durante el gobierno de Franco estimuló un nivel anormal de lesbianismo. En 1971 un médico catalán, el doctor Ramón Serrano Vicens, publicó un estudio basado en las entrevistas que realizó durante un período de treinta años con más de mil mujeres que concurrían a su consultorio: dos tercios de las mujeres solteras a las que entrevistó reconocían haber deseado en cierto momento el contacto sexual con otras mujeres, y la mitad de ellas había llegado realmente a eso. Este hecho podría explicar también uno de los aspectos más extraños del *desmadre sexual* que siguió a la muerte de Franco: las frecuentes declaraciones de bisexualidad de las cantantes, las actrices, y otras mujeres que tenían actuación pública y que estaban dispuestas a aceptar que sus admiradores creyesen que no solo algunas sino todas las mujeres eran bisexuales por naturaleza.

En 1978 se eliminaron los artículos del Código Penal que

ilegalizaban la venta de anticonceptivos, pero después se hizo poco para garantizar su uso seguro y prudente. Mientras la UCD permaneció en el poder no se impartió educación sexual en las escuelas, y los únicos centros de planificación familiar organizados durante este período fueron financiados, no por el gobierno central, sino por las autoridades locales (invariablemente las de orientación izquierdista). Por consiguiente, todavía existe mucha ignorancia acerca de los métodos anticonceptivos. Esta observación es incluso aplicable a los médicos y, sobre todo, a los de más edad. Se trata de una situación especialmente peligrosa por lo que se refiere a la píldora, que es ahora la forma anticonceptiva más difundida en España.

La dificultad para conseguir anticonceptivos seguros y confiables explica un fenómeno español que a los ojos de los extranjeros es muy desconcertante: la difusión del aborto. Se trata de un sector de la vida española en que la realidad y la ley están todavía más distanciados, y donde la diferencia de actitudes entre los jóvenes y los viejos es más acentuada. Los "abortos clandestinos" han sido usuales durante mucho tiempo en España, y, sobre todo, en el caso de las mujeres trabajadoras. Aunque nunca ha sido posible obtener cifras exactas, un informe preparado por la Fiscalía del Tribunal Supremo, en 1974, cuando Franco aún vivía, daba una cifra total de 300.000 casos anuales. Después, de acuerdo con la mayoría de los cálculos, la cifra se ha elevado a alrededor de 350.000. Si estos cálculos son acertados, significa que en España hay un aborto por cada dos nacidos vivos, el único índice de ese tipo en el mundo occidental. Mas aún, durante los últimos años se ha asistido al desarrollo de un próspero comercio, el de los abortos en el extranjero, especialmente en el caso de las jóvenes de la clase media y alta. El destino favorito es Londres, adonde acuden 5.000 españolas jóvenes todos los años. De hecho, las españolas representan un octavo *de todos* los abortos de Inglaterra y Gales, y la mitad de los que corresponden a mujeres extranjeras.

El uso general del aborto contrasta enormemente con las rígidas penas aplicadas tanto a los profesionales como a las pacientes. De acuerdo con la ley española, puede castigárselos con penas que varían desde seis meses a doce años de cárcel por un solo hecho. En 1979 el caso de once mujeres de Bilbao acusadas de aborto se convirtió en una *cause célèbre*. Durante los días que precedieron al juicio, 300 mujeres ocuparon uno de los principales edificios judiciales de Madrid, y fueron expulsadas violentamente por la policía. Más de un millón de mujeres –incluidas varias actrices conocidas así como abogadas y políticas– publicaron un documento en el cual afirmaban que se habían sometido a abortos; y un número análogo de hombres – entre ellos algunas personalidades muy conocidas, firmaron un segundo documento en el cual declaraban que habían ayudado a realizar abortos. Como resultado de esta presión o por otras razones, lo cierto es que cuando el caso llegó al tribunal fue desechado por los jueces con el argumento sin precedentes de que las acusadas habían actuado apremiadas por la necesidad. De todos modos, el veredicto no terminó con las prosecuciones. Poco después, otro profesional que había practicado abortos fue sentenciado a doce años, y se multó a una joven que se había sometido a un aborto en Londres.

De todos modos, el sentimiento de agravio de los intelectuales de la clase media ante estas sentencias tiende a desviar la atención del hecho de que una evidente mayoría del electorado español se opone al aborto voluntario, aunque las encuestas demuestran que el nivel de oposición es mucho más elevado en los votantes de más edad que en los más jóvenes, y que en el grupo de los más jóvenes los "pro" y los "anti" están más o menos equilibrados. En cambio, el aborto en casos especiales, por ejemplo, después de una violación o cuando el feto está gravemente deformado, o la vida de la madre corre peligro, concita más apoyo – de hecho alrededor de dos terceras partes del electorado – y por lo demás, en su manifiesto del triunfo los socialistas prometieron incorporar una ley que legalizara el aborto en esas tres circunstancias. Incluso así, era evidente que el tema representaría una difícil encrucijada política, y los socialistas dieron a entender claramente que se proponían postergar todo lo posible la presentación del proyecto. La presión que los obligó a tomar medidas provino del sector menos esperado: los tribunales. Durante las primeras semanas del gobierno socialista, el Tribunal Provincial de Barcelona emitió una sucesión de fallos en los cuales los jueces, al mismo tiempo que de mala gana sentenciaban a los acusados que evidentemente aparecían comprometidos en abortos, criticaban al gobierno por su incapacidad para modificar la ley.

A fines de enero de 1983 el gobierno decidió impulsar los planes de legislación, y como modo de acallar la crítica de la derecha – en el sentido de que el proyecto llegaba demasiado lejos – y de la izquierda – en el sentido de que no iba bastante lejos –, anunció una serie de medidas destinadas a limitar la necesidad del aborto: la distribución de más información acerca de la planificación familiar a través del servicio oficial de salud, una campaña para erradicar las deformidades congénitas y un programa más amplio de ayuda a las madres solteras. Al parecer poco convencidos del nivel de decisión del gobierno, los tribunales barceloneses continuaron presionando, y en marzo un abogado, que actuaba no por la defensa, sino por la acusación, descubrió un modo todavía más eficaz para ridiculizar la ley. Según estaban entonces las cosas, la única circunstancia atenuante que podía tenerse en cuenta en los casos de aborto era la situación en que la acusada se había sometido a intervención "para ocultar su deshonra"*. Era una formulación tan arcaica que desde hacía mucho tiempo ya no se la usaba, pero cuando este abogado se vio en la situación de acusar a una mujer porque se había prestado a un aborto, arguyó –sin duda con la más absoluta hipocresía– que se trataba precisamente de ese caso. Sea como fuere, los jueces aceptaron el alegato y redujeron a un mes la sentencia. Era evidente que a menos que se hiciera algo, todos los jueces de inclinación progresista del país pronto comenzarían a dictar sentencias nominales en el caso de las acusadas de aborto, con el argumento de que solo habían deseado defender su honor; lo cual en definitiva acabaría convirtiendo a España en blanco del ridículo internacional. De hecho, el caso original pasó inadvertido fuera de España, pero hacia fines del mismo año el proyecto de los socialistas había sido aprobado por ambas cámaras de las Cortes. Cobró fuerza de ley en 1985, pero su aplicación se ha visto gravemente amenazada por la negativa de algunos médicos y enfermeras que por razones de conciencia rehúsen ejecutar la operación.

Hasta ahora nos hemos ocupado de la limitación de la sexualidad *per se*. Pero hay otro tipo de represión sexual, y es la que un sexo ejerce sobre el otro: una práctica que en la sociedad occidental invariablemente significa la opresión de la mujer por el hombre. En los países hispánicos esta forma específica de represión ha sido tradicionalmente más acentuada que en otros lugares, y no es coincidencia que la primera palabra acuñada para describirla haya sido española.

La palabra *machismo*, en realidad no se originó en España, sino en México. De todos modos, el fenómeno del machismo es un producto de la herencia española de México. España –lo mismo que otras sociedades europeas meridionales– se ajustó durante siglos a un código de valores morales cuyo núcleo era una concepción peculiar del honor. Se lo consideraba, no como en Europa

---

* La defensa del honor era también circunstancia atenuante en los casos que implicaban el asesinato de un hijo ilegítimo. Se aplicaba no solo al caso en que el niño había sido muerto por su madre sino también cuando el padre de esta cometía el acto (con o sin el consentimiento de la madre).

septentrional, una medida subjetiva de la propia dignidad, sino un bien objetivo, casi tangible, que podía perderse a causa de los actos que cometía uno mismo, y de los que cometían otros, sobre todo los parientes de uno.

Una esposa podía privar de su honor al marido poniéndole los cuernos, y una hija podía amenazar el honor de su padre al perder la virginidad antes del matrimonio. Si la joven estaba comprometida, había probabilidades de casarla antes de lo planeado, y en ese caso podía reducirse al mínimo la pérdida de honor; pero si había mantenido relaciones sexuales sin comprometerse siquiera, la sanción era terrible, porque el único modo de que la familia se salvase del deshonor era eliminando la causa, en este caso, a la propia joven. Expulsadas del hogar, las madres solteras generalmente no han podido encontrar una ocupación respetable en estas sociedades en las que, de todos modos, las mujeres siempre tropezaron con muchas dificultades para educarse, y aún más para encontrar empleo; en consecuencia, muchas se vieron empujadas a la prostitución. De este modo, la sociedad latina ha dividido a las mujeres en prostitutas y santas, no solo en teoría sino en la práctica. En cambio, para el padre del niño, el hecho de mantener relaciones sexuales antes del matrimonio –no importaba cuáles fuesen las circunstancias– era tanto una distinción como una vergüenza.

Esta situación era tremendamente injusta en más de un sentido, pues los hombres tenían menos excusas para incurrir en devaneos preconyugales. A diferencia de las mujeres, siempre podían recurrir a las prostitutas. Pero por otra parte, los jóvenes frustrados podían utilizar los servicios de una prostituta porque eran baratas, y la razón por la cual se las conseguía baratas era su número; y se llegaba a ese número porque el caudal de prostitutas se incrementaba constantemente por los grupos de madres solteras que a su vez no habían podido resistir las presiones impuestas por el tabú de la relación preconyugal. Por consiguiente, el modo latino de relación sexual siempre implicaba una suerte de inicua lógica interna.

En España la discriminación inherente a dicho sistema adquirió un filo especialmente agudo a causa de las peculiaridades de su historia: el contacto permanente con el Islam, una religión que siempre estimó poco a las mujeres, y los siete siglos de reconquista y asentamiento que fueron necesarios para eliminar de la península a los moros, y que inculcaron en los cristianos un sentimiento especial de respeto por las virtudes masculinas.

La división de las mujeres en los estereotipos de la prostituta y la madre y la exaltación de los atributos masculinos son aspectos firmemente arraigados en el idioma castellano, y especialmente en su germanía. Por ejemplo, cojonudo significa "grandioso". El uso de frases que implican a las mujeres es aún más significativo. *Hijo de puta* es un insulto grave, pero *de puta madre* significa "grande", "soberbio", "fantástico". La afirmación implícita del *hijo de puta* en el sentido de que la madre del aludido puede ser una prostituta quizás sea intolerable, pero el concepto abstracto de una mujer que combina simultáneamente las cualidades eróticas y maternales de todos modos es sumamente atractiva.

Todo este complejo de valores sociales y morales se mantuvo y afirmó durante la dictadura de Franco. Para promover el crecimiento de una población que se había visto gravemente raleada durante la guerra civil, Franco aplicó un sistema de incentivos a las familias de elevado número de miembros, pero se otorgaron premios a los padres, no a las madres. Aunque se declararon fuera de la ley, el divorcio y los anticonceptivos pocos meses después de finalizada la guerra civil, ninguna ley prohibió los burdeles hasta 1956, e incluso entonces la que se dictó nunca fue aplicada. En el momento mismo en que los censores de Franco estaban muy ocupados cubriendo el torso de los boxeadores y recortando el busto de las actrices, no tenían inconveniente en conceder su *imprimatur* a una novela, *Lola*, cuya heroína era una prostituta espía. Casi dos terceras partes de los hombres entrevistados durante la primera investigación global de las actitudes y las costumbres sexuales españolas, realizada a mediados de los años sesenta, habían tenido su primera experiencia con una profesional, y durante el último año de la dictadura se calculó que 500.000 mujeres practicaban la prostitución. Es decir, una de cada 27 miembros de la población femenina adulta.

¿Cuál ha sido luego el destino de las mujeres bajo la monarquía? En un aspecto importante la situación empeoró. La violación, casi desconocida en España antes de mediados de los años setenta, parece haberse difundido mucho más. En 1976 hubo solo 287 violaciones informadas en todo el territorio español. Hacia 1983 la cifra se había elevado a 1.071. Como en el caso de otros delitos, el total todavía es bastante reducido si se lo juzga de acuerdo con los niveles de otros países occidentales, pero el ritmo de incremento de todos modos es inquietante, incluso si en parte es el resultado de una mayor inclinación de las víctimas a denunciar el caso a la policía.

Sin embargo, el aumento de las violaciones constituye una notable excepción a las reglas generales. En casi todos los restantes frentes, el machismo se encuentra en plena retirada. Los sucesivos

231

gobiernos sin duda han contribuido a modificar la atmósfera. Poco después de las primeras elecciones generales, el Ministerio de Cultura produjo una serie de anuncios televisados cuyo propósito era atraer la atención sobre la desigualdad sexual en la sociedad española. El más memorable de estos anuncios mostraba a un joven ejecutivo caminando por una calle en dirección a un grupo de mujeres de su misma edad. Cuando el joven se acercaba, las mujeres lo examinaban detenidamente y de pronto comenzaban a emitir silbidos y exclamaciones, mezclados con comentarios sugestivos. El efecto era cómico, aunque no por eso menos efectivo.

Las encuestas de opinión sugieren que, en todo caso, los jóvenes españoles de ambos sexos aceptan menos que sus análogos del resto de Europa las diferencias entre los sexos. Durante el invierno de 1976-7 se realizó una amplia encuesta por pedido de una agencia multinacional de publicidad entre los jóvenes residentes urbanos de nueve países europeos. A la pregunta de si aceptaban que "el lugar de la mujer está en el hogar", solo el 22 por ciento de los jóvenes españoles contestó "sí", comparado con el 26 por ciento de Gran Bretaña, el 30 por ciento en Italia y el 37 por ciento en Francia. Los únicos países que aportaron una cifra inferior a la española fueron los escandinavos.

Pero aunque el número de mujeres que salen a trabajar ha aumentado sustancialmente durante los últimos años, las mujeres todavía representan una proporción marginalmente más reducida de la fuerza de trabajo que la que se observa en los restantes países de Europa occidental. Esto es así porque su número disminuye acentuadamente cuando alcanzan la mitad de la veintena: el hábito de permanecer en la casa después del matrimonio aún tiene raíces muy profundas. Es probable que la situación persista mientras las mujeres continúen estando en desventaja en el campo laboral. Todavía no existe una ley que impida que los empleadores paguen a las mujeres menos que a los hombres por la realización del mismo trabajo, y hay diferencias apreciables en la mayoría de los sectores de la economía, aunque en general son mucho mayores en las fábricas que en las oficinas.

De todos modos, durante los años que siguieron a la muerte de Franco, se han obtenido importantes victorias morales. Durante el período de gobierno de la UCD una mujer fue designada miembro de un gabinete por primera vez en la historia reciente de España, y las mujeres también han accedido a bastiones de machismo absoluto como la Academia de la Lengua Española, la Guardia Civil y la Policía Nacional. La primera vez que las mujeres pudieron solicitar el ingreso en el Cuerpo Superior de Policía, una de ellas, Sagrario Martínez Sanmillán, ocupó el primer lugar de la lista, a la cabeza de 3.500 aspirantes. Ahora hay varias mujeres que ejercen la profesión de jockey, entre ellas una profesional; dos clubes de fútbol de la liga tienen presidentas; y uno de los equipos masculinos de baloncesto de primera división cuenta con una entrenadora. Incluso hay una mujer directora de una cárcel de hombres.

Pero quizá los principales progresos son los que se realizaron en el campo del derecho civil y de familia, donde en menos de una década la condición de las mujeres ha logrado un progreso rápido e importantísimo.

16

LAZOS DE FAMILIA

Se ha dicho que hacia el fin del gobierno de Franco el único país europeo en el que existía un grado comparable de discriminación institucionalizada en perjuicio de las mujeres casadas era Turquía, y que en varios aspectos la condición de las esposas en Turquía, en realidad, era mejor. Los supuestos que estaban en la base del Código Civil español se resumían en el artículo 57: "El marido debe proteger a la mujer y esta obedecer al marido." En la base de la relación legal entre ambos estaba el concepto de *permiso marital.* Sin la autorización del marido, la mujer no podía realizar ningún género de actividad fuera de la casa. No podía aceptar un empleo, abrir un comercio o poseer una cuenta bancaria. No podía iniciar procedimientos legales, concertar contratos o comprar y vender artículos. Ni siquiera podía emprender un viaje más o menos largo sin la aprobación del marido.

De acuerdo con el sistema español la propiedad de una pareja casada se divide en tres categorías. La que el marido aportó al matrimonio, la que la esposa llevó a la sociedad conyugal y la que ambos adquirieron después (los denominados bienes gananciales). Pero mientras el marido no necesitaba la autorización de su esposa antes de vender, prestar o hipotecar la propiedad que había aportado al matrimonio, ella necesitaba la de su esposo. No solo eso, sino que la esposa no ejercía ningún género de control sobre los bienes gananciales, incluso si había sido en parte o en todo responsable de la obtención de los mismos. Como si eso no fuese sufi-

234

ciente, la esposa no ejercía un verdadero control tampoco sobre los hijos, porque –a diferencia del marido– no gozaba de la patria potestad.

Abandonar el hogar de la familia siquiera fuese unos pocos días representaba el delito de abandono, y eso implicaba –entre otras cosas– que las esposas castigadas físicamente no podían refugiarse en el hogar de amigos o parientes sin situarse en posición desventajosa frente a la ley. Y aunque el adulterio de los dos sexos era un delito que podía ser castigado con seis meses a seis años de cárcel, había diferentes criterios para los hombres y las mujeres. El adulterio de una mujer era delito en todas las circunstancias, pero el adulterio del hombre era delito solo si lo cometía en el hogar de la familia, si convivía con su amante o si su conducta adúltera se convertía en asunto de conocimiento público.

La primera reforma importante de este sistema fue aprobada poco después de la muerte de Franco. En 1975 España abolió el permiso marital (56 años después de Italia y 37 después de Francia). Las leyes contra el adulterio fueron revocadas en 1978, y los artículos del código penal que ponían a las mujeres en situación tan desventajosa con respecto a sus propios hijos y a las finanzas de la familia fueron reemplazados en 1981. Durante el mismo año se produjo lo que, para muchos españoles, fue el cambio más importante promovido por el advenimiento de la democracia: el restablecimiento del divorcio.

Bajo la dictadura había dos clases de matrimonio: el civil y el canónico. Pero si solo uno de los cónyuges era católico*, era necesario celebrar un matrimonio canónico. Una de las injusticias más graves de este sistema era que los protestantes y los no cristianos que deseaban casarse con un español no tenían más alternativa que someterse a una ceremonia católica, a menudo contra los dictados de su conciencia.

Como no había divorcio –la ley republicana de divorcio aprobada en 1932 había sido revocada por los nacionalistas seis años después, cuando aún se libraba la guerra civil –el único modo de disolver un matrimonio contraído en España era solicitar la anulación. Las circunstancias en que puede anularse un matrimonio de acuerdo con las leyes de la Iglesia Católica Romana son, a primera vista, sumamente restrictivas. Es necesario que no se haya consumado el matrimonio y que tenga carácter no sacramental, y las

---

* La ley definía como católicos a todos los que habían sido bautizados en una iglesia católica. Desde 1969 los católicos bautizados pudieron renunciar a su fe mediante una notificación a las autoridades civiles y eclesiásticas.

bases de una anulación son aplicables únicamente en ciertos casos, por ejemplo, si uno de los cónyuges es físicamente incapaz de mantener relaciones sexuales, o era menor de edad en el momento del matrimonio, o no hubiera consentido realmente.

Sin embargo, estas limitaciones no impidieron que varios miles de españoles consiguieran la anulación durante los años que precedieron a la introducción del divorcio. Para el público en general no pasó inadvertido que las personas que conseguían la anulación de su matrimonio invariablemente eran ricas, famosas o influyentes. Las sospechas se encontraron cuando algunos de los que habían obtenido la anulación con el argumento de la impotencia, ¡volvieron a casarse y tuvieron hijos! Quizás el caso más extraordinario fue el de la cantante Sara Montiel que consiguió anular, no uno sino dos matrimonios, y se convirtió en una de las muy pocas mujeres españolas que se casó tres veces.

A partir de 1975 fue más fácil conseguir la anulación, con la condición de que se tuviese mucho dinero. Esto fue así a causa de la decisión del papa Pablo VI de conceder a ciertas diócesis, algunos de cuyos tribunales eclesiásticos tenían normas un tanto más tolerantes que las españolas, el poder de anular los matrimonios de los expatriados. Una serie de abogados eclesiásticos españoles abrieron oficinas en los barrios portorriqueños de Nueva York, simplemente con el fin de acreditar la residencia en esa ciudad de las parejas españolas que deseaban disolver su matrimonio. En Haití, Zaire, la República Africana Central, Gabón y Camerún había diócesis cuyas autoridades no examinaban con excesiva atención los argumentos en favor de la anulación. Sin enbargo, es evidente que en la organización también había funcionarios empleados por los tribunales eclesiásticos españoles, pues las anulaciones concedidas en el exterior requerían la ratificación en España.

Varios centenares de anulaciones provinieron de tribunales de las diócesis de Sakania y Lubumbashi, en Zaire, aunque ninguno de ellos —como lo confirmó posteriormente el Vaticano— contaba con un tribunal autorizado para otorgar anulaciones. El escándalo culminó gracias a los esfuerzos de un abogado eclesiástico llamado Ignacio Careaga, cuya tenacidad determinó que fuese excluido de la profesión por el asesor legal del arzobispo de Madrid. Solo gracias a los buenos oficios de un cardenal conservador, abrumado por lo que estaba sucediendo, Careaga pudo presentar sus pruebas ante la Signatura Apostólica, el Tribunal Supremo de Apelaciones de la Iglesia Católica en las cuestiones relacionadas con el derecho matrimonial. Poco antes del comienzo de la Conferencia Episcopal española de 1979, llegó un mensaje del Vaticano que pedía a los obispos que confirmasen o negasen la existencia de corrupción en el sistema judicial eclesiástico español. Después de un debate, que según se afirma fue tumultuoso, formularon este extraordinario pronunciamiento: "Sin que de ninguna manera admitamos como absolutamente verdaderas y objetivas muchas de las acusaciones que se lanzan contra la actuación de algunos tribunales, no desconocemos que en algunos casos los procedimientos en sí mismos o determinadas circunstancias de tiempo y lugar han producido graves deterioros en el testimonio de justicia que la Iglesia debe dar ante el mundo." Más tarde el Vaticano declaró sin valor las anulaciones de Zaire, y una serie de españoles acomodados que habían pagado de 800.000 a 2.000.000 de pesetas para conseguirlos y casarse nuevamente, de la noche a la mañana se vieron en la condición de bígamos.

En el caso de los españoles cuyo matrimonio había fracasado y que carecían de los argumentos o los recursos necesarios para pedir la anulación, el único camino era la separación legal. Pero el proceso que era necesario seguir para obtenerla equivalía a una pesadilla. En primer lugar, no había ninguna garantía de que los tribunales en definitiva otorgarían la separación. Las partes y sus abogados tenía que demostrar, y no limitarse a afirmar, que el matrimonio había fracasado, y el propósito del juez y los funcionarios del tribunal (especialmente el llamado *defensor del vínculo*), era obtener la reconciliación. En segundo lugar, era necesario determinar la culpabilidad antes de resolver un caso. Había que llevar a los testigos y recibir las declaraciones. Con bastante frecuencia era necesario contratar detectives privados, y en ocasiones incluso participaba la policía, y esta irrumpía en las habitaciones de las parejas sorprendidas *in flagrante delicto*. El problema de la culpa no era sencillamente una cuestión de orgullo personal. La parte considerada culpable no solo perdía la custodia de los hijos sino el derecho a alimentos.

En circunstancias normales, se necesitaban de dos a tres años para conseguir la separación, pero el asunto podía insumir hasta ocho años. Por consiguiente, los gastos eran considerables. A mediados de los años setenta costaba alrededor de 300.000 pesetas. En teoría era posible que las parejas de escasos recursos solicitaran una separación e imputaran los costos a las autoridades; pero esta clase de casos no interesaban a los abogados, y en la práctica se los postergaba indefinidamente.

Cuando terminó la dictadura, había alrededor de medio millón de personas cuyos matrimonios habían fracasado, y que estaban legalmente separadas; pero era muchísimo más elevado el número de las que vivían y sufrían en la convivencia con cónyuges de quienes no podían separarse. Por consiguiente, no puede extrañar que alrededor del 71 por ciento de los españoles, de acuerdo con una encuesta oficial realizada en 1975, estuviese en favor del divorcio.

Los que se oponían arguyeron que la consecuencia sería dejar en la soledad y la pobreza a millares de mujeres de edad madura, mientras los maridos se alejaban en busca de esposas más jóvenes. Pero un oportuno estudio de la aplicación de la ley de 1932 —*el divorcio en la Segunda República*, de Ricardo Lezcano— demostró que más de la mitad de las solicitudes durante los primeros veintidós meses de aplicación de la ley fue presentada por mujeres. Por lo menos en dieciséis provincias —de las cuales es interesante, la gran mayoría estaba formada por distritos rurales— *todas* las peticiones provinieron de mujeres.

Cuando comenzó a redactarse el proyecto de ley de divorcio (es decir, en 1977), no se trataba de determinar si España tendría una ley de divorcio, sino de qué clase sería la misma. En contraste con lo que había sucedido en Italia, parecía que la Iglesia española se había reconciliado con la idea. El gabinete aprobó sin incidentes un proyecto en enero de 1980, y el mismo fue presentado al Parlamento más avanzado el mismo año.

Pero el proyecto Cavero, así llamado por Iñigo Cavero, ministro demócrata cristiano de Justicia, fue bastante menos progresista que el estado de ánimo de la nación. Si se lo hubiese aprobado, los pedidos de divorcio habrían tenido que ser encauzados a través del antiguo procedimiento judicial de separación, con su insistencia en un veredicto. No se contemplaba el divorcio por mutuo consentimiento y se otorgaba al juez el derecho de negar el divorcio si le parecía que el mismo perjudicaba los intereses de una de las partes o los de los hijos. El proyecto Cavero también padecía de una serie de graves defectos técnicos. Por ejemplo, la esposa a quien se otorgaba alimentos podía exigirlos a los herederos de su ex marido: una monstruosa injusticia cuyo único propósito, según parece, era aliviar la cuenta oficial de pensiones a las viudas.

Durante el verano de 1980 Suárez reorganizó su gabinete y asignó el cargo de ministro de Justicia a Francisco Fernández-Ordóñez, el social demócrata que ya había dado a España las bases de un moderno sistema impositivo. Una de sus primeras iniciativas fue retirar el proyecto Cavero del Parlamento, con el propósito de redactar un texto completamente nuevo. Este nuevo proyecto, inevitablemente denominado proyecto Ordóñez, redujo a un período de uno a dos años el tiempo en que podía obtenerse el divorcio. No se contemplaba la determinación de culpabilidad y de hecho, ya que no de palabra, se incluía el divorcio por mutuo consentimiento. Los demócratas cristianos de la UCD no se sintieron muy felices con esta propuesta. Landelino Lavilla, presidente del Congreso, y uno de los líderes del ala demócrata del partido consiguió postergar la discusión del proyecto en el Parlamento hasta después de la asamblea nacional de la UCD, que debía celebrarse en enero del año siguiente, con la esperanza de que en esa época los demócratas cristianos hubiesen recuperado su predominio en el seno del partido. Durante la preparación de la asamblea su actitud se endureció todavía más, y en España se pensó –y en general se piensa– que la intensificación de la campaña de los demócratas cristianos contra el proyecto reflejó la hostilidad que este suscitaba en el nuevo pontífice, el papa Juan Pablo II.

La tan esperada asamblea de la UCD tuvo que subordinarse a la decisión de renunciar de Suárez, decisión que en parte fue resultado de las presiones a las que se vio sometido por el constante forcejeo entre los demócratas cristianos y los socialdemócratas de la nación a causa del divorcio. La elección de Leopoldo Calvo Sotelo como sucesor de Suárez y la impresión suscitada por el golpe abortado contribuyeron a desplazar hacia la derecha a la UCD, pero no tanto como para que Fernández-Ordóñez tuviese que renunciar al Ministerio de Justicia.

El proyecto sobrevivió más o menos intacto al primer debate del Congreso, pero después el liderazgo de la UCD aceptó, presionado por los demócratas cristianos, que se modificase el proyecto del Senado, con el fin de restablecer el poder del juez de negar el divorcio en ciertas circunstancias. Sin embargo, en el definitivo, histórico y tumultuoso debate del Congreso, el 22 de julio de 1981, se eliminó la enmienda con la ayuda de los votos, por lo menos, de 30 diputados de la UCD, que se alzaron contra la línea del partido. La sesión terminó en desorden, y un diputado centrista declaró proféticamente: "Podremos ser una coalición, pero jamás un partido. Los modelos de sociedad que tienen los demócratas cristianos y los socialdemócratas son demasiado diferentes." Fue el comienzo del fin de la UCD. Menos de dieciocho meses después su fundador la abandonó, y el electorado comenzó a escatimarle su apoyo. El divorcio fue el problema que, más que cualquier otro, selló su destino.

Así, pues, cuando se aquietaron los ánimos, ¿qué clase de ley de divorcio tenía España? Corresponde contestar que una ley bastante progresista. En España es posible conseguir el divorcio aplicando uno de dos métodos: directo o indirecto. En el primer caso, se debe demostrar que se ha vivido separado por lo menos dos años si la separación corresponde al mutuo consentimiento, o por lo menos cinco años en caso contrario. En el segundo caso, se debe comenzar por obtener la separación legal. A esto puede llegarse también ahora de dos formas: esgrimiendo uno de los argumentos que la justifican y que aparecen mencionados en la ley, por ejemplo, el adulterio, la crueldad o el abandono, o −si el matrimonio ha durado un año− simplemente realizando una presentación conjunta ante el tribunal. Un año después del otorgamiento de la separación legal −no importa de qué modo se la obtenga− cualquiera de los cónyuges puede pedir el divorcio. En otras palabras, sea cual fuere el camino elegido, es posible obtener el divorcio dos años después de la ruptura de un matrimonio. Quizá un período más largo que en algunos países de Europa septentrional, pero considerablemente menor que en Italia, donde las parejas deben obtener primero la separación legal y después esperar cinco años más. Y gracias a esa votación definitiva e importantísima en el Parlamento, los jueces españoles no tienen derecho, a diferencia de lo que sucede en Francia, de negar el otorgamiento del divorcio, mientras la petición satisfaga algunas de las condiciones establecidas por la ley.

La nueva ley de divorcio en España cobró vigencia el 7 de julio de 1981 y, como era presumible que sucediera, muchas de las solicitudes iniciales provinieron de parejas que ya habían completado los procedimientos de separación antes de la legalización del divorcio. La gran mayoría de estos peticionantes se había casado por la Iglesia y, por lo tanto los documentos que debían mostrar al separarse se encontraban en poder de los tribunales eclesiásticos. Es completamente típico de la actitud de la Iglesia española después de la partida del cardenal Tarancón que, más de un año después de la vigencia de la nueva ley, los pedidos de información formulados por los tribunales civiles a los tribunales eclesiásticos continuaban siendo declinados con el argumento de que "...la Conferencia Episcopal aún está considerando el asunto".

TERCERA PARTE

¿UNA NACION DIVIDIDA?

17

FUERZAS CENTRIFUGAS

Quizá quien haya visitado España ha advertido que los automóviles que poseen matrícula internacional con la letra E a menudo tienen otra placa o un adhesivo, por ejemplo, con la letra G sobre fondo blanco atravesada por una banda azul, o una C sobre fondo de rayas rojas y amarillas. Representan algunas de las regiones tradicionales de España. La G alude a Galicia, y la C a Cataluña, y hay otras que ostentan la primera letra y los colores de las diferentes regiones. No las reconoce nadie y menos aún las autoridades españolas. Pero eso no ha impedido que se vendan como pan caliente desde el retorno de la democracia.

Nada podría ilustrar mejor la división de los sentimientos de fidelidad que se manifiestan en tantos españoles. Yo diría que más que cualquier otro pueblo europeo, los españoles tienden a profesar lealtad a su región en el mismo nivel que a su país o incluso por delante del mismo. Los sentimientos regionales debilitaron los intentos de crear un fuerte Estado unitario en España durante los siglos XVI y XIX. Y el separatismo en la forma de la ETA y sus partidarios, es ahora la principal amenaza a la supervivencia de la democracia.

Hasta cierto punto, la intensidad del sentimiento regional en España es sencillamente una manifestación de la tendencia mediterránea a la subjetividad. Mucho más que los europeos septentrionales, los meridionales tienden a favorecer a quienes sienten más cerca, física o socialmente, y sean cuales fueren sus méritos. Por eso el contacto personal tiene importancia tan fundamental en los asuntos de negocios, y la corrupción bajo la forma de favoritismo hacia los amigos y los parientes está tan difundida. Creo que lo mismo se aplica a los lugares. Por tradición, el principal afecto de los españoles siempre está reservado para su pueblo o su distrito, lo que los propios españoles, en una frase muy expresiva, a menudo denominan la *patria chica*. Después viene la provincia, más tarde la región y en último término, la nación. Con excepción de los oficiales superiores de las Fuerzas Armadas y de las personas de posición acentuadamente derechista, la nación es la entidad por la cual los españoles en general sienten menos afecto. Escribió Fernando Díaz Plaja en *El español y los siete pecados capitales*: "El español siente en general, una instintiva animosidad a formar parte de asociaciones... Por ello, la organización a la que no hay más remedio que pertenecer, la del Estado, es mirada con suspicacia. El Estado es un ente aborrecible que no se considera como vínculo necesario entre el individuo y la sociedad sino como un conglomerado de intervenciones que tratan de reglamentar la vida de Juan Español, con el único propósito de perjudicarle. Incluso así, la intensidad del regionalismo nacional en España no puede explicarse total o siquiera principalmente como una reacción ante el poder del Estado. Una serie de otros factores –geográficos, históricos y culturales– se han combinado para separar unos de otros a los españoles y para originar en muchos de ellos la convicción de que la región ocupa el primer lugar y la nación el segundo, y en los casos extremos, absolutamente ningún lugar.

De acuerdo, al menos con las normas europeas, España es un país extenso. Si excluimos a Rusia, el único país europeo más grande que España es Francia. Tiene casi la mitad de la extensión que tendría Alemania reunificada, y con sus poco más de 500.000 kilómetros cuadrados posee casi el doble de extensión que Italia y cuatro veces la superficie de Inglaterra. Sin embargo, en el curso de la historia su población ha sido modesta. Como resultado era –y es– un país de comunidades muy dispersas. Desde los tiempos más remotos el aislamiento de una comunidad respecto de las restantes se ha acentuado a causa de la escasez de ríos navegables, y como consecuencia de la pobreza –que fue el destino de España– las comunicaciones por carretera y ferrocarril se desarrollaron con suma lentitud. Por ejemplo, solo en 1974, cuando se estableció el puente aéreo entre Madrid y Barcelona fue posible viajar con cierta comodidad entre las dos principales ciudades del país. Hasta fines de los años setenta, cuando se construyó un tramo considerable de autopista, el viaje insumía alrededor de nueve horas de conducción ininterrumpida.

La meseta, que quizá habría podido acercar a las diferentes regiones del país, ha tenido el efecto inverso. Además de ser un obstáculo formidable a las comunicaciones entre los pueblos de la periferia, a su vez está surcada por una sucesión de cadenas montañosas: "las murallas este-oeste", como las denominó Laurie Lee "que atraviesan España y dividen al pueblo en diferentes razas".

Es posible que la geografía española no haya favorecido precisamente la unidad, pero no determinó que esta fuese imposible. Francia ofrece un paisaje casi tan variado y marginalmente más extenso y, sin embargo, los franceses son un pueblo notablemente homogéneo. Lo que aseguró que España continuase tan dividida fue el curso de su historia.

Como gran parte del territorio que bordea el Mediterráneo, la Península Ibérica fue visitada por los fenicios, colonizada por los griegos y finalmente conquistada y ocupada por los romanos. Cuando decayó el poder de Roma, la península –en común con la mayor parte de Europa– fue invadida por tribus bárbaras del norte y el este del continente. A principios del siglo V, tres pueblos germánicos –los alanos, los vándalos y los suevos– cruzaron los Pirineos. Los alanos prácticamente fueron aniquilados cuando los visigodos, un pueblo cristiano semialiado de Roma, que había formado su propio reino con la capital en Tolosa, invadieron la península en un breve intento de reincorporarla al Imperio. Los vándalos se trasladaron a Africa del norte, y dejaron atrás solo el nombre del territorio que habían ocupado durante menos de veinte años: Vandalucía, más tarde transformada en Andalucía. Así, quedaron únicamente los suevos y, hacia mediados del siglo V, estaban a un paso de dominar la península entera, cuando esta fue invadida nuevamente por los visigodos. En esta ocasión, los visigodos llegaron para quedarse. Poco después de su invasión a la península perdieron la mayor parte del territorio que controlaban del lado opuesto de los Pirineos, y en adelante el reino de este pueblo tuvo una localización principalmente ibérica.

La tarea de reunir a la península entera bajo el dominio visigodo llevó más de un siglo. Los sucesivos monarcas debieron combatir no solo con los suevos, que se habían retirado hacia el noroeste, sino también con un ejército de bizantinos quienes –a cambio de la ayuda prestada a un pretendiente visigodo al trono– se apoderaron de una considerable porción del territorio en el sureste. Los suevos finalmente fueron derrotados en 585, y la última parte de la colonia bizantina fue anexionada en 624. Los monarcas visigodos continuaron viéndose jaqueados por los alzamientos de la población nativa y, sobre todo, de los vascos. Pero lo

245

mismo les sucedió a los romanos. En todo caso, Iberia visigoda estaba hasta cierto punto más unificada que los restantes reinos que estaban surgiendo en Europa después de la caída del Imperio Romano. Tanto los visigodos como la mayoría de sus súbditos practicaban el cristianismo y hablaban un derivado del latín. Más aún, hacia mediados del siglo VII la monarquía visigoda impuso a todo el país un código de leyes de aplicación universal.

Sin duda, el dominio visigodo no habría durado eternamente, pero no hay razón por la cual no hubiera podido sobrevivir unos pocos siglos más, salvo un rayo caído del cielo sereno, como el que le dio fin, y después que cayó, es muy posible que la península se hubiese mantenido hasta hoy como una sola unidad política, lo cual ha sido precisamente el caso de Francia. En todo caso, los visigodos habrían podido legar a sus sucesores un país que estaba desarrollando un lenguaje común y un modo de vida semejante, de manera que, si como Alemania e Italia, Iberia se hubiese desintegrado para formar una plétora de minúsculos estados, podría haber sobrevivido un vigoroso sentido de la identidad nacional.

Pero Iberia no habría de seguir el mismo camino que las restantes entidades geopolíticas europeas. Su destino se estaba decidiendo a unos 5000 kilómetros de distancia, a orillas del Mar Rojo, donde un hombre que creía ser el mensajero de Dios predicaba la doctrina de la Guerra Santa. Después de la muerte de Mahoma, sus partidarios salieron de Arabia (632), y hacia fines del siglo VII sus descendientes habían conquistado la totalidad de Africa del Norte. La primera incursión musulmana en Iberia fue realizada en el año 710, cuando una pequeña fuerza de reconocimiento desembarcó en el extremo meridional de la península. Al año siguiente un ex esclavo, un bereber llamado Tariq ibn-Ziyad, desembarcó con un ejército de 7000 hombres cerca del enorme peñón que domina la entrada del Mediterráneo (los musulmanes lo llamaban Jabal Tariq, o Monte Tariq, y con el tiempo las torpes lenguas cristianas modificaron el nombre árabe y lo convirtieron en Gibraltar). La pequeña fuerza de Tariq necesitó no más de dos años para someter todo lo que es ahora Portugal. Pero después de cruzar los Pirineos y penetrar en el corazón mismo de Francia, donde fueron derrotados por los francos, los musulmanes se retiraron hacia las tres cuartas partes meridionales de la península. La mayoría de los habitantes nativos cayó bajo el dominio de los musulmanes, pero algunos huyeron a través de los Pirineos o se refugiaron en la cadena de colinas y montañas que se extiende a lo largo del extremo superior de la península, entre Galicia y Cataluña.

La invasión musulmana quebró la unidad provisoria que

había sido alcanzada por los visigodos. Cuando los cristianos comenzaron a contraatacar, no lo hicieron al unísono, sino organizados en minúsculos estados que pronto adquirieron tradiciones diferenciadas. El primero estuvo formado por los nobles visigodos que se habían retirado a las montañas de Asturias. Apoyados intermitentemente por algunos vascos, los reyes de Asturias extendieron su dominio hacia el oeste, en dirección a Galicia, y hacia el sur, hasta que durante el siglo X pudieron asentar su capital en la meseta de León. El reino asturiano-leonés originó dos condados: Castilla y Portugal los cuales después se convirtieron en reinos. Otro estado en miniatura fue el que crearon los Vascos en Navarra. Más hacia el este –pero todavía al pie de los Pirineos– fueron fundados varios pequeños condados, entre los cuales Aragón –pronto enorgullecido de su propia monarquía– llegó a ser el más poderoso. Finalmente, sobre la costa del Mediterráneo, un ejército compuesto sobre todo por los descendientes de los hombres y las mujeres que habían huido a través de los Pirineos, volvió a luchar en Cataluña donde se comenzó a formar otra red de condados.

La llegada de los musulmanes también destruyó todas las esperanzas de contar con un solo idioma. Separados unos de otros en el norte montañoso, y mantenidos en un contacto mucho más estrecho con las lenguas de los pueblos prerromanos que ahí vivían, de lo que habría sido el caso, en otras condiciones, los descendientes de los refugiados de habla latina que habían huido frente al ejército conquistador de Tariq. Originaron no menos de cinco idiomas nuevos: el gallego, el bable (lengua de Asturias), el castellano, el aragonés y el catalán. En el sur los cristianos que vivían bajo el dominio musulmán crearon otra lengua, el mozárabe. Con la excepción del mozárabe, todos estos idiomas han sobrevivido hasta el momento actual, aunque el bable y el aragonés son hablados actualmente solo por un minúsculo número de personas en las áreas rurales remotas. Todas estas lenguas unidas al vasco y a reliquias lingüísticas tan extrañas como el aranés (una variedad del provenzal gascón hablado en el valle de Aran, al norte de Cataluña), constituyen una fecunda herencia y una fuente de roces persistentes. En la actualidad, nueve de los 35 millones de habitantes de España hablan una lengua vernácula además del idioma oficial del Estado o en lugar del mismo.

Es visible que, salvo uno, la totalidad de los estados cristianos primitivos nació en las montañas; y las regiones montañosas –Suiza es un ejemplo destacado– tienden a favorecer en una etapa temprana de su historia el desarrollo de los sistemas representativos de gobierno. Los habitantes autóctonos de las montañas del norte y el noroeste de Iberia no fueron la excepción. Cuando se desplazaron hacia el sur aliados con descendientes de los refugiados que huían de la invasión musulmana, llevaron consigo sus instituciones y costumbres, aunque estas adoptaron formas cada vez más diluidas. En el noreste, el sistema político y social se aproximó mucho más al modelo feudal que estaba desarrollándose en otros lugares de Europa. Pero incluso ciertos sectores de la sociedad catalana pudieron arrancar a sus gobernantes libertades políticas a cambio de contribuciones financieras o militares. Por consiguiente, durante la mayor parte de la Edad Media los habitantes de la Península Ibérica gozaron de más libertad individual y asumieron mayores responsabilidades individuales que sus contemporáneos de otras regiones europeas. En consecuencia, los españoles actuales tienden a considerar el período medieval, en que los estados regionales alcanzaron la culminación de su poder, no como una época de desunión, sino como un período de libertad e igualdad.

La Reconquista no fue un proceso continuo ni coordinado. Los pequeños estados cristianos dedicaron tanto tiempo a combatirse mutuamente como a luchar contra los musulmanes. Algunos monarcas destacados intentaron, y a veces lo consiguieron, unificar dos o más estados, apelando a los tratados o a la conquista, pero con frecuencia los intereses de su propia acción los persuadían de la conveniencia de volver a dividir sus territorios cuando hacían testamento. De hecho, el proceso en virtud del cual los diferentes reinos llegaron a formar un solo estado duró mucho más incluso que la Reconquista. En 1137 el condado de Barcelona – que por esa época había absorbido a la mayoría de los restantes miniestados catalanes – se unió por matrimonio al reino de Aragón. Unidos, los catalanes y los aragoneses conquistaron Valencia y las islas Baleares durante el siglo XIII. Castilla – que afrontaba el proceso de recuperar una importante extensión de Andalucía – y León – que por esa época incorporó Asturias, Galicia y Extremadura – finalmente se unificaron en 1230, después de haberse unido y dividido dos veces durante los cien años precedentes. La conquista y la colonización de Murcia, hacia fines del siglo XIII, fue una iniciativa conjunta de la corona de Castilla (el nombre asignado al estado que se formó a partir de la unificación de Castilla y León) y de la corona de Aragón (el nombre asignado al estado que se formó a través de la federación de Aragón y Cataluña). Entretanto, los navarros – cuyo soberano más destacado, Sancho III, se había acercado, más que cualquier otro de los gobernantes medievales españoles a la unificación de los dominios cristianos – durante varios siglos habían estado mirando hacia el norte. En el momento de máxima expansión, Navarra se apoderó de una amplia extensión de lo que ahora es Francia, y sus gobernantes se unieron en matrimonio con varias familias francesas nobles y reales, al extremo de que estuvieron a un paso de incorporarse a Francia.

En cambio, los miembros de las familias reales de los tres reinos restantes –Portugal, Castilla y Aragón– se habían unido entre ellos tantas veces por el matrimonio que llegó a ser inevitable que más tarde o más temprano, dos de estos estados se unificaran por vía hereditaria. En realidad, eso sucedió más tarde que temprano, pues sólo en 1474, cuando el ineficaz Enrique IV de Castilla falleció sin dejar un hijo, se presentó la oportunidad. Las dos pretendientes a su trono eran Isabel, su media hermana, y Juana, la mujer que afirmaba ser su hija, pero que según sus enemigos era el fruto ilegítimo de un relación entre la esposa de Enrique y un cortesano. La esencia del asunto era que Juana estaba casada con Alfonso V de Portugal y, en cambio, Isabel era la esposa de Fernando, heredero del trono de Aragón. Aquella que conquistase el trono determinaría la formación de una alianza entre Castilla y Portugal o entre Castilla y Aragón. Fue necesaria una guerra para resolver la cuestión. Pero hacia 1479 –el año en que Fernando ascendió al trono de Aragón– las fuerzas de Isabel habían derrotado a las de Juana. Desde el punto de vista técnico, Castilla y Aragón continuaron formando diferentes reinos. Según el acuerdo concertado entre Fernando e Isabel, cada uno reinaría como monarca exclusivo en su propio país, y sería, a lo sumo, el príncipe consorte en el dominio del otro. Pero en la práctica Isabel se ocupó de los asuntos internos de ambos países, mientras su marido atendía las relaciones exteriores.

Una de las iniciativas conjuntas más famosas de Isabel y Fernando fue la campaña de diez años que culminó en 1492 con la rendición del reino de Granada, el último baluarte musulmán de la península. La caída de Granada señaló el fin de la Reconquista. Había durado casi 800 años e influyó profundamente sobre los rasgos distintivos tanto de los españoles como de los portugueses. Aunque –como lo ha destacado más de un historiador– el hecho de que Portugal fuese reconquistado totalmente más de 200 años antes que España determinara que el proceso gravitase mucho más sobre los españoles que sobre los portugueses. El legado de casi ocho siglos de conquista y colonización se manifiesta en muchos aspectos de la vida española, por ejemplo, la aceptación casi indiferente de la violencia y el derramamiento de sangre, y los dos aspectos más contradictorios del carácter español: su inmenso respeto por el liderazgo enérgico y su fe inconmovible en el juicio y la capacidad propios. A mi entender, también originó un rasgo característico de otras sociedades de la frontera, como las de América del Norte y Africa del Sur: el amor desmedido por la tierra que ha sido conquistada y colonizada.

La gradual ocupación de la península por los pueblos cristianos facilitó la correspondiente difusión de las lenguas romances que habían nacido en las regiones montañosas del norte. Algunas prosperaron más que otras. En el oeste, el gallego había originado el portugués. En el este el catalán se extendió a las islas Baleares y a una amplia región de Valencia. Pero el castellano prevaleció, sobre todos, hasta el extremo de que llegaría a conocérselo en la mayor parte del resto del mundo como el idioma "español". Los españoles que hablan una de las restantes lenguas tienden a creer que el castellano predominó gracias a la fuerza, por la conquista en la época medieval, y mediante la represión y la coerción más recientemente. Esto es verdad solo en parte. Una razón igualmente importante de su expansión ha sido la condición de medio de comunicación con eficacia y flexibilidad soberbias, de modo que, siempre que se relaciona con otro idioma, ha tendido a ser adoptado exclusivamente por sus méritos. En el centro del país penetró en el reino de León hacia el oeste y en el de Aragón hacia el este, desplazando al bable y al aragonés, respectivamente, mucho antes que Castilla adquiriese fuerza política en cualquiera de ambas regiones. Su excelencia lingüística también le permitió afirmarse en el País Vasco antes que nadie intentase obligar a los vascos a abandonar su lengua nativa. Sin duda, la fuerza de las armas le permitió difundirse en Andalucía. Pero es significativo que cuando el castellano chocó de frente con el catalán en Murcia, después de la campaña en la que intervinieron tanto los castellanos como los catalanes, fue el castellano –aunque salpicado aquí y allá con frases catalanas– el idioma que se convirtió en la lengua de la región.

Los episodios que siguieron a la muerte de Isabel en 1504 destacaron la debilidad de la alianza entre Castilla y Aragón. Por una parte, la soberana había agregado a su testamento un codicilo que prohibía a los aragoneses y a sus confederados, los catalanes y los valencianos, el comercio con el Nuevo Mundo descubierto por Colón el mismo año en que los españoles cristianos conquistaron Granada. El único hijo de Isabel y también el hijo póstumo de este habían fallecido antes que ella, de modo que la corona de Castilla pasó a la hija de Isabel, otra Juana que –en vista de su incapacidad mental para gobernar– debió contar con un regente. Como Fernando se había casado nuevamente y se había ido a vivir en Italia, la tarea recayó en el marido de Juana. La súbita muerte de este, en

1506, determinó que Fernando se comprometiese nuevamente, en la condición de regente, con los asuntos de Castilla. De esta forma, fue el responsable de la incorporación del tercero de los reinos peninsulares medievales, cuando en 1514 dirigió la anexión de la mayor parte de Navarra.

Fernando murió dos años después. Aunque fue Isabel la soberana que aspiró conscientemente a la unificación de la península, Fernando fue quien hizo más para realizarla. Por supuesto, legó su propio reino de Aragón a Carlos, hijo de Juana. En lugar de seguir los pasos de su padre y su abuelo y convertirse en regente de Castilla, Carlos insistió en ser rey.

Tradicionalmente se considera que su ascenso en 1516 señala la unificación de España. Pero esto es cierto en una visión retrospectiva. La meta siempre había sido –y continuó siendo– la reunificación de toda la Península Ibérica, y ese resultado se alcanzó solo en 1580, cuando Felipe II, hijo de Carlos, anexó a Portugal después que su rey murió en una absurda expedición a Africa del Norte, sin dejar heredero. Sucedió entonces que el proceso de unificación sufrió una derrota, como había sucedido antaño muchas veces. Esta vez no fue el resultado de un testamento sino de una guerra. En 1640 los catalanes y los portugueses que habían soportado de mala gana el centralismo insensible de Castilla, se rebelaron contra Madrid. Los catalanes fueron derrotados finalmente en 1659, pero los portugueses sobrevivieron como una nación autónoma gobernada por una nueva dinastía, hasta que en 1665 confirmaron su independencia derrotando a los españoles en la batalla de Montes Claros.

España y Portugal jamás volverían a reunificarse, aunque el sueño de la unidad mediante una confederación flexible de las regiones tradicionales persistiría hasta este siglo. Que los seis estados formados en el norte de la península llegasen a formar dos naciones –una de ellas constituida por cinco de esos estados, y la otra por el restante– fue consecuencia de la simple casualidad. Si una batalla aquí o allá hubiese arrojado un resultado distinto, si este o aquel hijo no hubiese fallecido en la infancia, si esta o aquella madre no hubiese perecido en el parto, la división podría haber sido por completo diferente. Contrariamente a lo que afirman los centralistas más fervientes de España, no hay absolutamente nada "sagrado" en la unidad de España, porque no había nada prestablecido acerca de la forma que en definitiva adoptaría.

Los monarcas Habsburgo y Borbón que gobernaron España desde principios del siglo XVI hasta fines del siglo XVIII sabían que sus dominios eran conglomerados circunstanciales de estados que antes habían sido independientes, y esto se reflejaba en el hecho de que, con excepción de Felipe II, solían autodenominarse "rey de las Españas". Pero eso no significaba que se sintiesen complacidos por la situación en que estaban. Esta consistía en que varias regiones gozaban de atribuciones políticas y privilegios económicos, que limitaban gravemente el poder del gobierno central y determinaban que la construcción de un Estado moderno fuese prácticamente imposible.

La elección de Madrid como capital fue una respuesta a este dilema. Hasta el reinado de Felipe II la corte española se había trasladado de un lugar a otro. Pero en 1561 el monarca decidió que la estructura oficial debía permanecer en un mismo sitio. En un esfuerzo por evitar el fortalecimiento del poder y la jerarquía de una sola región, concibió la idea de instalar su corte en el centro geográfico de la península. Madrid está casi totalmente desprovista de ventajas naturales. No tiene puerto. No se levanta a orillas de un lago o en la confluencia de dos ríos. La razón por la cual los seres humanos se asentaron allí es su altura, que permite dominar el panorama de la llanura circundante. Durante la Edad Media la importancia militar de esa altura determinó que Madrid fuese una meta valiosa tanto para los moros como para los cristianos. Pero una vez concluida la Reconquista, Madrid seguramente se habría convertido en un lugar insignificante, de no haber sido por la iniciativa de Felipe. Como Bonn y Brasilia, Madrid es una ciudad "artificial" más que "orgánica", y por eso mismo nunca ha ocupado un lugar importante en el afecto de la nación.

El cambio de dinastía de los Habsburgo a los Borbón se caracterizó por una guerra prolongada y sangrienta –la llamada Guerra de Sucesión de España–, que se prolongó de 1702 a 1713, y durante la cual las regiones tradicionales de España de nuevo se dividieron en campos contrapuestos, cada uno de los cuales apoyó a determinado pretendiente. También señaló un cambio en la actitud de la corona frente a sus súbditos más inquietos. En tanto Felipe IV de Habsburgo se había abstenido de tomar represalias contra los catalanes después que estos se rebelaron en 1640, Felipe V de Borbón, en definitiva el vencedor de la Guerra de Sucesión, castigó a los catalanes, los aragoneses y los valencianos que habían apoyado a su antagonista, revocó sus leyes y disolvió sus instituciones, y de ese modo creó en la región de habla catalana de España una corriente subterránea de descontento que ha persistido hasta hoy.

La reacción de los españoles frente a la ocupación de su país por los franceses en 1808 destacó algo que los extranjeros, e incluso muchos españoles, llegan a entender difícilmente: para la mayoría de los españoles el patriotismo y una forma de regionalismo o nacionalismo que roza el separatismo no son formas que se excluyan mutuamente. En la que se denominó Guerra de la Independencia, los gallegos, los vascos, los castellanos, los aragoneses, los catalanes y los andaluces se volvieron contra el intruso con una ferocidad tal que demostró que, por muy distintos que se sintieran unos respecto de otros, se consideraban aún más diferentes de los extranjeros. Pero reaccionaron con un estilo típicamente autónomo. El vacío que quedó después del derrocamiento de la monarquía se vio colmado, no por un gobierno central de carácter provisional, organizado como oposición a la administración de los franceses, sino por una plétora de juntas locales, la mayoría de las cuales dirigía sus propios y minúsculos ejércitos.

La breve ocupación francesa difundió en la burguesía española, un sector social relativamente reducido, una serie de ideas acerca del gobierno consideradas entonces progresistas. Como se mencionaba antes, una de ellas fue que el monarca debía someterse a una constitución. Otra, que un Estado moderno debía tener carácter uniforme. No podía tolerar los derechos y los privilegios feudales. El resultado fue que la causa del centralismo en la España del siglo XIX quedó a cargo de los defensores burgueses de la constitución –los liberales–, y la defensa de las leyes locales tradicionales permaneció en manos de los partidarios del absolutismo, la mayoría de los cuales pertenecía a los sectores más reaccionarios de la aristocracia y el campesinado. Desgraciadamente para España, una disputa acerca de la sucesión permitió que estos dos grupos contrapuestos se identificasen con pretendientes rivales al trono. Dos veces durante el último siglo los ultrarreaccionarios pretendientes carlistas libraron guerras fracasadas pero muy perjudiciales contra una monarquía que –aunque no fuera progresista por instinto– se vio obligada a buscar el apoyo de los liberales. La causa carlista atraía sobre todo al campesinado vasco, piadoso, reaccionario y ardientemente independiente, y cuando en la década de 1870 el carlismo finalmente fue derrotado, el gobierno central castigó a los vascos –incluida una nutrida sección de la comunidad que se había mantenido fiel al gobierno central– aboliendo sus derechos y privilegios tradicionales.

Por consiguiente, cuando España ingresó en el último cuarto del siglo XIX el gobierno central había conseguido provocar la hostilidad de Cataluña y el País Vasco, precisamente las regiones en que existían o estaban a un paso de desarrollarse las condiciones que promoverían el crecimiento del nacionalismo moderno. En primer lugar, los vascos y los catalanes tenían su propio idioma y su cultura (este factor por sí solo fue suficiente para estimular el desarrollo de un efectivo movimiento nacionalista en Galicia). Segundo, eran las dos regiones de España que se industrializaron en primer lugar y fueron, por lo tanto, las que antes formaron una importante clase media, la cual en todas las regiones del mundo siempre se mostró dispuesta a apoyar las aspiraciones nacionalistas. En la clase media vasca y catalana la simpatía sentimental por los valores tradicionales se combinó con un sentimiento de superioridad frente a los odiados castellanos. Este sentimiento provino sobre todo de la idea bastante razonable de que Madrid era incapaz de comprender los problemas de las sociedades industriales avanzadas del tipo de la vasca y la catalana. Pero también fue en parte el resultado del deseo instintivo de separarse de la decadencia española.

Lamentablemente para Madrid, tanto los vascos como los catalanes viven sobre las dos rutas principales que llevan a Francia, y en ambos casos hay personas de su propia raza que residen más allá de la frontera. Los vascos y los catalanes españoles rebeldes nunca tuvieron dificultad para encontrar refugio o suministros, sobre todo después que París consideró conveniente cerrar los ojos a las actividades de los vascos y los catalanes bajo el dominio de Franco, como un medio de entretener al gobierno español y agotar sus recursos.

La derrota del carlismo destruyó la posibilidad de que las aspiraciones regionales pudieran satisfacerse mediante el ascenso de un monarca absoluto. En la época que siguió, las mejores esperanzas de los vascos y los catalanes tuvieron que ver con el derrocamiento de la monarquía liberal por sus enemigos, situados en el extremo opuesto del espectro político. Los radicales españoles ya habían concebido cierto afecto por el federalismo, que ocupó un lugar destacado cuando ellos gobernaron el país durante menos de un año, en ocasión de la Primera República (1873-4). Cuando en 1931 la monarquía fue derrotada nuevamente, la presión en favor del gobierno propio era inmensa. Los catalanes consiguieron un estatuto de autonomía en 1932, y los vascos y los gallegos estaban a un paso de conquistar una forma limitada del gobierno propio cuando en 1936 estalló nuevamente la guerra civil.

Aunque el general Franco y sus aliados afirmaban ser nacionalistas, lo que querían decir era que adherían al nacionalismo español, completamente contrario al nacionalismo regional, al que consideraban una de las principales razones del desorden que había agobiado a la Segunda República. Durante los primeros años, no solo se prohibió la enseñanza de las lenguas vernáculas, sino que se

254

realizaron esfuerzos serios para impedir que la gente las hablase. No se permitía utilizarlas en los locales oficiales o en las funciones oficiales. Incluso llegaron a fijarse anuncios en las cabinas telefónicas para indicar a quienes llamaban que debían mantener sus conversaciones en castellano o –para usar el lenguaje del régimen– "hablar en cristiano". La prohibición de publicar libros en lenguas vernáculas no duró mucho, pero una prohibición análoga acerca de su empleo en la prensa, la radio y la televisión continuó vigente hasta el día de la muerte de Franco.

Ciertamente, tan firme fue la intransigencia del centralismo de Franco que consiguió crear grupos regionalistas de carácter nacionalista en regiones como Extremadura y Murcia, donde antes nadie cuestionaba el carácter hispánico de la población. Aunque parezca irónico pese a que el hecho no es sorprendente, el nacionalismo regional en su forma más radical y violenta garantizó que el estilo de gobierno de Franco no le sobreviviese. En 1972 su primer ministro y sucesor electo, el almirante Carrero Blanco, fue volado en pedazos por terroristas reclutados en la minoría que exhibía con particular fiereza su sentimiento de independencia, es decir, los vascos.

18

LOS VASCOS

La diferencia más evidente entre los vascos y sus vecinos de Francia y España es su extraordinaria lengua, denominada por los propios vascos *euskera* o *euskara*, según el dialecto que hablen. Aunque en el curso de los años ha incorporado palabras individuales francesas y españolas, el vocabulario básico y la estructura de la lengua no exhibe absolutamente ninguna semejanza con cualquiera de estos idiomas.

Una frase tomada al azar de un libro de texto "Está puesta la mesa, puedes traer la comida", en vasco tiene esta forma: *"Mahaia gertu dago. Ekar dezakezue bazkaria"*. La sintaxis no es menos exótica. El artículo "el" no es una palabra distinta, sino un sufijo. Los nombres empleados con numerales. continúan en singular. Los verbos auxiliares varían de acuerdo con el número de objetos así como con el número de sujetos, y lo que podríamos denominar preposiciones son en vasco sufijos y prefijos, que varían según que la palabra a la cual adhieren represente algo animado o inanimado. El autor de la primera gramática vasca tituló su obra *Lo imposible superado*. Un autor siciliano del siglo XVI estaba convencido de que la extraña lengua de los vascos les permitía comunicarse con los monstruos de las profundidades.

Al parecer, siempre se supuso que el vasco era una lengua muy antigua. En la Edad Media cuando se creyó que los diferentes lenguajes del mundo eran el fruto de la intervención de Dios en la Torre de Babel, una serie de eruditos arguyó que este era el idioma que Tubal, nieto de Noé, había llevado a Iberia y que en los tiempos antiguos el vasco seguramente había sido hablado en la península entera. Mucho después que comenzó a cuestionarse en otros lugares de Europa la explicación bíblica del origen de las lenguas, esta teoría era enérgicamente defendida en el propio país vasco, sobre todo a causa de la inmensa autoridad que había ejercido allí la Iglesia. Algunos autores vascos llegaron al extremo de afirmar que el suyo había sido el lenguaje original de Europa o incluso del mundo. No cabe duda de que el vasco fue hablado antiguamente en una región mucho más extensa que la actual, un área que casi seguramente incluía la totalidad de los Pirineos, pues se sabe que fue hablado en regiones de Aragón y Cataluña durante la Edad Media. Pero nunca fue el idioma de Iberia, y mucho menos de Europa o del mundo.

De todos modos, la erudición moderna ha demostrado que, en efecto, se trata de una lengua sumamente antigua. La piedra angular de la filosofía moderna fue el descubrimiento, hacia fines del siglo XVIII, de que muchas lenguas europeas y asiáticas –que anteriormente recibieron el nombre de indoeuropeas– provienen de una fuente común. A lo largo del siglo XIX el vasco resistió todos los intentos de asignarle un lugar en la familia indoeuropea, y los filólogos con el tiempo han llegado a aceptar la conclusión de que el vasco es anterior a las emigraciones provenientes del este que llevaron las lenguas indoeuropeas a Europa hace unos 3000 años. Pero también hay pruebas de que puede ser mucho más antiguo que todo eso. Por ejemplo, se ha sugerido que palabras como *aitzkor* (hacha) y *aitzur* (azada) derivan de *aitz* (piedras) y provienen de la época en que se fabricaban herramientas de piedra.

La investigación reciente ha concentrado sus esfuerzos en el intento de hallar un nexo entre el vasco y otras lenguas preindoeuropeas, por ejemplo las que todavía se hablan en el Caúcaso y entre los bereberes de Africa del Norte, utilizando un método inventado por el lingüista norteamericano Morris Swadesh, en virtud del cual se compara un pasaje de un centenar de palabras de una lengua con un pasaje de un centenar de otra, para descubrir el porcentaje de palabras semejantes. Hasta el 5 por ciento sería mera coincidencia. Pero se ha descubierto una superposición parcial del 7 por ciento entre el vasco y dos de los tres lenguajes caucasianos, el georgiano y el circasiano, y de un 10 por ciento entre el vasco y ciertas lenguas bereberes, lo cual sugiere la existencia verosímil de un vínculo distante.

Si los lingüistas se han desconcertado ante la singularidad del lenguaje de los vascos, los médicos y los hombres de ciencia han venido descubriendo que poseen otras peculiaridades menos evidentes. Para comprenderlas es necesario realizar un breve desvío por el mundo de la serología, es decir, el estudio de la sangre.

A veces, cuando se pone en contacto la sangre de dos individuos esta se coagula. Es así porque la sangre de por lo menos uno de ellos contiene lo que se denomina un antígeno. Hay dos tipos de antígenos: A y B. Algunas personas tienen los dos y se las considera pertenecientes al tipo A/B. La sangre de otras personas contiene un solo antígeno, de modo que se clasifica al individuo como A o como B. Pero también hay una tercera categoría (O) cuya sangre no contiene en absoluto antígenos. Hay dos razones por las cuales esto es importante para los antropólogos. En primer lugar los antígenos son hereditarios: nadie puede tener AB en su torrente sanguíneo a menos que, por lo menos, uno de los padres lo tenga en el suyo. Segundo, la proporción de cada tipo de sangre en la población varía significativamente de un lugar a otro. Por ejemplo, cuando uno atraviesa Europa de este a oeste, el porcentaje de A aumenta y disminuye el de B. Los vascos se ajustan a este esquema, pero de manera exagerada. El porcentaje de A es más elevado y la proporción de B menor de lo que uno esperaría de un pueblo instalado a orillas del Atlántico.

En 1939 un investigador norteamericano abrió nuevos campos a la exploración cuando descubrió en la sangre del mono Macacus Rhesus una sustancia que también estaba en la sangre de algunos seres humanos. Según que su sangre contuviese o no la nueva sustancia, en adelante pudo dividirse a la gente en Rhesus positivo (Rh+) y Rhesus negativo (Rh-). Se comprobó que en Europa el porcentaje de Rhesus negativo era más elevado que en otras regiones del mundo, y que en el continente entero alcanzaba un coeficiente más o menos uniforme del 12 al 16 por ciento. La importancia de esta cuestión para los vascos fue descubierta, no por los investigadores que trabajaban en la región vasca, sino por un médico general que trabajaba a miles de kilómetros de distancia, en Argentina, y que estaba interesado en un problema completamente distinto: la eritroblastosis. Se trata de una enfermedad a menudo fatal que afecta a los niños recién nacidos cuya sangre es incompatible con la de sus madres. En la mayoría de los casos el problema proviene del hecho de que la madre es Rh- y el hijo es Rh+, porque ha heredado la sustancia de su padre. Este médico general, el doctor Miguel Angel Etcheverry, observó que una proporción desusadamente elevada de estas infortunadas madres, provenían como él de la estirpe vasca. Para comprobar su sospecha, extrajo muestras de 128 argentinos con cuatro abuelos vascos, y descubrió que un buen tercio de los mismos eran Rh-, es decir una proporción anormalmente elevada incluso en un grupo de origen europeo. Después de publicar sus observaciones (en 1945), una serie de estudios en País Vasco español originaron cifras superiores al 30 por ciento, y uno de ellos, realizado en la región vasca francesa, comprobó que la proporción de la población que no tenía en su sangre la sustancia Rhesus se elevaba al 42 por ciento, la cifra más elevada registrada en una región cualquiera del mundo. Por consiguiente, en lo que se refiere a los grupos sanguíneos, los vascos aparecían como un núcleo excepcionalmente "europeo", en virtud de su nivel Rhesus y muy "occidental" (en virtud de su esquema de antígenos).

En el curso de la historia, los vecinos han considerado a los vascos un grupo más corpulento y fuerte. Un caudal considerable de mediciones realizadas por antropólogos, sobre todo durante la primera parte del siglo, demostró que así era. Se descubrió que, término medio, los vascos eran tres centímetros más altos que el promedio en Francia y España, y que si bien tendían a ser más musculosos, las extremidades –y sobre todo las manos y los pies– solían ser muy delicados. Los antropólogos también comprobaron que el vasco típico tenía una cabeza peculiar, ancha arriba y estrecha abajo y la frente alta, la nariz recta y una saliente peculiar sobre las sienes.

En sí mismas, estas observaciones no demostraban nada. Pero cuando se las comparó con los descubrimientos arqueológicos de ese período, demostraron que en efecto eran muy interesantes. Poco después de la Primera Guerra Mundial, dos investigadores vascos, Telésforo de Aranzadi y José Miguel de Barandiarán, habían comenzado a excavar una serie de dólmenes que se remontan aproximadamente al año 2000 aC., la época de las invasiones indoeuropeas. Los huesos que hallaron en esos lugares sugirieron que el pueblo que había vivido en el País Vasco por entonces tenía las mismas características que los vascos modernos. Pero lo que es aún más interesante, un cráneo encontrado a mediado de los años treinta por Aranzani y Barandiarán en una cueva cerca de Itziar, en Guipúzcoa y que proviene de fines de la edad de piedra –alrededor del 10.000 aC.- también exhibió varios rasgos típicamente vascos; lo cual sugiere que los vascos modernos serían los descendientes directos del hombre de Cromagnon.

Si consideramos además la ausencia en folklore vasco de todo lo que signifique una leyenda de migración, los datos lingüísticos, serológicos, antropológicos y arqueológicos apuntan todos en la misma dirección –por cierto notable–: que los vascos son los últimos representantes vivientes de la población aborigen de Europa. Seguros en su tierra natal formada por empinadas montañas y valles, gran parte de ellos cubiertos por densos bosques, parecen haber tenido a lo sumo el contacto más limitado con los pueblos que ingresaron en Europa dos milenios antes de Cristo, y que trajeron consigo sus lenguas indoeuropeas y su característica distribución de grupos sanguíneos, señalados por una elevada proporción de B y Rh +. Después, separados de los pueblos circundantes por el idioma tanto como por la geografía, los vascos comenzaron a desarrollar esa resistencia a la influencia externa –y especialmente al dominio exterior–, rasgo distintivo de su historia.

Los vascos ingresan en la historia escrita con la llegada de los romanos. Los autores latinos observaron que había cuatro tribus en lo que es ahora el País Vasco español –los vascones, los várdulos, los caristios y los autrigones. Es interesante observar que cada una de las regiones en que hoy se habla cierto dialecto vasco coincide más o menos con el área ocupada por una de estas tribus. El navarro se hablaba o se habla en la región antiguamente habitada por los vascones, el guipuzcoano corresponde a la de los várdulos; el vizcaíno a la de los caristios y la región del país vasco que está fuera de Navarra, donde desde hace mucho no se habla vasco, fue antes el país de los autrigones.

Durante el siglo XVII se formuló la teoría de que los vascones eran los únicos vascos auténticos, y de que habían impuesto su cultura a las restantes tribus durante el período que siguió a la ocupación romana de Iberia. La teoría fue aceptada generalmente, y Vizcaya, Guipúzcoa y Alava llegaron a ser conocidas por el hombre de Provincias Vascongadas. Después la teoría no mereció mucho crédito, pero aún podemos leer esa frase en los periódicos de estilo anticuado como ABC.

Uno de los mitos más tenaces acerca de los vascos es que nunca se sometieron al dominio romano. Los españoles aseguran, incluso ahora, que la razón por la cual los vascos muestran tan fiero espíritu de independencia es que nunca tuvieron la ocasión de saborear la disciplina romana. Es verdad que los romanos debieron afrontar persistentes rebeliones en el País Vasco, pero su dominio de la región en todo caso les permitió construir caminos y fundar asentamientos, e incluso explotar algunas minas de hierro. Los adivinos vascos eran famosos en el Imperio entero.

El derrumbe del dominio romano señaló la última vez que todos los vascos estuvieron sometidos a la misma administración, aunque eso no implica afirmar que los vascos que habitaban a ambos lados de los Pirineos hayan formado una sola unidad administrativa antes del dominio romano o en el transcurso del mismo. Después de la partida de las legiones, quedó a cargo de los sucesores "bárbaros" de los romanos el intento de imponer su voluntad sobre la región. Los francos trataron de controlar un área que correspondía más o menos al actual País Vasco francés, así como a la región septentrional de Navarra y, por su parte, los visigodos intentaron gobernar lo que ahora es Guipúzcoa, Vizcaya y Alava. Ninguno lo consiguió totalmente.

En el año 605 los francos organizaron una entidad dependiente, el ducado de Vasconia, que en cierta etapa se extendió desde el Garona hasta el Ebro. Se vio conmovido por una sucesión de violentas rebeliones, hasta que en el año 824 un ejército franco que retornaba de una campaña sin éxito contra los musulmanes fue emboscado por los vascos en el valle de Roncesvalles. La batalla fue inmortalizada en la *Chanson de Roland*, si bien el autor describió a los atacantes como moros y no como vascos. Poco después de Roncesvalles, los vascos del sur del ducado se declararon independientes. El Estado que ellos fundaron y que al principio controlaba, a lo sumo, una pequeña región alrededor de Pamplona, estaba destinado a convertirse en el reino de Navarra. Más tarde, se ensanchó para incorporar gran parte del País Vasco francés y un área considerable, que no era vasca por el lenguaje y las costumbres, al sur de Pamplona.

Entretanto, los visigodos se vieron forzados a librar repetidas guerras contra los vascos de Alava, Vizcaya y Guipúzcoa, pero al parecer –si se exceptúan breves períodos– nunca pudieron imponerles realmente su poderío. Los nobles visigodos que fundaron el reino de Asturias heredaron la pretensión de los visigodos a la región vasca occidental. Pero ellos y sus sucesores, los reyes de Castilla y León, tuvieron que lidiar no solo con la obstinada negativa de los vascos a someterse, sino también con las ambiciones rivales del nuevo reino de Navarra. Casi nada se sabe acerca de las provincias de Alava, Vizcaya y Guipúzcoa durante este período, pero es evidente que todas estas regiones eran lugares bastante salvajes. Fue la última región de Europa meridional y occidental convertida al cristianismo, probablemente durante los siglos IX o X. Las leyendas locales sugieren que algunos rincones de paganismo sobrevivieron todavía mucho tiempo después. Y aún durante el siglo XII los vascos, nominalmente cristianos, atacaban a los peregrinos que se dirigían al santuario de Santiago de Compostela. Fue también la última región de Europa en la cual se levantaron ciudades, es decir, la última que se civilizó en el sentido riguroso del término. Los asentamientos más tempranos en Guipúzcoa corresponden a la segunda mitad del siglo XIII, y los de Vizcaya aparecieron solo durante la última mitad del siglo XIV.

Se firmaron solemnes tratados asignando esta o aquella provincia o la región entera a Castilla o a Navarra, pero desde el punto de vista práctico el poder se asentaba localmente. Los alavenses estaban gobernados por nobles, pero Vizcaya y Guipúzcoa conservaban una especie de democracia primitiva, en la cual los jefes de todas las familias de un valle elegían o formaban un consejo que enviaba representantes a una asamblea provincial. La asamblea provincial decidía quién debía asumir la responsabilidad de adoptar decisiones acerca de los asuntos de la provincia mientras la propia asamblea no sesionaba. En diferentes ocasiones, este poder era delegado en consejos de notables o en los señores elegidos o hereditarios. (Había una aristocracia en ambas provincias, pero según parece el poder era económico y social más que político.)

Aunque el País Vasco era un región pobre, la servidumbre desapareció allí más rápidamente y de un modo más completo que en otros lugares de España; y hacia fines de la Edad Media, las libertades de los vascos comunes y corrientes hubieran podido provocar la envidia de sus análogos de otras regiones europeas: podían portar armas, eran libres de cazar y pescar, y en el territorio de su distrito nativo tenían derecho de aprovechar los bosques y los prados comunes, generalmente muy extensos.

Los reyes de Castilla impusieron su soberanía a los vascos occidentales solo muy lenta y gradualmente. Los notables guipuzcoanos del siglo XII y la aristocracia alavense del siglo XIV decidieron ambos ofrecer a la Corona de Castilla el señorío de sus respectivas provincias. Por su parte el señorío de Vizcaya pasó a manos de Castilla por vía de herencia en 1379. En cambio, Navarra continuó siendo completamente independiente hasta 1512, cuando Fernando, el rey de Aragón y regente de Castilla, quien en ese momento libraba una guerra contra los franceses, reclamó que los navarros permitiesen el paso de sus tropas por el territorio. Los navarros rehusaron, y Fernando invadió y anexó el reino. En 1530 el reino recién unificado de España renunció a la parte principal de lo que había sido territorio navarro del lado opuesto de los Pirineos, y el País Vasco español adoptó aproximadamente su forma actual.

Aunque nominalmente integrados al Estado español, los vascos conservaron una porción considerable de poder en perjuicio del gobierno central. En Guipúzcoa y Vizcaya mantuvieron intacto su sistema local de gobierno. La asamblea guipuzcoana podía vetar las leyes presentadas por el soberano español con las palabras "obedecemos, pero no ejecutamos", y los notables vizcaínos insistían en que apenas un monarca ascendía al trono, él o ella, o un representante acudiesen a la provincia y jurasen respetar sus leyes bajo el árbol de Guernica, donde se reunía la asamblea. Por su parte, los navarros gozaban del privilegio de ser gobernados por un virrey –el único que existió fuera de las Américas– y se les permitía conservar su propia legislatura local, su ejecutivo y su poder judicial. También gozaban del derecho de acuñar su propia moneda; aún durante el siglo XIX los navarros acuñaban monedas que presentaban al rey Fernando VII de España como el rey Fernando III de Navarra. Estos derechos políticos, así como una serie de importantes privilegios económicos y sociales, entre ellos, la inmunidad frente a los gravámenes aduaneros españoles y la exención del servicio militar fuera de su provincia natal, estaban incorporados a los códigos de derecho tradicional denominados *fueros*.

Los nacionalistas tienden inevitablemente a destacar el grado considerable de independencia de los vascos bajo la Corona de Castilla, pero guardan silencio acerca de los estrechos vínculos de este pueblo con el castellano. Sin embargo, una de las razones por las cuales los vascos gozaron de una condición tan privilegiada fue precisamente porque estuvieron asociados durante tanto tiempo y tan íntimamente con los castellanos, pese a que siempre mantuvieron esa relación en sus propios términos. Los vascos ayudaron a los castellanos a levantar sus primeros asentamientos en la meseta, y después representaron un papel destacado en muchas de las batallas decisivas de la Reconquista castellana. Bajo los Habsburgo, el País Vasco dio a España algunos de sus mejores administradores, dos de sus más grandes exploradores –Pedro de Ursúa y Lope de Aguirre, cuya fatídica búsqueda de Eldorado fue la inspiración de *Aguirre, la ira de Dios*, el filme de Werner Herzog– y dos de sus más celebradas figuras religiosas, San Ignacio de Loyola y San Francisco Javier.

Otro distinguido vasco de la Edad de Oro española fue Sebastián Elcano, quien comandó la primera expedición de circunnavegación del globo después que su primer comandante, Magallanes, fue muerto en Filipinas. Los vascos mantuvieron durante siglos estrechos vínculos con el mar. Al parecer, aprendieron a pescar con los normandos, y hasta el siglo XVII también fueron renombrados balleneros. Parte de su terminología fue incorporada por los balleneros de las Azores, quienes la transmitieron a los marinos de Massachusetts que utilizaban a las Azores como base de suministro durante el siglo pasado. La palabra cachalote es en definitiva, de origen vasco. Pero aunque las aldeas pesqueras de la costa guipuzcoana y vizcaína siempre representaron un papel importante en la vida y el saber de la región, su alma se afirma tierra adentro, donde entre el fin de la Reconquista y el comienzo de las guerras carlistas se desarrolló una sociedad muy peculiar, cuyos últimos rasgos aún pueden percibirse en el País Vasco moderno.

Su característica más destacada es la proporción relativamente escasa de población concentrada en las aldeas y la proporción correspondientemente elevada que habita en el campo. Se cree que este esquema se desarrolló durante el muy estable y próspero siglo XVI, al mismo tiempo que la típica casa de campo vasca –denominada *caserío* en español y *baserri* en vasco– comenzó a cobrar forma. Los primitivos caseríos consistían en una planta baja con comodidades para los humanos y los animales y un piso alto donde se almacenaba el grano. En los diseños posteriores la gente dormía en el primer piso, pero continuaba cocinando y comiendo en la planta baja, cerca de los establos. Con sus techos empinados, los caseríos se parecen mucho a los chalets alpinos. La mayoría de estos caseríos son arrendados –aunque el número de propietarios ha venido aumentando desde los años cincuenta–, y casi siempre los levantan en las mismas parcelas trabajadas por sus ocupantes. Los fundos son pequeños (un promedio de seis hectáreas), e invariablemente incluyen una amplia diversidad de cultivos y animales; por eso mismo, son sumamente antieconómicos. Por tradición, los caseríos albergaban a un grupo social más amplio que la familia básica: una pareja, dos hijos, el hermano o la hermana solteros, los padres del marido o la esposa, y uno o dos criados, todos viviendo bajo el mismo techo.

La condición de las mujeres siempre fue relativamente elevada, y es muy posible que esto represente un último y lejano eco de los matriarcados que, según se cree, existieron en todo el norte de España durante los tiempos prehistóricos. El País Vasco rural es también una de las pocas regiones europeas en las cuales nunca hubo, a lo sumo, más que una mínima división de la riqueza de la familia. En gran parte de la región se obtuvo este resultado transfiriendo el caserío, la tierra sobre la cual se asentaba y toda la riqueza de la familia al primogénito (en ciertas regiones, sin importar si el hijo mayor era varón o mujer). En otros lugares el padre elegía al hijo que a sus ojos era más capaz.

Como muchos pueblos históricamente pobres, los vascos son famosos por la excelencia de su cocina y por la tendencia a comer demasiado siempre que se les ofrece la oportunidad. Las bebidas vascas tradicionales son la cerveza, la sidra y un vino "verde" ácido llamado *txacolí*; pero en los últimos tiempos han tenido un acceso cada vez más amplio a los excelentes vinos de La Rioja. La embriaguez no suscita la misma desaprobación social intensa que provoca en las regiones más meridionales de España.

Otro rasgo distintivo de la sociedad vasca tradicional es el fundamental papel asignado a los deportes. Los vascos han inventado muchos juegos. El más famoso es el de pelota, que se remonta por lo menos al siglo XVI, cuando era jugado por grupos de ocho a diez jugadores que usaban guantes. Mucho antes del desarrollo del deporte profesional en el resto del mundo, había jugadores semiprofesionales de pelota que recorrían el País Vasco ofreciendo demostraciones. Después, este juego ha sufrido muchos cambios e incorporado distintas variantes. El nombre de una de ellas, *Jai-Alai*, se utiliza a veces para describir la totalidad del deporte. La canasta que cubre el brazo o *txistera*, que se utiliza en una de las formas del juego y que permite a los jugadores arrojar la pelota contra el frontón a extraordinaria velocidad no es tan tradicional como a veces se cree. Apareció solo a mediados del siglo pasado. Otros deportes todavía prosperan en el País Vasco: arrojar troncos, cortar leña, levantar piedras y el *sokatira* (en el que los bueyes deben arrastrar enormes piedras a través de distancias cortas, a menudo atravesando la plaza del pueblo). Antes hubo juegos análogos al golf (*perratxe*) y al criquet (*anikote*), pero han desaparecido. Hay un hecho que no puede sorprender en vista del lugar en que viven: los vascos son famosos montañistas, y sus clubes especializados tradicionalmente fueron un semillero de profundos sentimientos nacionalistas.

Quizás a causa de la importancia asignada al deporte, el juego siempre representó un papel importante en la vida vasca. No es desusado ver en un bar vasco una pizarra garabateada con las apuestas que los propios clientes intercambian. Incluso la cultura popular de la región tiene cierto estilo competitivo, ejemplificado por los *bertsolariak* o competencias de poesía, en los cuales los participantes improvisan en un metro dado, y cada uno parte del poema de su rival. Por otra parte, el modo en que la mayoría de las artes se expresa o practica en la región vasca es muy distinto de lo que sucede en el resto de España. Por ejemplo, el arte vasco es extrañamente simétrico. La música no incluye en absoluto los rasgos sinuosos del flamenco, y utiliza varios instrumentos propios de la región. Uno es el *txistu*, una especie de flauta con dos orificios para los dedos en el extremo superior y otro en la base, que se toca con una sola mano, de modo que el músico puede marcar el ritmo con la otra. Existe además el *trikitrixa*, un pequeño acordeón, y la *alboca*, fabricada con un cuerno de buey, y que suena como las gaitas. Las canciones son extrañas en el marco español, en cuanto cada nota corresponde a una sílaba, y las danzas –que incluyen equivalentes de la danza griega de las copas y la danza escocesa de las espadas– son más atléticas que sensuales. El propósito es demostrar la agilidad del bailarín más que su gracia.

En medida todavía mayor que en el resto de España, esta sociedad aislada e inocente no estaba preparada para recibir las nuevas ideas que penetrarían en el país durante el siglo XIX y, sobre todo, el concepto napoleónico de un Estado centralizado, cuyos ciudadanos debían someterse todos a las mismas leyes. Los vascos pronto aprendieron a equiparar este nuevo modo de pensamiento con la antipatía por los fueros. Estos fueron abolidos inicialmente por el propio Napoleón después de la invasión a España, y luego por los liberales, cuando asumieron el poder durante un breve período de la década de 1820. En cada ocasión fueron restablecidos por el reaccionario Fernando VII. Por lo tanto, fue natural que cuando su hermano Don Carlos levantó el estandarte del absolutismo, los vascos se sintieran tentados de agruparse alrededor de él. Pero el catolicismo fanático de Don Carlos, que tanto atraía al campesinado rural, inspiró rechazo a la burguesía urbana, y durante las Guerras Carlistas la mayor parte de la clase media de las ciudades como Bilbao apoyó a Madrid contra el carlismo.

Con el fin de castigar a los vascos que habían apoyado la rebelión carlista, los fueros de Vizcaya y Guipúzcoa fueron revocados nuevamente en 1841, después de la Primera Guerra Carlista, pero se los restableció más tarde. Sin embargo, hacia el final de la Segunda Guerra Carlista, en 1876, el gobierno decretó la abolición de los fueros de Guipúzcoa, Vizcaya y Alava, pero no los de Navarra en un gesto que nunca sería modificado. Todo lo que restó de los privilegios tradicionales de los vascos en las tres provincias occidentales fue un sistema especial de recaudación impositiva denominado *concierto económico*. Pero el problema de la abolición de los fueros como castigo fue que afectó a todos los vascos y no solo a los que habían apoyado al carlismo. De hecho, la clase cuyas perspectivas económicas se vieron más gravemente afectadas fue la clase media baja, que había tendido a apoyar al gobierno central. Más aún, pocos años después de la abolición de los fueros, el País Vasco iniciaría un período de rápida industrialización en el cual esta clase media baja reprimida representaría un papel fundamental.

Los orígenes de la industrialización de la región están en los abundantes depósitos de hierro y madera y en el gran número de arroyos y ríos de corriente rápida. El período de crecimiento más veloz fue entre 1877 y 1902, cuando la industrialización se limitó principalmente a Vizcaya. Solo hacia fines del período la industria comenzó a extenderse por Guipúzcoa. Aunque hubo y hay varias fábricas importantes en la región, la característica más destacada de la industrialización vasca ha sido la existencia de una multitud de pequeños talleres, en las ciudades y fuera de ellas. Mientras los propietarios de las fábricas, miembros de la clase media alta, así como los dueños de los grandes bancos y las empresas de seguros que se desarrollaron simultáneamente, tendieron a alinearse con la oligarquía económica española, y a menudo obtuvieron títulos de nobleza durante ese proceso, los dueños de los talleres, miembros de la clase media baja, acabaron por ver en la industrialización un proceso en que habían ganado menos de lo que habían perdido. La industrialización no los enriqueció visiblemente, aunque ocasionó que afluyeran centenares de miles de trabajadores provenientes de otras regiones de España –los *maketos*,– que amenazaron la supervivencia de la forma tradicional de la sociedad vasca.

El hombre que confirió forma sistemática a los temores y resentimientos en una ideología política de este sector social (lo que ahora denominamos el nacionalismo vasco), fue Sabino de Arana Goiri. Arana nació en 1865 y era hijo de un carlista cuyas simpatías políticas lo obligaron a pasar un período de exilio en Francia. Arana ingresó por primera vez en el campo de batalla ideológico a los treinta años, y fue muy natural que lo hiciera con un artículo acerca de la ortografía en vasco de la palabra "vasco". Sus escritos iniciales tuvieron todos que ver con la filología y la etimología. De hecho, uno de sus legados menos felices fue deformar y complicar el vasco escrito en un intento de depurarlo de lo que consideraba una serie de hispanismos. En sus esfuerzos por evitar la mácula del centralismo, también inventó una serie de nombres de pila vascos destinados a reemplazar a los españoles, de modo que, por ejemplo, Luis se convirtió en Koldobika. Su contribución más útil fue suministrar a los vascos una palabra para designar el país que ellos habitaban. Siempre había existido una palabra para la región de habla vasca –*Euskalerría*– pero tenía la desventaja de que excluía a todas las regiones pobladas por vascos donde se habían asentado los castellanos. Arana llenó el vacío con un neologismo, *Euskería*. Más tarde cambió de idea y se inclinó por *Euskadi*, que significa "reunión de vascos", y esta es la palabra que ha sido utilizada. desde entonces por los nacionalistas vascos para describir a la nación que ellos desean crear.

En 1892 publicó su primera obra política completa. Como

teórico político Arana era profundamente reaccionario. Ansiaba el retorno del País Vasco a un estado de inocencia preindustrial, donde la sociedad fuese guiada por los dictados de la religión y la elección entre el capitalismo y el socialismo carecería de importancia. En el núcleo de esta doctrina estaba el odio indisimulado a los inmigrantes. "Viniéronse para acá trayendo consigo las corridas de toros, el baile y el cante flamencos, la *cultísima* lengua tan pródiga en blasfemias y sucias expresiones, la navaja y tantos y tantos excelentes medios de civilización", escribió en un estilo acremente irónico. Lo que Arana buscaba era una especie de *apartheid*. En sus escritos arremetía contra los matrimonios "mixtos", y en los centros comunitarios o *batzokis*, que él mismo fundó para difundir el credo nacionalista, estaba prohibido tocar música española o discutir la política del país. Las reglas del primer *batzokis* demuestran la profundidad y la intensidad del racismo de Arana: se dividía a los miembros en tres categorías, de acuerdo con el número de abuelos vascos, y solo aquellos cuyos cuatro abuelos tenían nombre de pila vascos gozaban del derecho a ocupar cargos directivos.

La participación de Arana en la política práctica se prolongó desde 1893, el año en que realizó una declaración formal de sus ideales durante la cena ofrecida por un grupo de amigos –el llamado Juramento de Larrazábal–, hasta su muerte en 1903. Durante este período fue editado un periódico nacionalista y nacieron los primeros grupos también nacionalistas, pero en todo caso, nada parecido a la formación de un partido. Al principio, Arana y sus partidarios fueron ignorados por Madrid, pero hacia 1895 las autoridades estaban bastante preocupadas por las actividades de este grupo, y encarcelaron unos meses a Arana. Cuatro años después, el gobierno inició una fuerte campaña de represión de todos los tipos de nacionalistas regionales, y Arana decidió modificar su táctica. El resultado fue que durante los últimos años de su vida sus reclamos públicos se orientaron hacia la autonomía más que hacia la independencia. Por consiguiente, dejó un legado ambigüo, pero que ha permitido tanto a los separatistas como a los autonomistas encontrar un lugar en el Partido Nacionalista Vasco (PNV), la organización fundada por sus partidarios siete años después de la muerte de Arana.

Para los nacionalistas vascos, Euskadi está formada por el País Vasco francés, tradicional pero no oficialmente dividido en los tres distritos de Soule (Zuberoa), Labourd (Laburdi) y Basse-Navarre (Benavarra), y las cuatro provincias españolas que tienen población vasca, es decir, Alava, Guipúzcoa, Vizcaya y Navarra. En España nadie discute el carácter vasco de las tres primeras provincias. Paradójicamente, como Navarra es el único estado creado por los vascos, es la provincia que se ha convertido en eje de la controversia. Esto sucede, en parte, a causa de que Navarra siempre incluyó a elevado número de individuos que no son vascos, pero también responde al fracaso del nacionalismo en su intento de arraigar allí, por lo menos, hasta hace poco. Como hemos visto, los navarros no perdieron sus fueros al mismo tiempo que las restantes provincias, de modo que ya gozaban de considerable grado de autonomía. Más aún, Navarra –lo mismo que Alava– era una región principalmente agraria, que carecía del tipo de clase media industrial que aportó al PNV gran parte de su apoyo en las dos provincias de la costa.

Cuando en 1932 el gobierno republicano pidió a los consejos municipales del País Vasco que decidieran si deseaban que sus respectivas provincias formasen parte de una *Euskadi* autónoma, los navarros prefirieron mantenerse al margen. Alava adoptó la misma posición poco después. El alzamiento de 1933 amplió la distancia que separaba a estas dos provincias interiores por una parte, y a Guipúzcoa y Vizcaya por otra. Dada la concepción profundamente reaccionaria del campesinado vasco y la ideología casi fascista de los nacionalistas de la clase media, poca duda cabe de que –a igualdad de otros factores– la mayoría de las cuatro provincias habría apoyado la rebelión de Franco. Ciertamente, es lo que sucedió tanto en Alava como en Navarra. Pero al optar por la autonomía, Guipúzcoa y Vizcaya habían unido su suerte al gobierno legalmente constituido de España. Permanecieron fieles a la República, y esta les devolvió el favor otorgándoles un estatuto provisional de gobierno propio después del estallido de la guerra civil, en octubre de 1936.

Guipúzcoa y Vizcaya habrían de pagar cara su decisión tanto durante la guerra como después. Quizá el acto más horrendo cometido por cualquiera de los bandos durante un conflicto fue la destrucción sistemática, en abril de 1937, de Guernica, una ciudad que, como se ha visto, ocupaba un lugar especial en los afectos de los vizcaínos en particular y de los vascos en general. Mas aún apenas Guipúzcoa y Vizcaya fueron sometidas, Franco emitió un " decreto punitivo" especial que abolía no solo el reglamento provisional de gobierno propio, sino también los conciertos económicos de ambas provincias, los últimos vestigios de los fueros que habían sido abolidos sesenta años antes. En cambio, se permitió que Alava conservase su concierto económico y que Navarra mantuviese su fuero con todo lo que ello significaba. Durante los treinta y seis años que Franco gobernó España, Navarra fue una excepción destacada, una isla de autonomía en un mar de uniformidad, que se vanagloriaba de su propia legislatura y su gobierno.

Puesto que fueron públicamente señalados como objetos del castigo, no es sorprendente que Guipúzcoa y Vizcaya fueran las únicas provincias de España en las cuales hubo una oposición permanente y violenta al régimen. Las letras ETA –que significan *Euskadi Ta Askatasuna* (Euskadi y Libertad)– aparecieron por primera vez en 1950, escritas en los muros de las ciudades de las dos provincias costeras. El movimiento que las respaldaba había cristalizado a fines de los años cincuenta, alrededor de una publicación clandestina *Ekin* (Acción), lanzada por estudiantes universitarios. En 1961 la ETA ejecutó su primera operación terrorista: algunos de sus miembros intentaron descarrilar un tren que trasportaba a veteranos franquistas a una reunión en San Sebastián. La reacción policial fue salvaje. A alrededor de un centenar de personas. Muchas fueron torturadas y algunas juzgadas, y sentenciadas hasta a veinte años de cárcel. Pero los jefes de la ETA huyeron a Francia. Así comenzó un ciclo de terrorismo y represión que ha continuado hasta hoy.

La historia de la ETA es una sucesión de conflictos internos. En 1966 el movimiento se dividió en dos grupos, ETA-Zarra (Antigua ETA) y ETA-Berri (Joven ETA). La segunda renunció a la violencia y con el tiempo se convirtió en el Movimiento Comunista de España. En 1970 la ETA-Zarra se dividió en la ETA de la 5a. Asamblea y la ETA de la 6a. Asamblea. La ETA de la 6a. Asamblea también renunció a la lucha armada y adoptó el nombre de Liga Comunista Revolucionaria. Después, a mediados de los años setenta hubo otra división de caminos, cuando la ETA de la 5a. Asamblea originó la ETA Militar y la ETA-Político Militar. Finalmente, en 1981 la ETA-Político Militar se vio gravemente debilitada al dividirse en ETA-pm (7a. Asamblea), cuyos miembros disolvieron la organización al año siguiente, y ETA-pm (8a. Asamblea). Las disputas que provocaron estas divisiones son demasiado misteriosas y complicadas, de modo que no podemos explicarlas detalladamente aquí, pero siempre sobrevivió intacto el grupo más violento y menos intelectual. El resultado final de este proceso es la ETA-Militar cuyo lema, según se ha dicho, es "las acciones unen, las palabras dividen". Aunque han adquirido cierto tinte marxista-leninista, los *Milis*, como se los llama, están más interesados en matar guardias civiles que en discutir acerca de la ideología. Por la época en que los socialistas asumieron el poder, en 1982, los hombres y las mujeres –ahora casi todos con más de sus treinta años– que dirigían la ETA-Militar podían afirmar con razón que conducían a la más hábil y experimentada organización terrorista de Europa. No sufrían las *caídas* (redadas policiales) que habían conmovido a la organización al ritmo de dos o tres anuales durante los años setenta, y su decisión no se había debilitado.

La organización interna del movimiento data de la Tercera Asamblea General de la ETA, celebrada en 1974. Se dividía al país vasco en cinco regiones o *herrialdes*, dirigidos por organizadores de dedicación plena. Los afiliados fueron divididos en *legales* de dedicación parcial (militantes cuyas simpatías son conocidas por la policía, y que realizan una vida ostensiblemente normal), *liberados* de dedicación plena (hombres y mujeres cuya "cobertura" ya no sirve, y que viven ocultos o en el exilio (y una tercera categoría intermedia de *liberados legales*, que dedican todo su tiempo a la ETA, a menudo en la función de reclutadores, pero cuya actividad no es conocida por las autoridades. Inicialmente, un comando ETA o *irurko* consistía en un reducido número de militantes, generalmente tres, en los que el nombre real de cada uno era conocido por uno de los restantes. Pero incluso este sistema no impidió que la policía se infiltrase en la organización, y hacia fines de los años setenta Miguel Angel Apalategui – a menudo denominado sencillamente Apala – comandante operativo de la ETA-Militar comenzó a practicar el concepto de *comandos dormidos*. Los miembros de un grupo de este tipo hacen una vida externamente normal mientras se entrenan para una sola acción preestablecida. Pero no tienen idea del momento o el lugar en que actuarán, hasta pocas horas antes. Después de ejecutada la misión, retornan a sus hogares y sus empleos como si nada hubiera sucedido.

Aunque la ETA fue fundada por estudiantes universitarios y profesionales, el cuadro activo de la organización rápidamente llegó a ser dominado por vascos de los caseríos. Esta afirmación es aplicable sobre todo a los Milis. La región que les ha suministrado más *gudaris* (soldados) es Goierri, un reducto de habla vasca de Guipúzcoa, y una zona de extraños contrastes entre la industria y la agricultura, donde no es desusado ver un caserío y una pequeña fábrica o un taller uno al lado del otro. En otras palabras, el ascenso de la ETA ha permitido la reincorporación a la lucha nacionalista de los campesinos que combatieron en favor del carlismo. Pese a toda su retórica revolucionaria, la ETA-Militar ha exhibido siempre una acentuada veta de la moral católica romana convencional, y de tanto en tanto los Milis organizan campañas contra lo que ellos consideran actividades decadentes, por ejemplo, amenazan asesinar a los traficantes de drogas, o depositan bombas en los bares y las discotecas, o en los cines que exhiben filmes pornográficos.

La difusión del nacionalismo violento y radical en el País Vasco coincidió con un proceso totalmente más pacífico de reafirmación cultural, sobre todo en relación con el idioma. El vasco había venido cediendo terreno en beneficio del castellano –tanto literal como metafóricamente– durante siglos, no a causa de las medidas represivas dictadas en Madrid, sino porque el castellano, dada su condición de lengua principal de la península, era más útil para quienes debían mantener contactos con el mundo exterior. De ese modo se convirtió en el idioma de las clases alta y media, y de quienes como los alavenses no estaban separados de sus vecinos por las montañas. Pero esto no implica afirmar que la represión del vasco, ordenada por Franco, careciese de efectos. Ciertamente, fue mucho más brutal y duradera que todo lo que se hizo en Cataluña y Galicia, y provocó una medida considerable de autocensura lingüística en los propios vascos. El vasco no solo desapareció de los medios de difusión sino que prácticamente salió también de las calles. Tengo una amiga de San Sebastián que es tan vasca como es posible serlo, pero que no habla una sola palabra de su lengua natal, porque los padres, ambos de lengua vasca, le prohibieron utilizarla.

Sin embargo, hacia fines de los años cincuenta se asistió al comienzo de un renacimiento. En ese momento se fundaron las primeras *ikastolas*. Una ikastola es una escuela primaria en la cual se dictan clases en vasco. Durante los primeros años se organizaron muchas· en hogares particulares, y mientras Franco aún vivía nunca tuvieron acceso a los fondos públicos. Pero aunque las autoridades miraban con inmensa suspicacia a las ikastolas, y llegaron al extremo de reclamar por intermedio de la policía las listas del personal y los sostenedores de estas escuelas, nunca tuvieron argumentos que les permitieran prohibir un movimiento que, por subversivo que fuera, sin duda contribuía a salvar la falta de educación oficial, característica de todo el sistema educacional español en ese momento. Más tarde, muchos miles de vascos adultos abordaron la ardua tarea de aprender su lengua nativa, y uno de ellos fue Carlos Garaikoetxea, que habría de convertirse en el primer presidente del gobierno propio del País Vasco.

Los maestros de vasco calculan que el individuo de habla castellana necesita entre 300 y 500 horas de estudio para alcanzar el punto en que puede hablar fluidamente. Más aún, durante varios años el renacimiento de esta lengua se vio estorbado por la existencia de por lo menos seis –quizá siete– dialectos (cuatro en España y dos o tres en Francia). Pero en 1968 la Academia de Idioma Vasco completó la tarea de codificar un vasco literario estándar denominado *euskera batua*. Por la época en que el País Vasco instituyó el gobierno propio provisional, en 1979, aproximadamente una quinta parte de los 2.500.000 de personas que viven en el País Vasco español –incluida Navarra– podían hablar vasco, y el total se elevaba al ritmo de, aproximadamente, 30.000 a 40.000 personas anuales.

En 1982, poco después del ascenso de los socialistas al poder, *Le Monde* preguntó a uno de los jefes de la ETA-Militar si en vista de los inmensos cambios políticos que habían sobrevenido en España la organización estaba dispuesta a contemplar la modificación de su política. "Incluso si España se convirtiese en un modelo de democracia", replicó el interrogado, "no modificaría las cosas por lo que a nosotros se refiere. No somos, no hemos sido y no seremos jamás españoles." Es posible que esta afirmación sea aplicable a quien respondía y a sus colegas terroristas, pero –para bien o para mal– ya no es aplicable a la población de todo el país vasco. Casi un siglo de crecimiento económico interrumpido solo por la guerra civil vio cómo Vizcaya y Guipúzcoa, las provincias más pobres de España en 1877, se elevaban al primer y el tercer lugar respectivamente en la tabla del ingreso per cápita de 1973. Durante ese período, los que no eran vascos y buscaban trabajo afluyeron al País Vasco en una corriente casi ininterrumpida. Más aún, durante los años sesenta el proceso de industrialización se extendió con rapidez incluso mayor, primero a Alava, y después a Navarra. Hacia 1970 trabajaba en la industria una proporción de la población de Alava mucho más elevada que en cualquier otra provincia de España. Todas las restantes provincias vascas –incluida Navarra– formaban parte del grupo de las diez provincias principales.

En Navarra la mayoría de las nuevas empresas reclutó su fuerza de trabajo en la misma provincia, pero en Alava las tomó del resto de España y así su población aumentó casi en un cincuenta por ciento en diez años. Hacia fines de los años sesenta, el 30 por ciento de los habitantes del País Vasco había nacido fuera de la región. En la actualidad, menos de la mitad de la población es vasca –es decir, que tiene los dos padres nacidos en el País Vasco–, e incluso esa proporción incluye a muchos individuos cuyos abuelos vinieron de otras regiones de España. Los vascos auténticos probablemente representan menos de una cuarta parte de los 2.750.000 habitantes que viven en las cuatro provincias de Guipúzcoa, Vizcaya, Alava y Navarra*. La población agrícola de la región entretanto se ha visto reducida a solo 40.000 individuos, y su modo particular de vida prácticamente ha desaparecido. Algunos jóvenes viven en los caseríos y trabajan en fábricas y oficinas, pero la mayoría vive en las ciudades, donde contrae matrimonio, y regresan solo los fines de semana.

A pesar de la acogida perversamente hostil que sus antecesores recibieron, los "inmigrantes" se han integrado bien. Una de las razones de este hecho es que más de la mitad de ellos provienen de León y Castilla la Vieja —que no padecen una pobreza tan grave como algunas de las regiones meridionales— y a que tienden a originarse en el seno de la clase media baja rural. En general, están mejor educados y tienen más conocimientos que el emigrante típico que llega a Cataluña, y aunque por razones obvias es menor el número de inmigrantes que aprenden vasco que el de los que aprenden catalán, el índice de matrimonios mixtos entre "nativos" e "inmigrantes" ha sido siempre más elevado en el País Vasco que en las provincias catalanas. Muchos de los inmigrantes más recientes llegaron para ocupar cargos como técnicos, funcionarios y capataces, de modo que en la actualidad hay muy escasa diferencia entre los ingresos medios de los vascos y los de las personas que vienen de fuera de la región. Una segunda razón de las relaciones relativamente armoniosas entre los "nativos" y los "inmigrantes" es que ambos se vieron igualmente afectados por la represión durante la dictadura. De los once "estados de excepción" declarados por Franco, cuatro tuvieron carácter nacional. Pero de los siete restantes, no menos de seis fueron aplicados a Guipúzcoa o a Vizcaya o a ambas regiones. Se ha calculado que hacia principios de los años setenta una cuarta parte de toda la Guardia Civil estaba acantonada en el País Vasco. El gas lacrimógeno no discrimina entre nativos e inmigrantes. Tampoco lo hizo la policía cuando detenía a la gente en la calle, y la sometía a menudo a indagaciones humillantes. Una matrícula de Bilbao o San Sebastián era suficiente para que a uno lo obligasen a salir del camino media docena de veces entre el País Vasco y Madrid.

Por la época en que Franco falleció, los habitantes del País Vasco, no importaba cuáles fuesen sus orígenes raciales, se sentían profundamente separados de los restantes españoles. En el caso de

---

* Otros 250.000 viven en el País Vasco francés y de ellos, una proporción mucho más elevada es étnicamente vasca.

los niños, este sentimiento se manifestó en una encuesta realizada por la Cámara de Comercio de Vizcaya en 1977. Se preguntó a los escolares qué creían ser en mayor medida. Si eliminamos los "no sé", las respuestas de los niños nativos eran: "vascos", ochenta por ciento; "español", 8 por ciento; "europeo", 12 por ciento. La respuesta de los niños inmigrantes fue: "vasco" 48 por ciento; "español", 28 por ciento; "europeo", 24 por ciento. En el caso de los adultos, se reflejó en la tasa de abstención mucho más elevada que, término medio, se registró en el País Vasco en ocasión del referendo para ratificar la ley de reforma política, en las elecciones generales que siguieron.

Por supuesto, eso era exactamente lo que la ETA y sus partidarios deseaban. La inmigración había determinado que fuese cada vez más difícil justificar el separatismo exclusivamente con argumentos raciales, pero la represión sufrida por todos los sectores de la comunidad permitió que la izquierda separatista que apoyaba a la ETA arguyese, con cierta credibilidad, que el País Vasco estaba sometido a una peculiar opresión doble, tanto por el capitalismo como por el centrismo. De acuerdo con la opinión formulada por estos nacionalistas revolucionarios, o *abertzales* (patriotas), la liberación económica y social puede ser alcanzada únicamente a través de la independencia nacional. Aunque el Partido Nacionalista Vasco −el cual hace mucho abandonó los aspectos racistas del credo de su fundador− continúa siendo la fuerza dominante de la vida política vasca, los *abertzales* representan regularmente entre un quinto y un cuarto de los votos depositados en el País Vasco.

La crisis económica ha ayudado mucho a la ETA y a los *abertzales* durante un período en el que las actitudes más progresistas originadas en Madrid hubieran podido debilitar seriamente el apoyo del cual gozan en el seno de la comunidad. La economía vasca está ahora en un aprieto. La recesión ha tenido un efecto especialmente desastroso en una región en la cual los métodos anticuados de la producción en pequeña escala son la norma. Entre 1973 y 1979 Vizcaya y Guipúzcoa abandonaron los lugares primero y tercero en la tabla del ingreso per capita, para pasar al sexto y al noveno lugar, respectivamente. Varias de las principales plantas productoras de hierro y acero que están alrededor de Bilbao han quebrado, y hacia principios de los años ochenta la desocupación −un fenómeno antes prácticamente desconocido− era más elevada que el promedio nacional, a su vez bastante superior al promedio europeo.

El efecto de todo esto ha sido que muchos de los traba-

19

LOS CATALANES

Uno comienza a percibir la diferencia apenas llega al aeropuerto del Prat, en Barcelona. Sus enormes superficies de mármol y vidrio se mantienen inmaculadas. Los ejecutivos pulcramente vestidos atraviesan los salones con un aire serio y decidido. En el trayecto hasta la ciudad abundan los anuncios que exaltan los méritos de esta o aquella *caixa* o banco de ahorro. Si uno ya pasó un tiempo en España lo sorprende el hecho de que dedican a sus comidas menos tiempo que otros españoles, y que en Barcelona hay más restaurantes con autoservicio que en las otras ciudades importantes. La legendaria laboriosidad de los catalanes siempre ha significado que Barcelona se contara entre las ciudades más prósperas de España.

Su prosperidad, considerada juntamente con su asentamiento, cerca de Francia, a orillas del Mediterráneo –ha significado, que fuese consecuentemente la más cosmopolita de las ciudades españolas. La mayoría de las ideas que han plasmado la historia moderna de España– republicanismo, federalismo, anarquismo, sindicalismo y comunismo– entraron en España a través de Cataluña. Las modas –trátese del vestido, la filosofía o el arte– han tendido a hacer pie en Barcelona varios años antes de ser aceptadas en Madrid. Y aunque su mayor refinamiento no siempre ayudó a los catalanes a producir un arte mejor o un pensamiento superior al de otros españoles, son suficientes unos pocos días en Barcelona para que Madrid comience a parecer atrasada y aislada, y sus habitantes incapaces de comprender los problemas de una sociedad "europea" avanzada como los catalanes. De aquí es suficiente un corto paso para llegar a la opinión, sin duda sostenida por muchos catalanes, de que el resto de España ha representado el papel de freno que impidió el progreso de la región.

Uno intuye que en un mundo ideal los catalanes no tendrían inconveniente en intercambiar lugares con los belgas o los holandeses. Hay un poema escrito por Salvador Espriu, el más grande poeta moderno de Cataluña, que refleja perfectamente la ambivalencia de la actitud de los catalanes en España:

> *¡Oh, qué cansado estoy de mi cobarde,*
> *vieja, tan salvaje tierra;*
> *cómo me gustaría alejarme*
> *hacia el norte,*
> *en donde dicen que la gente es limpia*
> *y noble, culta, rica, libre,*
> *desvelada y feliz!*
>
> . . .
>
> *Pero no he de seguir nunca mi sueño*
> *y aquí me quedaré hasta la muerte,*
> *pues soy también muy cobarde y salvaje*
> *y, además, quiero,*
> *con un desesperado dolor,*
> *esta mi pobre,*
> *sucia, triste, desgraciada patria.*

Pero es significativo que Espriu termine resignándose a su destino; la insatisfacción catalana siempre tendió a expresarse como resentimiento, indignación y el reclamo de una participación importante en el manejo de sus propios asuntos, más que en los términos del separatismo liso y llano. A los políticos madrileños les place afirmar que la diferencia entre un político vasco ambicioso y un político catalán ambicioso es que el primero sueña con ser primer ministro de una Euskadi independiente y, en cambio, el segundo sueña con ser primer ministro de España.

La razón de que el instinto separatista sea débil en Cataluña reside en que los catalanes, si bien tienden a tener la piel un poco más clara y el cabello más rubio, no pueden ni quieren aspirar a una condición racialmente distinta de la que es propia de los restantes españoles. Pero esto es también un reflejo de la virtud más apreciada de los catalanes: a la cual ellos llaman *seny*. No existe una traducción exacta de la palabra, pero podría decirse que el *seny* determina que los catalanes sean realistas, formales, tolerantes y, a veces, un poco criticones. Aunque esto no concuerda muy bien con su historia a menudo tumultuosa.

Barcelona ha sido atacada militarmente por las fuerzas del gobierno central en muchas ocasiones, generalmente como consecuencia de alzamientos y revoluciones. La popularidad del anarquismo entre los obreros catalanes convirtió a Barcelona en la ciudad europea más violenta durante la primera parte de este siglo, y en el momento culminante de la guerra civil la capital catalana fue escenario de una sangrienta lucha callejera entre facciones republicanas antagónicas.

Víctor Alba, escritor y académico español, ofrece esta versión del problema: "Lo contrario de *seny* es *arrauxmen*, el éxtasis de la violencia. Pero se concibe el *arrauxmen* como la consecuencia última del *seny*. Porque ellos (los catalanes) están convencidos de que cuando actúan impetuosamente es que están mostrándose razonables... Cuando una cosa no se desenvuelve como debería hacerlo, cuando una situación no es "razonable", el sentido común obliga a oponerse abrupta y violentamente." Otra explicación que he oído es que los catalanes se dividen en dos grupos muy diferenciados: los que son *sorrut* (antisociales) y los que son *trempat* (espontáneos, agradables, simpáticos), y que los cambios violentos de orientación de la historia política catalana son el producto de la coexistencia inestable de estos dos grupos.

Se observa un esquema igualmente paradójico en la cultura catalana. En general, sus formas son más bien pulcras y tediosas pero, de tanto en tanto, surge una figura profundamente original. En la Edad Media fueron Ramón Llull, el misionero mallorquín multilingüe que se opuso a las Cruzadas y formuló la teoría de que la tierra era redonda, y Anselm Turmeda, un franciscano renegado que se convirtió al Islam y a quien se considera un santo en Africa del Norte. Más recientemente, Cataluña ha producido a Salvador Dalí y dos arquitectos cuyas obras se destacan como una sucesión de faros luminosos entre los edificios sólidamente burgueses de Barcelona: Antoni Gaudí, cuya gigantesca y excéntrica catedral, la Sagrada Familia, fue iniciada en 1882 y probablemente se completará alrededor del año 2020; y Ricardo Bofill, que ha sido el responsable, entre otras cosas, de la transformación de una obra de cemento en un bloque de oficinas que se asemeja a un castillo medieval.

El idioma es el factor que unifica a este pueblo extrañamente heterogéneo y contradictorio. Su orgullo del idioma es casi ilimitado, y lo hablan siempre que se les ofrece la oportunidad. Cuando se reúnen dos personas de habla catalana y otra de habla castellana, los catalanes se dirigen a la persona de habla castellana en castellano, pero con mucha frecuencia se hablan el uno al otro en catalán, una actitud que irrita profundamente a los restantes españoles.

En su forma escrita, el catalán parece una cruza entre el español y el francés, pero cuando se lo habla exhibe una aspereza que falta en cualquiera de los dos idiomas restantes. Posee extraordinaria abundancia de términos monosilábicos –al extremo de que los poetas catalanes han creado poemas enteros con ellos– y las palabras de varias sílabas llevan acentos muy marcados. Los diptongos "au", "eu" y "iu" aparecen con mucha frecuencia, de modo que a los oídos del extranjero la lengua se asemeja bastante al portugués.

Casi la peor falta de tacto que uno puede cometer cuando habla con un catalán es aludir a su idioma afirmando que es un dialecto. El catalán no es un dialecto del castellano en medida mayor que el castellano es un dialecto del catalán. O bien, para decirlo de otro modo, ambos –a semejanza del francés o el italiano– son dialectos del latín. Las primeras palabras catalanas aparecieron en documentos escritos durante el siglo IX, aunque se cree que la lengua comenzó a desarrollarse durante el siglo VII o el VIII. Se difundió como consecuencia de la expansión imperial de Cataluña a una región mucho más dilatada que las cuatro provincias de Gerona, Lérida, Tarragona y Barcelona, que forman el principado mismo de Cataluña. También se lo habla a lo largo de una faja de 15 a 30 kilómetros hacia adentro del territorio aragonés que bordea el principado, en unos dos tercios de Valencia, en las islas Baleares, en la República de Andorra y en ese sector del departamento de los Pirineos orientales denominado históricamente Roussillon. También se lo habla en Alguer, una ciudad amurallada de la costa occidental de Cerdeña, que fue ocupada y poblada totalmente por catalanes durante el siglo XIV; y hasta principios de la década de 1950 aún podía oírselo en San Agustín, Florida, una ciudad conquistada por menorquines en el siglo XVIII. El catalán es el idioma nativo de unas 6.500.000 de personas, de modo que lo hablan más individuos que en el caso de otras lenguas más conocidas como el danés, el finlandés y el noruego.

A medida que el idioma se difundió, comenzaron a observarse diferencias entre el catalán según se lo hablaba en la región occidental u oriental del mundo de habla catalana. La línea divisoria corre desde un punto que está precisamente al este de Andorra hasta un punto que se encuentra exactamente al oeste de Tarragona. La fragmentación interna de la lengua no se detiene allí. Ambos dialectos pueden dividirse además en subdialectos –por lo menos tres en el catalán oriental (central, rusillanés y balear), y dos en el catalán occidental (noroeste y valenciano), de acuerdo con la pronunciación de la primera persona del singular de la primera declinación indicativa. "Yo canto" se pronuncia "cantu" en Barcelona y en la mayor parte de Cataluña propiamente dicha "canti" en Roussillon, "cant" en las Islas Baleares, "canto" en Lérida y a lo largo del borde aragonés, y "cante" en Valencia. Incluso existen lo que podría denominarse subsubdialectos del balear y el valenciano. En cada caso, tres de ellos corresponden a Mallorca, Menorca e Ibiza, y a las regiones septentrional, central y meridional de las áreas valencianas de habla catalana. En una actitud típica del localismo predominante en España, muchos de los habitantes de las islas Baleares y Valencia se oponen absolutamente a que se denomine catalán a su idioma. Con el fin de evitar una ofensa a la sensibilidad local, se han realizado intentos de conseguir que la gente lo denomine *bacavés* (un neologismo derivado de las letras iniciales de Balear, Catalán y Valenciano).

Cataluña fue la región más romanizada de Iberia, y mantuvo con los musulmanes, a lo sumo, un contacto brevísimo. Más aún, fue la única región repoblada en gran escala por los reconquistadores provenientes de fuera de la provincia. El aporte de los francos a la población de Cataluña fue solo el primero de los muchos vínculos que se establecerían entre los catalanes (a su vez denominados originariamente *francos* por otros españoles) y el pueblo que vive en lo que es ahora Francia. Los catalanes siempre se han mostrado más receptivos a las ideas y las actitudes francesas que otros españoles, que de hecho tienden a mirar con profunda antipatía a los franceses.

El período de mayor gloria de Cataluña duró del siglo XII al XIV, y en ese lapso los catalanes estuvieron aliados con los aragoneses. Esa confederación fue una unión precozmente perfeccionada, en la cual los dos asociados, por cierto muy distintos, podían mantener cada uno sus propias leyes, sus costumbres y sus lenguas, bajo la misma corona. Todavía a principios del siglo XIII Cataluña tenía una *Corts* o parlamento formada por tres cámaras, una para la nobleza, una para la burguesía y otra para el clero. Los soberanos de la confederación decidieron más tarde convocar a las *Corts* una vez al año, y no aprobar leyes sin su consentimiento. Las *Corts* establecieron un comité de veinticuatro miembros (ocho por cada cámara) cuya misión era recaudar impuestos. En 1359 este organismo –la *Generalitat*– asumió la responsabilidad del modo en que se gastaba el dinero, así como del modo de recaudarlo, y se convirtió en lo que verosímilmente fue el primer gobierno parlamentario del mundo. Como observó un cronista medieval, los gobernantes de Cataluña y Aragón no eran los amos de sus súbditos, sino sus cogobernantes".

Hacia mediados del siglo XIV la confederación catalana-aragonesa gobernaba no solo las islas Baleares y la región de Valencia, sino también Cerdeña, Córcega y gran parte de la actual Grecia. Un miembro de la familia real ocupaba el trono de Sicilia, y controlaba el tráfico de oro con el Sudán. Hoy, el mundo prácticamente ha olvidado la edad de oro de Cataluña, pero el recuerdo de su poder y su influencia perdura en los dichos populares del Mediterráneo. En Sicilia, se dice a un niño caprichoso: "Haz lo que te digo o llamaré a los catalanes", y en Tracia lo peor que uno puede desear a su enemigo es "la venganza catalana". Una serie de términos navales y financieros del castellano derivan del catalán, incluida probablemente la palabra *peseta*.

En 1381, un desastre bancario provocado por el costo de la financiación de un excesivo número de guerras imperiales, el ascenso del Imperio Otomano y la pérdida del tráfico de oro determinaron la decadencia de Barcelona, incluso antes de que el descubrimiento de América desplazara las ventajas geográficas del Mediterráneo al Atlántico. Cuando al fin el destino de la ciudad comenzó a mejorar, durante el siglo XIX, se debió no tanto al comercio como a la industria y, sobre todo, a la del algodón.

Durante el siglo XIX los catalanes volvieron a descubrirse ellos mismos mediante su idioma. Después de la unificación de España, la clase gobernante de todo el país había adoptado el castellano como un signo de su propia jerarquía. El catalán se convirtió en el idioma del campesinado, y la cultura asociada con él decayó. Pero durante el último siglo se convirtió en el medio de un renacimiento literario que consiguió realzar la jerarquía del lenguaje lo suficiente como para permitir que fuese adoptado otra vez por las clases media y alta, con lo cual recuperó su respetabilidad y su influencia.

La *Renaixença* catalana, según se la denomina, comenzó del modo más extraño. Se inició en el año 1833 cuando un poeta de menor importancia, Bonaventura Carles Aribau, publicó un poema en catalán titulado "Oda a la Patria". Su intención era sencillamente ofrecer un regalo de cumpleaños a su protector, otro catalán llamado Gaspar Remisa i Niarous, en ese momento director del

Tesoro Real. Pero fue publicado en un periódico barcelonés, e impresionó mucho a la comunidad intelectual. Aribau, que era un firme centralista, nunca volvió a publicar algo importante, y pasó el resto de su vida trabajando para el gobierno y la monarquía de Madrid. Pero el renovado interés por el catalán que él había estimulado se acentuó inexorablemente. En 1859 se inauguró un concurso anual de poesía, los Juegos Florales, que en 1877 determinó la aparición de una de las figuras literarias modernas nacionales de España, Jacint Verdaguer. Cataluña produjo otros escritores destacados a fines del siglo XIX y principios del XX: el dramaturgo Angel Guimerá, el novelista Narcís Oller y el poeta Joan Maragall.

Este mismo período también presenció la normalización del propio idioma. En 1907 se fundó un *Institut d'Estudis Catalans*, y cuatro años más tarde la sección científica del instituto solicitó a la sección filológica que preparase un informe acerca del modo de alcanzar la normalización de la escritura catalana. Este pedido en apariencia modesto originó una multitud de interrogantes acerca de la gramática y el vocabulario, muchos de ellos resueltos cuando el informe fue publicado en 1913, con el título de *Normes Ortogràfiques*. El investigador que había realizado el aporte más decisivo a las *Normes* fue un ingeniero convertido en filólogo, el estudioso Pompeu Fabra. Poco después el mismo Fabra decidió compilar un diccionario completo. Publicado en 1932, es la piedra angular del catalán moderno.

La Renaixença suministró la materia prima y la fuerza impulsora del movimiento político que se perfiló hacia fines del último siglo, el llamado catalanismo. El catalanismo era una congregación amplia, que abarcaba a todos los que creían en la entidad específica de Cataluña y que ansiaban verla reconocida, fuese en la forma de la autonomía, o como nacionalidad. Valentí Almirall, padre del catalanismo y autor de *Lo Catalanisme*, fue esencialmente un regionalista. Pero al cabo de pocos años sus ideas cobraron un filo más agudo y más nacionalista gracias a Enric Prat de la Riba, que aportó al movimiento su primer programa político, y cuya Unión Catalana fue su primera organización política. Excepto durante los primeros años, el catalanismo nunca estuvo representado por un solo partido. Representó la inspiración de partidos de la derecha y de la izquierda y, en definitiva, de los partidos de todas las clases. De ellos, el más influyente fue la Lliga, una entidad conservadora, de la alta clase media. Pero lo que al catalanismo le faltaba en cohesión, lo compensaba sobradamente con la profundidad y amplitud de su invocación a la comunidad, y este aspecto nunca pasó inadvertido para Madrid.

El primer intento de resolver "el problema catalán" fue realizado poco antes de la Primera Guerra Mundial, cuando el gobierno español autorizó a los gobiernos provinciales a agrupar sus funciones con las de sus vecinos, y formar mancomunidades. Las cuatro provincias catalanas fueron las únicas en España que aprovecharon la oportunidad. La mancomunidad catalana persistió apenas una década, hasta que fue suprimida por Primo de Rivera. No fue un experimento especialmente exitoso. El grado de autonomía que aportaba era sumamente limitado, y en cierta etapa tuvo que contraer deudas a causa de la falta de apoyo financiero oficial.

Durante el breve período que medió entre la caída de Primo de Rivera y la designación de Alfonso XIII, los partidos de la izquierda republicana española firmaron un pacto con los principales partidos nacionalistas regionales –el llamado Pacto de San Sebastián– y en él prometían que, si llegaban al poder otorgarían gobierno propio a Cataluña, Galicia y al País Vasco. Pero el 14 de agosto de 1931 –dos días después de las elecciones locales que indujeron al rey a huir del país– los nacionalistas de Barcelona se desentendieron de la aplicación ordenada del gobierno propio, y proclamaron una República catalana, como parte de una Federación Ibérica, pese a que no existía ni se contemplaba nada parecido. Los jefes del gobierno central más tarde los convencieron de que modificasen el nombre del gobierno que habían instalado, utilizando el de gobierno de la Generalitat en memoria de la institución medieval del mismo nombre. Una asamblea elegida por los consejeros municipales catalanes redactó posteriormente un borrador de estatuto que conquistó abrumadora mayoría en un referendo (562.691 votos favorables, 3276 votos negativos, con 195.501 abstenciones). Las Cortes aprobaron el 9 de noviembre de 1932 una versión considerablemente aguada del borrador de estatuto (que otorgaba a los catalanes el control de la salud y el bienestar social, pero no el de la educación). Pero las atribuciones financieras asignadas a la Generalitat durante los meses siguientes se vieron severamente limitadas.

Dos años después, un anticatalán de corte demagógico, Alejandro Lerroux, consiguió obligar a la Generalitat a aceptar miembros de derecha tanto como de izquierda. Esto era anatema para la izquierda. Se creía que la derecha no podía ni quería apoyar a la República, y el Presidente de la Generalitat, Lluis Companys, proclamó el "Estado Catalán de la República Federal Española". El gobernador civil de Barcelona, también catalán, declaró la guerra al nuevo gobierno, y las oficinas de la Generalitat y el Municipio fueron bombardeados antes de que Companys se entregase con todo su gobierno. Las Cortes suspendieron el parlamento catalán y designaron un gobernador general que debía cumplir las funciones de la Generalitat. En 1935 los miembros de la Generalitat fueron sentenciados a treinta años de cárcel, pero aprovecharon la amnistía concedida a los detenidos políticos y proclamada cuando el Frente Popular izquierdista asumió el poder como resultado de las elecciones de febrero de 1936.

Se restableció el estatuto de autonomía, y durante el período que siguió inmediatamente al estallido de la guerra civil la Generalitat pudo recuperar gran parte del poder que se le había negado entre 1932 y 1934. A medida que Franco y sus tropas consolidaron su dominio de la situación y que los republicanos se vieron empujados a ocupar un área cada vez más pequeña, la capital fue trasladada de Madrid a Valencia, y después de Valencia a Barcelona, de modo que la República llegó a su fin precisamente en Barcelona. Companys huyó a Francia pero fue arrestado por la Gestapo después de la invasión alemana. Los alemanes lo entregaron a Franco, quien ordenó su ejecución en secreto. Después se supo que las últimas palabras del presidente de la Generalitat, gritadas unos segundos antes que el pelotón de ejecución hiciera fuego fueron: "¡Visca Catalunya!" (¡Viva Cataluña!).

La victoria de Franco desencadenó una campaña contra el idioma catalán sin igual en la historia de la región. Se allanaron las casas editoriales, las librerías y las bibliotecas públicas y privadas en busca de libros escritos en catalán, y se destruyeron los que eran descubiertos. La colección de Pompeu Fabra, de valor incalculable, fue quemada en la calle; se castellanizaron los nombres de las aldeas y los pueblos, la calle de la Virgen de Monserrat (la patrona de Cataluña) se convirtió en la calle del Redentor, y la Biblioteca de Cataluña fue rebautizada Biblioteca Central. Hacia mediados de los años cuarenta se autorizó la publicación de libros en catalán y la representación de obras teatrales en ese idioma. Pero la lengua continuó desterrada de la radio y la televisión, de la prensa cotidiana y las escuelas. Durante el régimen de Franco el Institut llevó una extraña existencia, tolerado a medias y a medias clandestino. Celebraba reuniones semanales, dictaba cursos de idioma, literatura e historia de Cataluña en casas privadas, ofrecía recepciones y llegó al extremo de publicar libros y folletos, algunos de los cuales incluso fueron comprados por el gobierno para exhibirlos en exposiciones internacionales.

Durante las dos primeras décadas del gobierno de Franco, Cataluña fue la principal fuente de oposición a su régimen. En 1944 los comunistas realizaron un desastroso intento de invadir el país a través del valle de Arán, y entre 1947 y 1949 los anarquistas protagonizaron una sangrienta pero inútil campaña de tiroteos, colocación de bombas y asaltos en Barcelona. El fracaso de estos intentos de derrocar el régimen de Franco mediante la fuerza abrió un período en que la oposición se caracterizó por las protestas públicas de masas. La mayoría de las más exitosas se realizó en Cataluña. El método quedó establecido en 1948, cuando los opositores al gobierno de Franco consiguieron reunir 100.000 personas en una ceremonia que celebraba la entronización de la Virgen de Monserrat. En 1951 se realizó en Barcelona la primera huelga general que abarcó una ciudad entera en la España de la posguerra, y esta ciudad fue también el escenario de boicots masivos al transporte público en 1951 y 1956.

Pero ser el foco de la oposición y promoverla son dos cosas muy diferentes, y la verdad es que el papel representado por los nacionalistas catalanes en la lucha contra Franco en general fue bastante débil. Había un Frente de Liberación Catalana, pero jamás contó con una fracción del apoyo ni presionó la centésima parte de lo que ha conseguido la ETA. Los estudiantes de Barcelona estaban a la vanguardia de la búsqueda de un movimiento estudiantil independiente, pero tan pronto se constituyó, la dirección pasó a Madrid. Los actos más dramáticos de resistencia originados en Cataluña tuvieron carácter simbólico. Entre ellos cabe mencionar el día que el público asistente al Palau de la Música cantó el himno nacional de Cataluña en presencia de Franco, que había acudido a visitar la región en 1960.

En resumen, las respuestas de los catalanes a Franco debieron mucho más al *seny* que al *arrauxment*, y creo que esto ha disminuido un tanto su jerarquía y su influencia en una España democrática. Más aún, la ausencia virtual de un nacionalismo violento ha significado que los habitantes de Cataluña no se vieran sometidos a la misma opresión implacable que contribuyó a homogeneizar a la población del País Vasco. Así las diferencias entre los "nativos" y los "inmigrantes" no se han borrado, ni disimulado en Cataluña con la misma intensidad que se observa en el País Vasco. Cataluña no ha ocupado un lugar central después de la muerte de Franco, y esto explica en parte por qué hoy los nacionalistas catalanes se ven obligados a luchar para crear un sentido de nacionalidad en una región que, evidentemente, es menos diferente del resto del país ahora que en cualquier otro momento de su historia.

Los inmigrantes han venido afluyendo al principado desde otras regiones de España durante casi un siglo. El crecimiento de la industria, primero en Barcelona, y sus alrededores, y más tarde en las restantes capitales de provincia de Cataluña, creó una demanda de fuerza de trabajo que los catalanes no pudieron satisfacer con su propia población. Aproximadamente la mitad de la población de Cataluña tiene hoy origen en la inmigración, y se ha calculado que hacia el año 2040 ya no quedarán más catalanes "puros".

Lo que es más, no solo ha crecido el porcentaje de inmigrantes, sino que lo mismo puede decirse de las regiones en las cuales se los recluta. Y a medida que ha ido creciendo, ha incorporado aportes de regiones que se parecen cada vez menos a Cataluña, de modo que ese tipo de población demuestra una simpatía cada vez menor frente al catalanismo. La inmigración más temprana fue la de los catalanes rurales que se dirigían a Barcelona durante la primera parte del siglo pasado. Hacia fines del siglo XIX los inmigrantes provenían de Mallorca y Valencia. A comienzos de este siglo, se originaban sobre todo en Aragón, con la cual Cataluña siempre mantuvo estrechos vínculos históricos. Durante la década de 1920 los recién llegados provenían principalmente de Murcia que —si bien era una región de habla castellana— había sido conquistada parcialmente por catalanes. Pero el aflujo después de la guerra civil y durante los años de desarrollo consistió en una creciente proporción de andaluces. Como esta fue la "oleada" más nutrida y prolongada, los andaluces forman ahora el principal grupo de inmigrantes instalados en Cataluña. Con su temperamento alegre pero apasionado y su amor al flamenco, los andaluces no solo no son catalanes; además, son los herederos de una cultura alternativa muy fuerte.

Esta es solo una de varias razones por las cuales parece más difícil asimilar la ola más reciente de inmigrantes de lo que fue integrar a los que llegaron antes de la guerra civil. Los inmigrantes de los años veinte arribaron con un ritmo que oscilaba entre 25.000 y 35.000 anuales, y su número culminó durante el período 1927-29, a causa de la necesidad de trabajadores para completar dos importantes obras públicas, el Metro de Barcelona y la Exposición Universal de Montjuic, celebrada en 1929. Por esa época seguramente pareció que nunca sería posible asimilarlos. Los "murcianos", como se los denominaba a todos —pese a que una minoría considerable provenía de otras regiones— eran un grupo desordenado y tosco. Los crímenes pasionales, antes casi desconocidos en Cataluña, llegaron a ser muy usuales; incluso después que pudieron permitirse la compra de alimentos de mejor calidad, muchos continuaban aferrados al almuerzo de pan y cebolla que los había mantenido en el Sur pobre. La palabra "murciano" adquirió una connotación peyorativa – primero en Cataluña y después en el resto de España – que nunca perdió del todo. A fines de los años setenta, *Cuadernos para el diálogo* publicó una encuesta en la cual se había formulado a los entrevistados preguntas de este tipo: "¿De que región prefiere usted más/menos que su yerno/nuera provenga?", con el propósito de descubrir cuáles eran las regiones de máxima y mínima jerarquía a los ojos de otros españoles. Los pobres murcianos ocuparon el último lugar en todas las respuestas.

Las actitudes y el comportamiento de los "murcianos" impresionaron a los catalanes nativos, que los motejaron de *xarnegos* (una palabra probablemente derivada de *xarnec*, expresión peyorativa para quien es mitad catalán y mitad francés), y los acusaron de "venir a quitarnos el pan de la boca". Esta acusación totalmente injusta se basaba en el hecho de que una minúscula minoría de inmigrantes había sido importada por los empresarios catalanes para cumplir la función de rompe huelgas. Durante la guerra civil, los habitantes del barrio de inmigrantes de Tarrasa fijaron un anuncio famoso a la entrada de un suburbio, y el texto decía: "Cataluña termina aquí. Este es el comienzo de Murcia", y en un sector los anarquistas se anticiparon a Franco, pues fijaron carteles que prohibían a la gente hablar catalán en las calles. De todos modos, por esa época la mayoría de los inmigrantes de los años veinte habían comenzado a asimilar influencias que los convertirían en catalanes. De un modo típicamente catalán, su asimilación se realizó a través del idioma.

Durante los años treinta no era difícil llegar a tener – en realidad, un individuo de habla castellana se habría visto en dificultades para evitarlo – un conocimiento práctico del catalán. Los inmigrantes iban a vivir en distritos donde los comerciantes hablaban catalán, trabajaban en fábricas y en lugares donde muy probablemente el capataz hablaba catalán, oían catalán por la radio, y los que sabían leer encontraban el catalán en la prensa. Los niños aprendían catalán en la escuela. En el momento en que llegó otra ola de inmigrantes, los "murcianos" de los años veinte estaban en condiciones de mirar con aire de superioridad a los recién llegados, porque poseían un lenguaje común y habían compartido experiencias. Hoy, el antiguo "murciano" cuyo apoyo al nacionalismo catalán es más apasionado que el de los nativos, y que ha bautizado Monserrat a su hija mayor, es un estereotipo reconocido en la sociedad catalana.

Pero la razón más importante por la cual ha sido tan difícil asimilar a los inmigrantes de la posguerra es lisa y llanamente su número: 250.000 durante los años cuarenta, casi 500.000 durante los años cincuenta y casi un millón durante los años sesenta. Esa oleada cubrió a Barcelona y al resto de Cataluña. Cuando concluyó el "milagro económico" de España casi uno de cada cinco habitantes de la población de las tres provincias restantes pertenecía al grupo inmigratorio. A causa de su número, los inmigrantes de los años cuarenta, cincuenta y sesenta a menudo viven en zonas en que solo el sacerdote, el médico y quizá los maestros de escuela y los comerciantes son de origen catalán. Los nuevos inmigrantes representan una proporción mucho más elevada de la población total de Cataluña —la cual ahora roza los seis millones— de lo que fue el caso de sus predecesores. Desde el retorno de la democracia la fuerza numérica ha adquirido un significado político tanto como social. Los nuevos inmigrantes perciben su propia importancia, y eso les permite oponerse más tiempo a la catalanización.

Las medidas represivas aplicadas por el gobierno de Franco y el aflujo de esta nueva oleada de inmigrantes representaron una doble amenaza para la lengua catalana, la cual, por la época en que terminó la dictadura, afrontaba una crisis. De acuerdo con un informe publicado por el gobierno español en 1975, la proporción de la población que podía hablar catalán, era del 71 por ciento en el principado, el 91 por ciento en las islas Baleares y del 69 por ciento en las tres provincias de Valencia. Los porcentajes de los que en realidad hablaban el idioma en el hogar eran un tanto inferiores en todos los casos. En Cataluña propiamente dicha la cifra era aproximadamente la mitad. Pero otra encuesta realizada más o menos por la misma época demostró que en Cataluña misma había una acentuada división entre las provincias de Lérida, Tarragona y Gerona, donde la cifra era del 90 por ciento o aún más, y Barcelona, donde a causa de la elevada proporción de inmigrantes el número de personas que hablaba catalán en el hogar era solo del 39 por ciento. Esta investigación y otras posteriores destacaron dos dificultades específicas, que si persisten conseguirán más tarde o más temprano —eso era evidente— llevar a la desaparición del idioma catalán.

La primera era que, como el catalán no había sido enseñado en las escuelas, no era posible usarlo en el periodismo, ni en los escritos de la burocracia; por lo tanto, muchas personas que podían hablar catalán de todos modos eran analfabetas en ese idioma. La proporción de la población que podía leer y escribir el idioma era del 62 y el 38 por ciento, respectivamente, en la propia Cataluña; del 51 y el 10 por ciento en las islas Baleares y del 46 y el 16 por ciento en Valencia. E incluso los catalanes que podían leer y escribir en su propio idioma estaban tan acostumbrados a un mundo

margen de lo que algunos españoles puedan afirmar. Entre el 80 y el 85 por ciento de los 3.000.000 de habitantes de Galicia habla gallego: un porcentaje más elevado que el de los vascos o el de los catalanes. Hay tres dialectos – occidental, central y oriental – y el primero se divide además en los subdialectos septentrional y meridional. Durante los años setenta tanto la Real Academia Gallega como el Instituto de Idioma Gallego de la Universidad de Santiago de Compostela realizaron esfuerzos para normalizar la ortografía y la gramática. Pero ninguno consiguió conquistar la aceptación universal de las normas que propusieron. De todos modos, una especie de idioma gallego común comienza a surgir naturalmente, a medida que la lengua hablada en las principales ciudades adquiere cada vez más homogeneidad. La amenaza que se cierne sobre la supervivencia del idioma no deriva de su diversidad, sino de otros factores. Mientras el catalán es "el idioma del pueblo" en el sentido de que se lo habla en todos los estratos de la sociedad, (excepto entre los inmigrantes), el gallego es el idioma del pueblo solo en el sentido de que lo hablan las masas. Con excepción de unos pocos intelectuales que generalmente adoptan una actitud bastante tímida, los miembros de las clases altas y media gallegas, dos grupos sociales pequeños pero influyentes, hablan español. Por consiguiente, en la mente del público hay cierta identificación entre el progreso social y el uso del castellano; y esta corriente, a medida que Galicia se desarrolla y, progresa, podría conducir a los habitantes a abandonar su lengua nativa. Ya se observa que las familias de los trabajadores que desean progresar educan a los niños para que hablen castellano.

Sea porque comparten con los irlandeses, los galeses y los bretones una estirpe común, o porque viven en regiones igualmente lluviosas y barridas por el viento a orillas del Atlántico, los gallegos tienen muchas de las características asociadas con las razas celtas: el genio de la poesía, el amor a la música, la fascinación por la muerte y la tendencia a la melancolía.

Pero el último de estos rasgos bien puede derivar de las terribles privaciones que los gallegos han sufrido en el curso de su desgraciada historia. El "Voltaire de España", el monje benedictino Benito Feijóo, quien visitó la región a mediados del siglo XVIII, ha dejado esta reseña del campesino gallego típico:

> *Cuatro trapos cubren sus carnes, o mejor diré que por muchas roturas que tienen las descubren. La habitación está igualmente rota que el vestido, de modo que el viento y la lluvia entran en ella como por su*

casa. Su alimento es un poco de pan negro, acom-
pañado de algún lacticinio o alguna legumbre vil, pero
en tan escasa cantidad que hay quienes apenas una vez
en la vida se levantan saciados de la mesa. Agregado a
estas miserias un continuo y rudísimo trabajo corporal
que desde que raya el alba hasta que viene la noche,
contemple cualquiera si no es la vida más penosa la de
los míseros labradores que la de los delincuentes que la
justicia pone en las galeras.

Los períodos de hambre eran muy frecuentes, y cuando ocurrieron, como lo atestiguan los registros locales, las calles de las principales ciudades respondieron al eco de los lamentos y los ruegos de los esqueletos que ambulaban semidesnudos.

El último período de hambre fue en 1853-54, pero incluso hoy Galicia es la escena de tremendas privaciones. Si no es la región más pobre de España (esa infortunada distinción corresponde a Extremadura), lo debe únicamente a la relativa prosperidad de las ciudades costeras: La Coruña, Santiago, Pontevedra y Vigo. Las provincias interiores –Lugo y Orense– exhiben los más bajos ingresos per cápita de España (apenas la mitad del promedio nacional). En Piornedo, Lugo, todavía hay una familia que vive en una *palloza*, una construcción de diseño prerromano consistente en una pared circular de granito y un techo cónico de paja, donde los seres humanos comen, beben y duermen con sus animales. En Sabacedo, Orense, los niños deben caminar más de tres kilómetros a través del bosque por la mañana y al atardecer para acercarse a la ruta principal y alejarse de ella, y usar el autobús escolar. Como hay lobos en la zona, siempre van acompañados por un adulto armado con un rifle. Muchos de los caseríos y las aldeas del interior carecen de pavimento apropiado, de modo que la mayor parte del año los espacios que median entre las casas –sería falso hablar de calles, porque las viviendas tienden a agruparse al azar– se convierten en una pegajosa masa de lodo y estiércol de 30 o 35 centímetros de profundidad. Tales condiciones a menudo provocan enfermedades, pero como la proporción de médicos en relación con los habitantes es solo alrededor de la mitad del promedio nacional, es difícil combatir las afecciones y, de tanto en tanto, Galicia –o parte de ella– se ve asolada por las epidemias.

Galicia es una víctima de la dinámica de la historia española. A diferencia de Cataluña, Galicia fue romanizada lentamente y no por completo. Pero, igual que los catalanes, los gallegos tuvieron muy escaso contacto con los musulmanes. Parece que uno de los primeros monarcas asturianos consolidó su control sobre la costa a mediados del siglo VIII; aunque solo durante el reinado de su nieto, en la primera mitad del siglo IX, la región entera fue reincorporada finalmente al dominio cristiano. Pero después, la atención de los gobernantes se vio atraída inexorablemente hacia el sur, por el deseo de reconquistar la península. A medida que el poder pasó a los estados creados por la monarquía asturiana −primero León y después Castilla− los gallegos se vieron cada vez más aislados del centro del poder.

La frustración de los gallegos al verse atados a una Corona cuyos intereses eran diferentes a los suyos propios se manifestó desde una etapa muy temprana en los alzamientos organizados por la nobleza; y el descubrimiento de la tumba de Santiago debe considerarse precisamente en relación con este trasfondo. De acuerdo con la leyenda, la descubrió un pastor en un campo adonde llegó guiado por una estrella. Ese terreno se convirtió en el asentamiento de una catedral y una ciudad −Sant Iago (Santiago) de Campo Stellae (del campo de la estrella) sobre las cuales la monarquía asturiana y sus sucesores derramaron dones y privilegios. Hasta el último siglo, el monarca español pagaba una suma anual a la ciudad, el llamado *voto de Santiago*, ostensiblemente a cambio del patronazgo del santo. El efecto fue crear en una provincia, que en todo lo demás se caracterizaba por la turbulencia, una ciudad que tenía buenas razones para apoyar al gobierno central.

Ya durante el siglo XIV, los gallegos fueron dejados sin representación en las Cortes. No jugaron ningún papel en la *Mesta*, la asociación de criadores de ovejas cuya influencia aportó tantos beneficios a los campesinos de la meseta, ni en el comercio con las Américas, asignado a los andaluces, ni en las revoluciones industriales que transformaron a las provincias catalanas y vascas. En cambio, se convirtieron en el blanco favorito de los impuestos elevados y las levas militares.

El ferrocarril proveniente de Madrid no llegó a Galicia hasta 1883, y cuando la región ingresó en el siglo XIX sus únicas industrias, al margen del astillero naval la Bazán fundado en el siglo XVIII, eran una modesta manufactura de tabacos y algunas empresas envasadoras y elaboradoras de alimentos. Por supuesto, los envases provenían de otro sitio. La región quizá tenía derecho a esperar un trato preferencial por parte de Franco quien era gallego (de El Ferrol). Pero aunque es indudable que la región aprovechó la elevación general del nivel de vida español durante los años del desarrollo, en cuyo período incorporó algunas importantes fábricas nuevas (sobre todo la planta de Citroën, en Vigo), el cambio principal fue una explotación más eficiente de los recursos naturales de la región, la hidroelectricidad y la madera. Más del 40 por ciento de la población todavía trabaja la tierra: una proporción que, si se tratara de un país independiente, determinaría que se lo incluyese en la condición de nación subdesarrollada.

Más aún, la agricultura de Galicia padece un terrible atraso. A diferencia de la mayoría de los restantes pueblos del norte de España en un período temprano, los gallegos no lograron aliviar la presión del crecimiento demográfico mediante la emigración masiva hacia el sur. Los asturianos pudieron establecerse en León y, finalmente, en Extremadura. Los vascos y los cantabrios se extendieron hacia Castilla y, en definitiva, hacia Andalucía. Los aragoneses y los catalanes tuvieron a Valencia. Pero la expansión de Galicia hacia el sur se vio bloqueada por la creación de Portugal, un estado con el cual los gallegos no tenían vínculos políticos. El único pueblo, además de los gallegos, que se encontró en este mismo aprieto fue el de los navarros. Pero, a diferencia de Galicia, que estaba limitada por el mar, Navarra podía extenderse hacia el norte, y lo hizo.

Contenidos por todos lados, los gallegos no tuvieron más alternativa que dividir la misma extensión de tierra en parcelas cada vez más pequeñas. En la actualidad, la mayoría de los campesinos posee, a lo sumo, minúsculas porciones de tierra consistentes en varios lotes aislados que utilizan para obtener diferentes cosechas y criar animales. Se pierde mucho tiempo viajando de una parcela a otra, se malgasta tierra para construir los muros que las separan, y la extensión de las propiedades y la diversidad de las cosechas determinan que la incorporación de máquinas, a menudo, sea antieconómica. La agricultura que uno puede ver en Galicia hoy, no es muy distinta del tipo que se practicaba en la Edad Media. Ciertamente, hasta hace poco el campesinado gallego tenía que pagar derechos feudales llamados *foros*, mucho después que otras herencias medievales del mismo género habían desaparecido del resto del país.

Un pueblo que ha sido tan duramente tratado como el gallego siempre tiene derecho a mostrarse desconfiado, y a los ojos de los restantes españoles son personas caracterizadas por la cautela y la astucia. En castellano, una afirmación ambigua es un *galleguismo*. En este sentido si no en otro, Franco fue un auténtico hijo de Galicia. Era famoso por sus comentarios crípticos, y siempre dejaba que sus ministros discutiesen un caso antes de intervenir.

La pobreza también engendra superstición y Galicia ha sido durante mucho tiempo el centro de la brujería española. El famoso texto de la magia gallega, *O antigo e verdadeiro livro de San Cipria-no* –más conocido sencillamente como el *Cipranillo*– ha tenido innumerables ediciones, y la más reciente apareció en Lisboa a principio de los años setenta. Está muy difundida la creencia en el mal de ojo, y la región abunda en sabias y curanderos. Galicia es un refugio legendario del lobizón.

En una medida todavía mayor que en el país vasco, las mujeres han gozado tradicionalmente de elevada jerarquía en la sociedad y de un generoso grado de influencia. El héroe nacional de Galicia es una mujer, María Pita, que se distinguió por su bravura durante el sitio inglés de La Coruña en 1586, y varios de los intelectuales más destacados de la región, la poetisa Rosalía de Castro, la novelista Emilia Pardo Bazán y la reformadora del sistema penal Concepción Arenal, han sido mujeres. Tal vez se trata de otro legado de la sociedad matriarcal que existió en la España septentrional de los tiempos prerromanos. Pero, sin duda, también debe algo al hecho de que las mujeres de Galicia se han visto obligadas durante centenares de años a asumir responsabilidades que en otras sociedades estaban a cargo de los hombres, sencillamente porque ellos se encontraban en otras regiones del país o del mundo.

En el curso de los años se han escrito muchísimas tonterías acerca de la tendencia de los gallegos a emigrar. Solía ser de buen tono atribuir el hecho a su sed típicamente celta de aventuras. Pero como observó un escritor español: "La próxima vez que usted vea a uno de estos celtas emigrantes, déle una patata, y lo transformará inmediatamente en un europeo sedentario. Lo que convierte en aventureras a las "razas aventureras" es la falta de patatas, la falta de pan y la falta de libertad."

Se calcula que durante los últimos cinco siglos uno de cada tres hombres gallegos se ha visto obligado a abandonar su región natal. La emigración permanente más temprana sobrevino durante el siglo XVI, cuando millares de gallegos fueron instalados en Sierra Morena (Andalucía), en un esfuerzo por repoblar áreas que habían quedado despobladas por la expulsión de los musulmanes y los judíos. Después, el foco de la cuestión se desplazó hacia las grandes ciudades de Andalucía y las de León, Castilla y Portugal, donde los gallegos se mostraron muy dispuestos a aceptar las tareas bajas y serviles que los habitantes locales evitaban. Por ejemplo, los criados eran invariablemente gallegos. Pero la migración interna en pequeña escala a lo sumo podía aliviar la presión sobre la tierra, que ha sido siempre la raíz de los problemas de Galicia. Como raza, los gallegos estaban atados a la tierra y bloqueados tanto por el sur como por el este. Hacia el norte y el oeste se extendía el océano, y allí –en cierto sentido– es donde en definitiva encontraron una vía de escape. Durante casi dos siglos, a partir de la segunda mitad del siglo XVIII, después que se suspendieron las restricciones impuestas a la instalación en el Nuevo Mundo, una corriente de gallegos cruzó el Atlántico para encontrar una nueva vida en Argentina, Uruguay, Venezuela, Cuba y los restantes estados de América latina. Tan profunda era su desesperación –o su inocencia– que durante la década de 1850, después que los dueños de las plantaciones caribeñas se vieron obligados a liberar a sus esclavos, un cubano de origen gallego pudo encontrar unos 2.000 gallegos dispuestos a ocupar sus lugares. En gran parte de América del Sur *gallego* es sinónimo de "español". Quizás el descendiente contemporáneo más famoso de inmigrantes gallegos es Fidel Castro, cuyo apellido deriva de la palabra celta que describe una fortaleza encaramada en la cima de una montaña.

Pero no toda la emigración era permanente. Todos los años, y hasta la primera parte de este siglo, de 25.000 a 30.000 gallegos de ambos sexos se desplazaban en nutridos grupos entre su región natal y la meseta, donde levantaban la cosecha. Cada uno de estos núcleos estaba formado por un número fijo de *segadores* y *rapaces* que formaban las gavillas, encabezados por un capataz denominado *maoral*. Mientras se desplazaban con las hoces al hombro, estos nómades de piel curtida por la intemperie, que se han incorporado a la literatura de Castilla tanto como a la de Galicia, seguramente ofrecían un espectáculo impresionante.

Las oportunidades de emigrar a América del Sur se agotaron durante los años cincuenta, casi exactamente en el momento en que comenzó a cobrar fuerza el auge de la posguerra en Europa, lo cual creó otro mercado para la mano de obra barata. Entre 1959 y 1973 aproximadamente una cuarta parte de todos los españoles que salían del país para trabajar en Europa estaba formada por gallegos.

Una de las paradojas de España es el hecho de que mientras Cataluña, que fue una región independiente –aunque fragmentada– durante tres siglos, tiene a lo sumo una jerarquía de principado, Galicia, que gozó de existencia autónoma solo durante tres breves períodos que totalizaron once años durante los siglos IX y X, convencionalmente es designada como reino. Los nacionalistas gallegos ven en las rebeliones populares que estallaron en Galicia hacia el final de la Edad Media y, sobre todo, en el gran alzamiento de 1467-69, organizado por las fraternidades campesinas llamadas *Irmandades*, la prueba de una conciencia patriótica. Los historiadores modernos tienden a interpretar esas rebeliones más bien como estallidos antifeudales, aunque por cierto impresionantes. Pero es innegable que desde los tiempos más antiguos en los gallegos existió la conciencia de su identidad, y que esto fue reconocido por Fernando e Isabel cuando crearon una Junta General del Reino, compuesta por un representante de cada una de las provincias gallegas, con el propósito de supervisar los asuntos políticos y económicos de la región.

El ascenso del nacionalismo gallego, como el proceso análogo del nacionalismo catalán, coincidió con un renacimiento literario. Ciertamente, hubo cierto factor de imitación. A semejanza de los catalanes, los gallegos organizaron sus Juegos Florales –inaugurados dos años más tarde– y así como Cataluña tuvo una *Renaixença*, Galicia tuvo su *Rexurdimento*. Pero pese a todo, es discutible que el renacimiento de Galicia tuviese más importancia literaria que el de Cataluña. Las figuras sobresalientes del *Rexurdimento* son el poeta Eduardo Pondal, los historiadores Manuel Murguía y Benito Vicetto y, sobre todo, Rosalía de Castro, esposa de Murguía. Hija ilegítima de un sacerdote, rechazada por la sociedad, protagonista de un matrimonio infortunado y, hacia el fin de su vida, torturada por el cáncer, fue una figura esencialmente gallega, que en el curso de su vida sufrió tanto como su región natal había sufrido en el curso de la historia. Sus *Cantares Gallegos*, publicados en 1863, representan una de las grandes obras de la literatura española.

Sin embargo, solo después de la publicación de *El Regionalismo* (1889) de Alfredo Brañas, los sentimientos nacionalistas inherentes al *Rexurdimento* comenzaron a adquirir forma política, e incluso así solo en una forma relativamente tímida. El primer grupo realmente nacionalista fue la *Irmandade dos Amigos da Fala*, fundada en La Coruña en 1916 por Antonio Villar Ponte. Obligado poco después a pasar a la clandestinidad por el golpe de Primo de Rivera, el nacionalismo de Galicia reapareció nuevamente al principio de la República en la forma del Partido Galleguista. Este movimiento negoció un estatuto de autonomía para Galicia. El estatuto, que habría asignado a la región el control sobre la agricultura, la propiedad de la tierra, las instituciones de ahorros y la seguridad social, así como la atribución de "nacionalizar", fue sometido a votación el 28 de julio de 1936. La concurrencia de votantes alcanzó a casi el 75 por ciento y entre los votantes, más del 99 por ciento lo hizo por el sí. Diecinueve días más tarde estalló la guerra civil y destruyó las esperanzas de gobierno autónomo de Galicia.

De todos modos, la votación colocó a los gallegos en el mismo plano que a los vascos y a los catalanes: en la condición de un pueblo que tiene una cultura particular, y que pública y comprobadamente había manifestado su deseo de obtener un gobierno propio. Este hecho dificultó a los gobiernos de la era posfranquista el negarles una condición semejante. De no ser por la autoridad moral que esa votación les confirió, es más que probable que los reclamos quejosos de Galicia se hubieran visto ahogados por el estrepitoso clamor en favor de un gobierno propio que comenzaba a escucharse en las restantes regiones de España.

21

HACIA UNA ESPAÑA FEDERAL

Durante los últimos meses de la dictadura y los primeros años de la monarquía, dominó a España una locura prácticamente tan intensa como el *desmadre sexual*. Algunos la denominaron la *fiebre autonómica*. Pareció que, de pronto, todos ansiaban ejercer su propio gobierno. No se trataba únicamente de quienes tenían una lengua y una cultura peculiares, como los vascos, los catalanes y los gallegos, sino también de los habitantes de regiones cuyo españolismo nunca había sido cuestionado antes.

Se exhumaron los diseños de banderas nacionales medio olvidadas y se las desplegó en defensa de todas las causas concebibles. Los funcionarios regionales de los partidos políticos, ansiosos de atenuar todo lo posible el estigma de *sucursalismo** presionaron para conseguir el mayor grado posible de independencia que sus respectivas centrales en Madrid estaban dispuestas a conceder. Y así, por ejemplo, la rama andaluza del Partido Comunista Español se convirtió en el Partido Comunista Andaluz, casi como si Andalucía fuese un país diferente. Y en el caso de los grupos de presión que comenzaron a perfilarse por esa época, era prácticamente obligatorio organizarse según criterios regionales más que nacionales.

---

* Los que apoyan a núcleos como el Grupo Nacionalista Vasco, que actúa únicamente en una región, aluden peyorativamente a las secciones regionales de los partidos nacionales como el PSOE, el PCE o la AP como "sucursales". El político que pertenece a esa organización es, por lo tanto, un sucursalista, y la alternativa que ofrece al electorado recibe, en boca de los nacionalistas, la denominación despectiva de sucursalismo.

La historia medieval de España, que hasta ese momento había sido explicada como un proceso predestinado de unificación, fue expuesta ahora como la historia de varias naciones independientes forzadas a una no deseada cooperación. De hecho, muchos españoles jóvenes de orientación progresista y radical cesaron de hablar de España, y comenzaron a referirse solemnemente al "Estado español".

Una serie de organizaciones que nacieron durante este período conserva la frase en sus respectivas denominaciones. Así, el organismo que agrupa a los padres españoles se denomina "Confederación del Estado Español de Asociaciones de Padres de Alumnos".

Hasta cierto punto, la fiebre autonómica de España fue simplemente la manifestación tardía de un fenómeno más amplio. El regionalismo se había manifestado vigorosamente en Europa entera. A fines de los años sesenta y principios de los setenta hubo reclamos de gobierno propio por parte de los bretones y otros en Francia, de los escoceses y los galeses en Gran Bretaña e, incluso, de grupos minoritarios de Alemania e Italia, países ambos estos últimos, que ya ofrecían un grado generoso de descentralización. Pero la presión en favor del gobierno propio cobró especial intensidad en España como resultado de otros factores, propios del país.

El hecho de que Franco hubiese sido un centralista tan acérrimo, y de que sus antagonistas más eficaces hubiesen sido los separatistas armados, originó en la mente del pueblo una intensa asociación entre el nacionalismo regional y la libertad por una parte, y entre la unidad nacional y la represión por otra. Durante el último período de la dictadura, la antipatía provocada por el gobierno totalitario se expresó a menudo en el disgusto por el centralismo, sobre todo en los jóvenes. También fue visible que, fuera de las tres regiones que habían tenido movimientos nacionalistas activos antes de la dictadura, el sentimiento nacionalista o regionalista era más intenso en las áreas que habían sido muy descuidadas por Franco. Así, se manifestaron más sentimientos contrarios al gobierno central en Andalucía y las islas Canarias –en ambos casos regiones que afrontaban graves problemas económicos y sociales– que, por ejemplo, en Aragón o las islas Baleares, cuyos reclamos en favor de una identidad diferenciada, sobre la base de argumentos históricos y lingüísticos, eran más sólidos. La única excepción real a esta norma fue la región (en cuanto se diferencia de la provincia) de Valencia, es decir, el área que engloba a las tres provincias de Alicante, Castellón y Valencia, y a la que sus habitantes tienden cada vez más a denominar el País Valenciano.

Los valencianos lo habían pasado relativamente bien bajo Franco, pero se había formado en ellos un intenso sentimiento de identidad, que arraigaba en la herencia lingüística peculiar de la región.

Bajo la dictadura, los políticos opositores de la mayoría de las corrientes de opinión habían actuado basándose en el supuesto de que al desaparecer Franco sería necesario cierto grado de devolución de los derechos regionales. Pero lo que contemplaban era el restablecimiento de una forma de gobierno propio en el País Vasco, Cataluña y Galicia. Sin embargo, durante los meses que mediaron entre la muerte de Franco y las primeras elecciones generales fue evidente que el otorgamiento del gobierno propio solo a las regiones que habían tenido estatutos de autonomía bajo la República contrariaba gravemente el espíritu de los tiempos. Además de otros factores, parecía muy probable que en Galicia, donde el nacionalismo continúa siendo la actitud de un número relativamente pequeño de personas, el entusiasmo por el gobierno propio estuviese menos difundido que en otras regiones, sobre todo Andalucía, Valencia y las islas Canarias. Otorgar la autonomía a Galicia pero no a las restantes provincias no solo habría sido manifiestamente injusto, sino que hubiera provocado más dificultades que las que se pretendía evitar. Y si se le reintegraba el poder a las Canarias, ¿cómo podía negársele, por ejemplo, a Asturias?

Hacia la última mitad de 1976 los políticos que estaban en el gobierno y fuera de él comenzaban a contemplar seriamente la posibilidad de un arreglo casi federal. En diciembre de ese año Suárez dijo en Barcelona que el reintegro de derechos podía considerarse "una solución racional a la descentralización del gobierno". Por la época en que la democracia retornó a España, el año siguiente, había consenso en los políticos de todos los partidos, excepto la Alianza Popular de Manuel Fraga y los grupos nacionalistas a la derecha de aquel, en el sentido de que cuando se redactase una nueva constitución todas las regiones que lo desearan debían tener acceso, por lo menos, a un grado limitado de autonomía.

Pero una nueva constitución todavía era una meta lejana, y entretanto el reclamo insatisfecho de gobierno propio en el País Vasco, Cataluña y −en menor medida− en otras regiones suministraba un pretexto cómodo para la agitación. Poco después de las elecciones generales de junio de 1977 Suárez decidió que las regiones que tenían mejores derechos a recibir un tratamiento especial necesitaban que se les ofrecieran algunas concesiones. Comenzó con Cataluña, una región por la cual siempre había sentido afinidad especial, y de donde provenían varios de sus consejeros más cercanos.

A diferencia de los vascos, los catalanes habían disuelto su gobierno en el exilio apenas fue evidente que los vencedores de la Segunda Guerra Mundial no se proponían invadir España y derrocar a Franco. Sin embargo, mantuvieron el título de presidente de la Generalitat como el nexo único y simbólico con el pasado. En 1954 ese cargo recayó en los anchos y altivos hombros de Josep Tarradellas, quien había sido ministro del gobierno propio republicano de Cataluña. Era todavía el titular cuando veintitrés años después se restableció la democracia en España.

Hombre enérgico y obstinado pero carismático, Tarradellas rehusó regresar a su región natal hasta que se restableciera la Generalitat. Pero al mismo tiempo se opuso tenazmente a los esfuerzos realizados por otros nacionalistas más jóvenes para negociar la restauración, con el argumento de que, al proceder así, estaban usurpando las legítimas atribuciones de la Generalitat. Como percibió la oportunidad de asumir el control de la situación, Suárez se relacionó con el anciano exiliado, y a fines de junio de 1977, en un golpe espectacular, lo trajo en avión a España con el fin de que se hiciera cargo de una "Generalitat provisional", creada de un plumazo. Los nacionalistas más jóvenes se enfurecieron, pero poco pudieron hacer, Tarradellas, a quien incluso ellos consideraban la expresión misma de la supervivencia de Cataluña como nación, regresó a Barcelona y fue objeto de una clamorosa recepción. Por tratarse de un hombre que seguramente se había preguntado a menudo si jamás volvería a ver a su patria, y que consiguió retornar solo después de superar el juego de una colección de antagonistas políticos que tenían la mitad de su edad, sus primeras palabras en suelo catalán fueron espléndidamente oportunas: *"¡Ja soc aquí!"*, que puede traducirse más o menos así: "¡Lo conseguí!" Estas palabras se convertirían en uno de los lemas del período de transición.

La Generalitat provisional fue el primero de una serie de "gobiernos preautónomos" establecidos en las regiones, la mayoría formados por diputados y senadores locales. Carecían de poder real, pero ayudaban a la gente a acostumbrarse a la idea del gobierno regional antes que este se convirtiese en realidad, después de la aplicación de la Constitución.

La restitución del poder a las regiones fue la innovación principal de la Constitución de 1978, y ocupó casi una décima parte de su texto. La unidad estatal básica contemplada por la Constitución fue la Comunidad Autónoma, que podía formarse con una sola provincia o con varias provincias vecinas. En la Constitución nada indicaba que determinada provincia debía formar parte de una Comunidad Autónoma pero, en todo caso, incluía una cláusula que autorizaba al gobierno a obligar a las provincias a incorporarse a cierta comunidad, si se entendía que ese paso era de interés general.

La Comunidad Autónoma debía tener un presidente, un consejo de gobierno, una asamblea legislativa y una corte suprema. Las atribuciones de las Comunidades Autónomas se definirían más tarde, en los respectivos estatutos, pero la Constitución formulaba ciertas pautas, aunque un tanto ambiguas. En primer lugar, delimitaba las áreas de gobierno que podían asignarse a las Comunidades Autónomas, y entre ellas las más importantes eran la vivienda, la agricultura, la forestación, el planeamiento urbano y rural, el turismo, la pesca en aguas dulces y los servicios de salud y sociales (aunque con la salvedad de que en varias de estas áreas las medidas adoptadas por los gobiernos regionales debían armonizar con el marco diseñado en Madrid). En segundo lugar, enunciaba los campos en que el gobierno central asumía la "responsabilidad exclusiva", y entre ellos estaban las relaciones exteriores, el comercio exterior, la defensa, la administración de la justicia, la ley penal, comercial y laboral, la pesca marina, la navegación mercante y la aviación civil. Pero en varios casos la Constitución agregaba que esta o aquella esfera de actividad correspondía a Madrid, "sin perjuicio" de las atribuciones concedidas a las Comunidades Autónomas".

Estas áreas intermedias unidas a las que, como la educación, no estaban asignadas específicamente al gobierno central o al regional, y las que como el medio ambiente, estaban divididas de un modo bastante impreciso entre los dos, constituían la forma en virtud de la cual los estatutos de las diferentes Comunidades Autónomas podían variar sustancialmente.

La Constitución permitía a las Comunidades Autónomas recaudar impuestos locales, pero también estipulaba que habría un fondo interterritorial de compensación para garantizar que las desigualdades entre las regiones no se ahondaran a causa de la implantación de la autonomía regional.

Excepto en el caso del País Vasco, Cataluña y Galicia −las denominadas "nacionalidades históricas"*− donde todo lo que se necesitaba era que los gobiernos preautónomos existentes noti-

---

* La expresión "nacionalidades históricas" fue oída por primera vez poco después de la muerte de Franco, y más tarde se ha convertido en una denominación de uso común. Sin embargo, no es necesario destacar que la palabra "nacionalidad" fue usada siempre para describir una condición más que una entidad. Comenzó a utilizársela fuera de contexto en un intento de satisfacer los reclamos del País Vasco y las restantes regiones que aspiraban a una condición nacional, sin tener que denominarlas realmente "naciones".

ficaran al gobierno central, el proceso en virtud del cual una región alcanzaba el gobierno propio comenzaba cuando la diputación decidía que deseaba que la provincia ante la cual era responsable se convirtiese en Comunidad Autónoma por derecho propio, o se uniese a otras para formar una entidad de ese tipo.

Después, la Constitución establecía dos caminos mediante los cuales una región podía alcanzar el gobierno propio. De acuerdo con el procedimiento normal, establecido en el artículo 143, la iniciativa de la diputación o las diputaciones provinciales necesitaba el respaldo, por lo menos, de dos tercios de los ayuntamientos de la región. Una vez satisfecho este requisito, una asamblea formada por los diputados y los senadores de la región y los miembros de las diputaciones provinciales de las provincias interesadas podía redactar un borrador de estatuto. Este borrador debía ser presentado a la Comisión Constitucional de las Cortes, para incorporar las enmiendas pertinentes antes de someterlo al debate del Congreso y el Senado. Una vez que cobraba vigencia, debía pasar un período de cinco años antes que fuera posible modificarlo para incluir cualquiera de las atribuciones que la Constitución reservaba inicialmente al gobierno central.

Pero la Constitución también proponía otro camino, ofrecido a las "nacionalidades históricas" o a una región cualquiera en la cual el proyecto de gobierno propio pudiese obtener el apoyo de tres cuartas partes de los consejos de los ayuntamientos y más de la mitad de los votos de un referendo regional. Las regiones que perseguían el gobierno propio con arreglo a esta opción, descrita en el artículo 151, no solo podían reclamar en su borrador de estatuto las atribuciones que la Constitución intencionalmente se abstenía de conceder al gobierno central o a los gobiernos regionales, sino que además tenían probabilidades considerables de que su borrador de estatuto no fuera excesivamente modificado cuando llegase a Madrid. Esto era así porque el artículo 151 permitía que una delegación de la asamblea regional interviniese en las deliberaciones de la Comisión Constitucional, y estipulaba que el texto aprobado por las Cortes debía ser ratificado por el electorado regional en un referendo posterior.

Inmediatamente después de las elecciones generales de 1979 Suárez creó un nuevo ministerio de Administración Territorial, cuya tarea principal era supervisar la transferencia del poder a las regiones. El otorgamiento del gobierno propio a los vascos y los catalanes se realizó rápida y generosamente. Ambas Comunidades asumieron el control de la educación y conquistaron el derecho de planear su propia economía, así como de organizar sus propias fuerzas policiales. Los dos estatutos, denominados estatutos de Guernica y Sau, recibieron un apoyo abrumador en los referendos celebrados en octubre de 1979, y comenzaron a aplicarse dos meses después. Los vascos y los catalanes más tarde negociaron acuerdos financieros separados con el gobierno. El *concierto económico* vasco y la *cesión de tributos* catalana, ambos firmados en 1981, fueron en medida considerable un paso que prolongaba la tradición. Pero, en todo caso, restablecieron una diferencia importante: que en el País Vasco el gobierno regional recauda los impuestos y los traslada al gobierno central, después de retener lo que necesita para sus propios fines y en cambio, en las provincias catalanas como en el resto del país, el gobierno central recauda el dinero y después entrega una parte al gobierno regional.

El estatuto de gobierno propio de Galicia –el Estatuto de Santiago– no incluyó el derecho a una fuerza policial pero en la mayoría de los restantes aspectos concedió a los gallegos atribuciones tan amplias como las que se habían otorgado a los vascos y los catalanes. Sin embargo, cuando se lo sometió a un referendo (en diciembre de 1980), menos del 30 por ciento del electorado gallego concurrió a votar, y del total de votantes casi uno de cada cinco se inclinó por el *no*. Galicia no fue un caso típico, ni mucho menos. Pero el episodio fue, de todos modos, una victoria moral para quienes –especialmente en el sector de la derecha– atribuían al proceso de restitución el carácter de un desorden peligroso.

Sin embargo, no fueron las "nacionalidades históricas" sino las restantes regiones las que provocaron los peores dolores de cabeza del gobierno. El primer problema consistió en decidir cómo se trazaría el mapa futuro de España. Aunque los españoles se habían acostumbrado a pensar que su país estaba dividido en una serie de regiones claramente definidas, la realidad no era tan sencilla. Las regiones de la periferia –Asturias, Valencia, Murcia, Andalucía y Extremadura– y los dos archipiélagos –las Baleares y las Canarias– tenían límites bastante claros, y lo mismo podía decirse de Aragón. Los problemas comenzaban cuando uno consideraba el modo de dividir la meseta, y algunas de las provincias que limitaban con ella, donde las identidades regionales –que habían sido muy firmes durante la Edad Media– se encontraban sumergidas bajo un sentimiento general de españolidad.

Esta región se había dividido tradicionalmente en León, Castilla La Vieja y Castilla La Nueva. Los historiadores no coincidían, ni mucho menos, acerca de la identidad de las provincias que pertenecían a tal o cual región. En primer lugar, estaban los problemas suscitados por Santander y Logroño en el norte, y por

Ciudad Real en el sur que, aunque indudablemente castellanas, exhibían cierta individualidad y, a menudo, eran mencionadas como si formasen regiones especiales, con los nombres de Cantabria, La Rioja y La Mancha. Y además, aunque los españoles a menudo consideraban que León era una región, nadie concordaba con el resto acerca de los lugares en que comenzaba y terminaba. ¿Era sencillamente la provincia de ese nombre o bien –como creían algunos– incluía las provincias de Zamora y Salamanca o incluso –como sostenían otros –las de Palencia y Valladolid? Y aun si podía llegarse a un acuerdo, León –no importaba la forma que adoptase– ¿podía ser una comunidad autónoma por derecho propio o como parte de una extendida Castilla La Vieja o de Asturias, regiones ambas con las cuales mantenía vínculos históricos? ¿Y qué podía decirse de Madrid? ¿Pertenecía a Castilla La Nueva o había adquirido su propia personalidad, tan intensa que más valía asignarle el carácter de un distrito federal? Todas estas cuestiones suministraron una magnífica oportunidad de afirmar su influencia a quienes ejercían localmente el poder, y muchos de los debates al parecer misteriosos acerca de la identidad regional que salpicaron el proceso de restitución en las dos Castillas y en León, disimulaban los intentos de realzar el propio prestigio de figuras políticas de segundo orden.

El gobierno obvió un caudal considerable de debates alentando la creación de dos organismos preautónomos en la meseta, los que se denominaron Castilla-León y Castilla-La Mancha. Pero hacia fines de 1979 Santander, Logroño y –un episodio menos previsible– Guadalajara y Segovia estaban decididas a marchar solas. Más aún, aunque las provincias a las que generalmente se consideraba como pertenecientes a la región de León votaron en favor de la incorporación a la proyectada unión de Castilla y León, los políticos de la propia provincia de León estaban completamente divididos acerca de lo que debía hacerse.

Otro problema más grave afrontado por el experimento español de restitución, tuvo que ver con el modo en que las regiones estaban destinadas a alcanzar el gobierno propio y las atribuciones que, en consecuencia, se les otorgaban. Sin quererlo, lo que los autores de la Constitución hicieron fue crear una especie de prueba de la virilidad regional. En el caso de los políticos locales, la presión para demostrar su fidelidad a la región y su confianza en esta apoyando el gobierno propio en los términos del artículo 151, fue inmensa. Hacia fines de 1979 solo dos de las siete regiones donde se había resuelto la cuestión habían optado por el artículo 143. Esto representó exactamente la inversa de la situación contemplada por la Constitución, la cual evidentemente consideraba que el artículo 143 era la ruta normal y el artículo 151 una forma excepcional. A principios del año siguiente, Suárez concibió la idea poco afortunada de tratar de disuadir a los andaluces de la idea de seguir adelante con sus planes. Estos habían sido los primeros en optar por el camino más ventajoso para llegar al gobierno propio y fueron el único grupo cuyo entusiasmo por la autonomía les otorgó un derecho genuino al tratamiento preferencial. El intento arrojó resultados contraproducentes para Suárez, porque los andaluces apoyaron masivamente la iniciativa en favor de la autonomía en el referendo convocado por la Constitución.

El gobierno estaba comenzando a experimentar la sensación muy incómoda de que el experimento se le escapaba de las manos. Precisamente con la esperanza de imponer cierto orden y disciplina a los procedimientos, en setiembre se designó a Rodolfo Martín Villa, uno de los miembros más enérgicos del equipo de Suárez, titular del ministerio de Administración Territorial.

En un discurso pronunciado pocos días después de asumir el cargo, Martín Villa delineó su estrategia. En primer lugar, se propuso lograr que no quedaran aquí y allí provincias aisladas al margen de la proyectada red de Comunidades Autónomas. En segundo lugar, quiso fijar un límite a las atribuciones de las Comunidades Autónomas, al margen del modo en que alcanzaran el gobierno propio. Pocos meses más tarde propuso que los principales partidos llegaran, en relación con la restitución de derechos, a un acuerdo análogo al de los Pactos de la Moncloa, y acogió favorablemente una idea formulada por Felipe González, para que se dictase una ley que aclarase, de una vez para siempre, los aspectos ambiguos de la sección de la Constitución referida al gobierno propio.

El abortado golpe de febrero de 1981, que fue en parte resultado de los temores de las Fuerzas Armadas frente a una posible amenaza a la sagrada unidad de España, endureció la actitud general de todos. En abril, el gobierno y el PSOE iniciaron conversaciones encaminadas a concertar un pacto del tipo que Martín Villa había sugerido. Uno de los primeros resultados de esta cooperación fue la creación de un grupo de expertos bajo la dirección del profesor Eduardo García de Enterría.

El informe de este grupo formuló más detalladamente y con mayor autoridad muchas de las dudas que los políticos de jerarquía nacional habían alimentado durante cierto tiempo. Sobre todo, la comisión recomendó que el gobierno obligase a todas las regiones que aún no habían alcanzado el gobierno propio a obtenerlo de acuerdo con los términos del artículo 143. El profesor García de

Enterría y sus colegas también manifestaron profunda inquietud en relación con las consecuencias legales de lo que estaba sucediendo, y especialmente con la posibilidad de que la ley regional pudiese prevalecer en perjuicio de la ley estatal. Finalmente, respaldaron la idea de la oposición acerca de una ley destinada a armonizar las diferentes particularidades del proceso de restitución.

Después de un intento breve y no muy serio de comprometer a los otros dos partidos importantes, la UCD y el PSOE firmaron un acuerdo formal en julio. En ese documento fijaron un plazo para completar el proceso de restitución de derechos (1 de febrero de 1983), y delinearon una estrategia destinada a generalizarlo y homogeneizarlo.

De acuerdo con este plan el país entero debió dividirse en dieciséis Comunidades Autónomas. Las únicas excepciones serían Navarra, donde se aprobaría una ley que definiese mejor la responsabilidad de su ejecutivo frente a su legislatura, y los enclaves de España en Africa del Norte, Ceuta y Melilla, a los que se ofrecería la posibilidad de convertirse en Comunidades Autónomas o conservar sus situaciones especiales preexistentes. (En definitiva decidieron convertirse en Comunidades Autónomas, aunque en una condición limitada especial.) De las Comunidades Autónomas, solamente seis serían uniprovinciales: Madrid, Asturias, Murcia, las Islas Baleares, Cantabria y La Rioja (aunque en el caso de las dos últimas, se incluiría en sus estatutos una cláusula que debía permitirles reunirse con Castilla-León cuando lo desearan). La idea de la existencia de Comunidades formadas por una sola provincia en Santander y Logroño siempre había atraído a los partidos con base en Madrid, a quienes preocupaba la posibilidad un tanto remota de que las autoridades vascas, frustradas en su deseo de incorporar a Navarra, en determinado momento del futuro intentasen englobar en su órbita a Cantabria o La Rioja, o a ambas. Se pensó que los Cantabrios y los riojanos podrían ser seducidos más fácilmente si, al llegar ese momento, eran asociados renuentes de una ampliación de Castilla-León, Segovia y Guadalajara representaban una cuestión distinta. No podían obtenerse ventajas geopolíticas si se las convertía en Comunidades formadas por una sola provincia, y aunque la pretensión histórica de León a alcanzar una identidad específica era mucho más válida que la de Santander o Logroño, se decidió que esa región y Segovia debían formar parte de Castilla-León y que Guadalajara debía incorporarse a Castilla-La Mancha.

El acuerdo también estipulaba que, con excepción de Andalucía, que ya había avanzado tanto por el camino establecido en el artículo 151 que era inútil tratar de modificar la situación, las regiones que aún debían obtener un estatuto deberían llegar al gobierno propio de acuerdo con los términos del artículo 143. Lo que es más, se convino en que ninguna de ellas ejercería más que las atribuciones mínimas fijadas en la Constitución. Otras atribuciones cualesquiera otorgadas durante la negociación del estatuto debían ser incluidas bajo un rubro distinto, y mantenidas en reserva por lo menos tres años a partir de la fecha de vigencia del estatuto. Las únicas excepciones a esta norma estaban representadas por las Islas Canarias y la región valenciana, para las cuales se sancionarían leyes especiales que les otorgarían atribuciones más amplias que a las restantes comunidades.

Después de haber concertado un acuerdo tan detallado con el único partido que hubiera podido provocar problemas en esta cuestión, todo lo que el gobierno debía hacer era imponer el plan a sus partidarios residentes en las regiones. Se suscitaron las únicas dificultades reales a causa de los jefes de la UCD en Segovia, que se resistieron hasta el fin, y se vieron forzados a aceptar la incorporación a Castilla-León solo mediante una ley especial aprobada por los socialistas poco después de asumir el poder. Como se convocó a elecciones generales antes que la UCD hubiese completado su período de gobierno, no se respetó exactamente el plazo establecido entre el gobierno y la oposición; y el 8 de mayo de 1984 se celebraron las primeras elecciones en Navarra y en las Trece Comunidades Autónomas que habían adquirido su nueva condición de acuerdo con el artículo 143.

Después, los socialistas han actuado rápidamente con el fin de asegurar que los nuevos gobiernos regionales cuenten con las atribuciones legales y los recursos humanos que les permitan afrontar la tarea, aunque la cuestión acerca del modo en que deben ser financiados –y hasta qué límite– sigue siendo materia de discordia entre los nuevos gobiernos regionales y Madrid.

Se ha calculado que las nuevas Comunidades Autónomas necesitarán la ayuda de unos 100.000 empleados oficiales. Muchos de ellos son médicos, docentes y otros profesionales, que ya están trabajando en las regiones que requieren sus servicios. Los funcionarios provienen de dos fuentes. La mayoría está formada por antiguos empleados de la anterior *administración periférica* y, en ciertos casos, incluso han podido continuar ejecutando la misma tarea en el mismo local, con la única diferencia de que lo que antes era, por ejemplo, delegación provincial de la Seguridad Social de Santander, ahora es el Departamento de Seguridad Social de la Comunidad Autónoma de Cantabria. Sin embargo, se presume que por la época en que se complete la transferencia de 10.000 a 15.000

personas tendrán que trasladarse de Madrid a las provincias, y aunque algunas partirán de buen grado, el gobierno se ha ·visto obligado a suministrar una serie de incentivos para alentar a un número suplementario de voluntarios.

El otro aspecto de la estrategia propuesta por la comisión de expertos aportó resultados menos positivos. La ley propuesta inicialmente por Felipe González fue la Ley Orgánica de Armonización del Proceso de Autonomías, generalmente conocida por sus iniciales como la LOAPA. En la base de esta ley tan debatida estaba el intento de dilucidar si la legislación estatal debía prevalecer sobre la regional. Lo que distinguía a las regiones que habían alcanzado el gobierno propio siguiendo el camino fijado por el artículo 151 de las que habían seguido las normas del artículo 143 era, como hemos visto, si tenían derecho a incursionar en ciertas áreas que la Constitución reservaba en principio al gobierno central. Pero la LOAPA estipuló que, allí donde se suscitaba un conflicto entre la ley estatal y la regional en dichas áreas, siempre debía prevalecer la ley estatal, incluso después que tales áreas habían sido delegadas a determinada región en su estatuto de autonomía. Los nacionalistas de las regiones "históricas" –y sobre todo los vascos– arguyeron que el efecto sería compartir las áreas que antes se les habían traspasado, y de hecho llevarlas al nivel que tenían en las regiones que gozaban de autonomía de acuerdo con el artículo 143. Sostuvieron que se trataba de un intento de limitar el alcance de sus estatutos sin necesidad de someter los cambios a un referendo, según lo requería la Constitución. Por su parte, la UCD y el PSOE destacaron que la Constitución también incluía una cláusula que atribuía al gobierno el derecho de aprobar una ley que armonizara las actividades de las Comunidades Autónomas, e incluso en las áreas en que se ya se había traspasado la responsabilidad a las regiones. Todo estaba preparado para librar una batalla parlamentaria agria y prolongada, en el curso de la cual los dos grandes partidos se vieron constantemente jaqueados por una alianza de los nacionalistas regionales y los comunistas.

El problema no concluyó con la aprobación de la LOAPA en el Parlamento, en junio de 1981, porque quienes se oponían a la ley inmediatamente remitieron el asunto al Tribunal Constitucional. El Tribunal necesitó más de un año para dictar su fallo, pero cuando finalmente lo formuló –en agosto de 1983– produjo el efecto de una verdadera bomba. Los jueces declararon que más de una tercera parte de la LOAPA era inconstitucional, incluidas las cláusulas que garantizaban la supremacía de la ley estatal sobre la ley regional en las áreas marginales en que los vascos, los catalanes, los gallegos y los andaluces habían obtenido poderes negados al resto. El fallo desfavorable del Tribunal Constitucional acerca de una ley que había sido apoyada no solo por el partido en el poder en el momento de la aprobación de la ley, sino por el que ejercía el gobierno cuando se dictó el fallo, representó una prueba de la independencia que habían alcanzado los jueces españoles. También fue un final apropiado para un proceso cuyas raíces estaban en la desconfianza provocada por el poder excesivo del gobierno central.

En las regiones que conquistaron el gobierno propio de acuerdo con el artículo 143, durante el período que siguió al acuerdo concertado entre el gobierno y la oposición en 1981 se produjo una aguda disminución del sentimiento regional. Esta consecuencia fue en parte resultado de las disputas a menudo mezquinas que habían estorbado el progreso hacia la autonomía. Por ejemplo, en Valencia se suscitaron tremendas polémicas acerca de la bandera regional, si se debía incluir una raya azul a un costado, y si el "valenciano" era una variante del catalán o un idioma por derecho propio. Pero la apatía que se manifestó en varias regiones después de los pactos relacionados con el gobierno propio fue también hasta cierto punto consecuencia de los propios actos. Una de las grandes desventajas de la incorporación del gobierno propio con arreglo al artículo 143 fue que quitó a los habitantes de las regiones interesadas la oportunidad de participar. Más que conquistar el gobierno propio, lo recibieron. Ahora que el problema está resuelto y la autonomía es una realidad hay signos de que el nivel de entusiasmo está elevándose nuevamente. La concurrencia a las elecciones regionales de 1983 fue impresionante: más del 70 por ciento en la mayoría de los casos.

Durante mucho tiempo la palabra "federal" fue tabú en España. Había una especie de conspiración del silencio que incluía a los políticos, los funcionarios y los periodistas, porque no se deseaba herir los sentimientos del ejército, que aún tenía malos recuerdos del experimento de federalismo realizado durante la Primera República. Y como en España nadie se atrevía a hablar de federalismo, los periodistas extranjeros que residían en el país rara vez tenían ocasión de utilizar el único término que explica realmente al pueblo que una nación se gobierna desde las regiones tanto como desde el centro. El fracaso del golpe de Tejero y la aceptación de un gobierno de izquierda por las Fuerzas Armadas ha tranquilizado más a los españoles en lo que se refiere a la terminología, pero las personas que no residen en España aún no perciben cabalmente que este país se ha transformado en una especie de federación.

En menos de una década, una de las naciones más centralizadas del mundo se ha dividido en diecisiete regiones, cada una con su propia bandera y su capital. En un extremo tenemos a Andalucía, con un territorio más extenso que el de Austria, y en el otro a La Rioja, más pequeña que Norfolk, en Inglaterra. Cada una de las diecisiete regiones tiene su propia presidencia, con un equipo de ayudantes y funcionarios, y el conjunto puede vanagloriarse de contar con más de 150 "ministros" y por lo menos con 1.153 legisladores. Todo esto costará bastante caro, sobre todo durante los primeros años, en que será necesario encontrar el dinero que permita construir edificios para los parlamentos y otras instituciones. Aunque como dijo con una sonrisa irónica un alto funcionario de Madrid: "Aún así no costará nada comparado con lo mucho que costó el Movimiento Nacional."

A pesar de los intentos de "homogeneizarlo", uno de los aspectos más sorprendentes del nuevo sistema de gobierno regional de España es la diversidad de las condiciones otorgadas a las diferentes regiones. Pero más por casualidad que intencionalmente, los poderes delegados en cada región reflejan de manera bastante fiel la amplitud de su reclamo en favor de una identidad específica. Si uno tuviese que asignar puntos a cada una de estas regiones sobre la base de su singularidad histórica, cultural y lingüística, y del grado de su entusiasmo en favor del gobierno propio en los últimos años, fácilmente establecería una "jerarquía" como la que de hecho se ha perfilado: los vascos y los catalanes a la cabeza de la lista, seguidos a poca distancia por los gallegos y los andaluces, y, más lejos, por los canarios, los valencianos y los navarros, mientras el resto ocupa un lugar más o menos semejante al pie de la lista.

Pero, ¿cómo se desenvuelve en la práctica este enorme y complicado mecanismo? Uno de los aspectos más interesantes de la nueva estructura es el modo en que las "nacionalidades históricas" ya comenzaron a separarse de las restantes regiones, no solo por referencia a las atribuciones de las cuales gozan al amparo del artículo 151 (y que de todos modos son compartidas por Andalucía), sino en virtud del matiz político de sus gobiernos. El entusiasmo por la forma pragmática y moderada del socialismo de Felipe González –que ha determinado el ascenso al poder de gobiernos izquierdistas en Andalucía, y en todas las Comunidades Autónomas, (salvo dos) que obtuvieron el gobierno propio de acuerdo con el artículo 143– no ha afectado a las "nacionalidades históricas". Después de obtener el gobierno propio, el País Vasco, Cataluña y Galicia han elegido gobiernos de derecha.

En las elecciones vascas y catalanas celebradas en 1980 ocuparon el primer lugar los nacionalistas de centro-derecha de, respectivamente, el Partido Nacionalista Vasco y Convergència i Unió. Al año siguiente en Galicia el primer lugar correspondió, no a los nacionalistas, sino a la Alianza Popular, un partido cuya base está en Madrid, aunque fundado y dirigido por un gallego, Manuel Fraga. En el País Vasco el primer *lendakari*, el presidente Carlos Garaikoetxea, pudo contar con una mayoría efectiva gracias al retiro de la legislatura de los diputados elegidos por el Herri Batasuna, el ala política de la ETA-Militar, que imprevistamente ocupó el segundo lugar en la elección. Pero en Cataluña y Galicia, Jordi Pujol, el astuto y severo banquero que asumió el liderazgo de Generalitat catalana, y Gerardo Fernández Albor, un médico culto y anciano que se convirtió en el líder de la *Xunta* gallega, tuvieron ambos que apoyarse en alianzas *ad hoc* – en general con los centristas – para conservar el poder. Los tres han aprovechado una de las características del sistema federal: que un político regional puede cosechar los beneficios del poder y la autoridad, al mismo tiempo que afirma que él y su partido son la oposición al gobierno central.

Como quizá correspondía preverlo, durante los años que siguieron al otorgamiento del gobierno propio se ha producido un proceso en virtud del cual las "nacionalidades históricas" han concentrado la atención en su propio desarrollo. Se ha consagrado mucho tiempo tanto en las asambleas legislativas como al margen de estas, a debatir la promoción de las respectivas lenguas vernáculas. Las tres regiones han dictado leyes que asignan al idioma local la misma jerarquía que al castellano en el uso oficial. Uno de los efectos más obvios de este proceso ha sido la aparición de nombres vernáculos de lugares en las señales de las carreteras, junto a la versión castellana. En las escuelas la mayor parte de la enseñanza todavía tiende a realizarse en castellano, pero el vasco, el catalán y el gallego pronto serán asignaturas obligatorias en las respectivas regiones.

Mediante la presión incesante sobre Madrid, Pujol, a quien sus colegas conocen como "la locomotora humana", y que llegó al poder con la frase *"¡Anem per feina!"* ("¡Vamos a trabajar!"), ha llevado a la Generalitat hasta el punto en que, con casi 80.000 empleados y en 1984 un presupuesto de unos 50.000 millones de pesetas, es un verdadero Estado dentro del Estado. Y no solo eso, sino un Estado muy eficiente. Las áreas sobre las cuales ejerce su control, por ejemplo, la educación, la salud y los servicios sociales, están visiblemente mejor organizadas que en el resto de España. Este impresionante antecedente permitió que Pujol alcanzara la mayoría absoluta durante las segundas elecciones, celebradas en Cataluña en 1984.

Por su parte, Garaikoetxea se ocupó de que los vascos ejercieran prontamente los nuevos poderes, sobre todo, los que se relacionaban con la fuerza policial y la organización de un canal de televisión. Los primeros cadetes reclutados en la región ingresaron en 1982 en el nuevo colegio vasco de policía de Arkaute. El plan establece que la nueva fuerza consistirá en 600 hombres mandados por cuatro oficiales de las Fuerzas Armadas (un eco de la permanente convicción de los españoles de que es mejor que la policía esté dirigida por soldados). El canal vasco de televisión *Euskal Telebista*, comenzó sus transmisiones la Nochebuena de 1983, varios días antes de la entrada en vigencia de la ley que autorizaba a las Comunidades Autónomas a solicitar del gobierno la licencia necesaria para inaugurar canales en sus respectivas áreas. Garaikoetxea y sus colegas afirmaron que si ellos no hubiesen puesto en práctica sus planes, Madrid habría continuado siempre vacilando y dando largas. Pero esta iniciativa, de todos modos, fue un signo elocuente de la indiferencia frente a las normas y los reglamentos que caracteriza a los vascos. Las autoridades catalanas, que se vieron obligadas a seguir el ejemplo a causa de la presión de la opinión pública en su región, salieron al aire con su canal, denominado TV3, pocos días más tarde.

Aunque parezca extraño, la principal crítica contra los gobiernos catalán y vasco es idéntica: que excepto el gobierno dirigido por Fernández Albor, una carismática figura paternal que deja en manos de su delegado gran parte de la politiquería cotidiana, ninguno de los demás logró afirmarse como un verdadero gobierno "nacional" con una visión del rol y del destino de su pueblo. Se acusó a ambos de mirar con particular simpatía los intereses de la clase media nativa que los llevó al poder, al mismo tiempo que hacían poco o nada por la clase trabajadora inmigrante, en un momento en que deberían haber tratado de manifestar un sentimiento de solidaridad. Nada de todo esto habría importado mucho si hubiesen recibido un mandato inequívoco. Pero no fue así. Conquistaron el poder gracias a los votos de menos de una cuarta parte del electorado, y la principal razón por la cual obtuvieron un porcentaje tan reducido de los votos potenciales fue el elevado índice de abstención entre los inmigrantes de ambas regiones, un evidente indicio de su escaso interés por la política de su tierra adoptiva.

En Andalucía, un equipo de hombres activos –utilizando los extensos poderes que le fueron concedidos de acuerdo con el artículo 151, y los abundantes fondos otorgados por un gobierno central conducido por andaluces– ha hecho mucho para restablecer el sentimiento de orgullo en una región cuyos habitantes suelen referirse a sí mismos como "los negros de España". Con respecto a las regiones que comenzaron a aplicar el gobierno propio de acuerdo con el artículo 143, y en las cuales los nuevos gobiernos autónomos asumieron el poder a partir de 1983, es demasiado pronto para arriesgar un juicio. Pero ya se observan algunos indicios inquietantes de extravagancia e, incluso, de corrupción. En marzo de 1984 *El País* reveló que los sueldos y los gastos de cuatro de los presidentes autónomos eran más elevados que los del primer ministro. Pocos días después, el jefe del gobierno murciano renunció, después que el periódico local acusó a su consejero financiero de tratar de pagar a sus periodistas político y policial un total de un millón de pesetas para "limpiar" al presidente. Se descubrió después que el gobierno había iniciado un generoso programa de inversiones de elevado riesgo, incluida la organización de una compañía cinematográfica murciana, la cual, a juicio de uno de los ex colegas del presidente, más tarde o más temprano habría llevado a la región a la bancarrota.

Si se multiplica el número de incidentes de esta clase, es poco probable que el experimento federalista de España funcione; no porque el ejército vuelva a intervenir, sino porque el electorado no lo tolerará. Es posible que España ya no sea un país pobre, pero tampoco es rico todavía, y los españoles, especialmente los que viven en las regiones más pobres (las cuales, en todo caso, siempre tendieron a demostrar menos entusiasmo por el gobierno propio), no querrán pagar un suplemento para financiar un gobierno incompetente. A los ojos de estos, los hechos sucedidos durante los años que siguieron a la muerte de Franco han despojado al regionalismo de gran parte de su atractivo y, a menos que puedan comprobar que están obteniendo beneficios concretos de la autonomía, se mostrarán indiferentes a su abolición.

De hecho, creo que ya puede afirmarse de todos estos casos, salvo el de los vascos, que uno de los resultados positivos más tempranos del proceso de restitución ha sido recordar a los españoles, (del mismo modo que la desintegración del país se lo recordó durante la Guerra de la Independencia), cuántas cosas tienen en común.

Más aún, lo que hoy tienen en común es mucho más que lo que tenían en común a principios del siglo pasado. Por su carácter mismo, la modernización determina un efecto homogeneizador. La producción masiva acerca los mismos productos a los hogares de todos, del mismo modo que los medios masivos de difusión ponen los mismos pensamientos en la cabeza de todos. Pero, además de eso, durante el último cuarto de siglo España ha protagonizado procesos que aportan a los españoles −trátese de los vascos, los castellanos o los andaluces− un caudal de recuerdos y experiencias compartidos que los unifica tan eficazmente como podría hacerlo una disposición constitucional cualquiera.

22

LOS ESPAÑOLES DE HOY

A veces es difícil concebir la magnitud misma de los cambios que sufrieron los españoles durante los años sesenta y setenta. Uno de mis vecinos cuando yo vivía en Madrid había comenzado como pastor en la provincia de Toledo y había llegado a ser electricista del *Talgo*, el supertren diseñado y fabricado por españoles. Había pasado de la pobreza a la prosperidad, había cambiado la tarea más rudimentaria que pueda concebirse por otra que exigía un elevado nivel de conocimiento técnico, y se había mudado de una cabaña en las colinas a un pulcro departamento de tres dormitorios en un bloque con cocinas instaladas, modernos cuartos de baño y piscina.

Hallamos contrastes distintos pero igualmente dramáticos en la vida de los españoles más famosos. Francisco Fernández-Ordóñez, el más exitoso reformador del gobierno de Suárez, había sido director de INI, el holding oficial de Franco. Felipe González fue alguna vez miembro de la juventud falangista. Víctor de la Serna, editor de *Informaciones*, el vespertino progresista ahora desaparecido, luchó junto a los nazis con la División Azul en el Frente Oriental, durante la última guerra mundial.

Otros países han pasado por períodos de rápido progreso económico y han protagonizado momentos de brusco cambio político. Pero, excepto Grecia, no existe otra nación europea en la que un proceso haya seguido con tal rapidez al otro. Esto puede explicar por qué, durante los años que siguieron inmediatamente a la muerte de Franco, España presenció un movimiento que, por lo que sé, no tiene equivalente en otros países del mundo. Creció en medio de la generación nacida al comienzo del "milagro económico" español. Los miembros de esta generación, cuyos padres muy probablemente emigraron del campo a una de las grandes ciudades, alcanzaron la adolescencia en el momento mismo en que se modificaban las costumbres y las convenciones sexuales que habían prevalecido en España durante siglos, y se acercaron a la edad de la terminación de los estudios cuando la crisis afectó el mercado de trabajo y se convocó a las primeras elecciones, de modo que, a diferencia de sus hermanos y hermanas mayores, no estaban en condiciones de representar un papel económico o político obvio. No había empleos que ocupar ni manifestaciones a las cuales incorporarse. Fingían desprecio por lo que ellos mismos denominaban los *años rojos* y, como reacción, algunos manifestaban ostentosa simpatía por la ultraderecha. Pero en el caso de muchos más, la combinación de desorientación y alienación fue demasiado, de modo que se convirtieron en lo que se denominó *pasotas*.

Los pasotas eran —y en la medida en que todavía existen, son— un fenómeno en verdad desconcertante. En cuanto a que consumen drogas y tratan de poner la mayor distancia posible entre ellos mismos y el resto de la sociedad, se parecen a una cruza de hippies y punks. Pero allí concluyen las semejanzas, pues los pasotas de ningún modo exhiben las aspiraciones místicas de los hippies ni el irritado nihilismo de los punks. En realidad, la idea misma de ser un pasota implica la negativa absoluta a participar, es decir, el deseo de "pasar" como en un juego de naipes (así nació el término). El espíritu del *pasotismo* se refleja muy bien en el modo en que ellos mismos hablan. Mascullan las palabras, y utilizan un vocabulario reducido al mínimo. Las cosas, sea cual fuere su clase, son *chismes*, y las situaciones o las actividades son desechadas como *rollos*.

La desaparición gradual de los pasotas es un indicio de que los españoles están comenzando a asimilar los cambios que sobrevinieron durante el último cuarto de siglo. Pero, ¿cuál ha sido el resultado final de tales cambios? ¿Qué clase de sociedad es la que el resto de Europa occidental ha recibido en el Mercado Común? En primer lugar, una sociedad muy particular: una monarquía federal con un rey que paga impuestos y cuyo padre aún vivía cuando él ascendió al trono; un sistema de Bienestar Social en que tres cuartas partes de los parados no tienen derecho al subsidio de desempleo; un ex Estado policial donde la mayoría de los policías pertenece a un sindicato fundado por antiguos miembros de la policía secreta; una democracia en la cual la circulación de un periódico neofascista se ha sextuplicado; y un país consagrado al culto de la Virgen María donde hay media docena de prostitutas por cada monja.

En segundo lugar, se trata de una sociedad en la cual los procesos del cambio económico y político en muchas áreas se han interrumpido a mitad de camino, y donde todavía hay mucho que hacer. El desarrollo económico de España durante los años sesenta elevó la prosperidad de los españoles, pero no modificó significativamente –como lo señalé en el capítulo inicial– la estructura de la economía. Ese estado de cosas determinó que cuando comenzó la recesión, España –que dependía mucho de las industrias del pasado más que de las del futuro, y que estaba sobrecargada de empresas de pequeña escala– fuese particularmente vulnerable. De hecho, probablemente ha sufrido más que cualquier otro de los países de Europa occidental. Ciertamente, el índice de desempleo de España ha sido consecuentemente más elevado que el de sus vecinos. Sin embargo, el programa de reconversión industrial iniciado por los socialistas, si bien puede haber agravado a corto plazo la situación de este país, permite abrigar cierta esperanza en el sentido de que su economía podrá afirmarse mejor a largo plazo.

Cualquiera que haya leído hasta aquí no necesitará convencerse de que en el momento en que Felipe González y sus partidarios llegaron al poder había una clara necesidad de un programa mayor de reformas sociales. Durante el primer período de su gobierno, mostraron que eran capaces de llevar a cabo uno. Esto –creo yo– explica el por qué un gobierno que llegó al poder prometiendo acabar con el desempleo, pero que permitió que este se incrementara, ha sido reelegido. Los españoles reconocen que a pesar de que se ha realizado mucho, aún queda mucho por hacer, y que el PSOE, con todos sus defectos, es todavía el único partido con una postura suficientemente moderna como para introducir las reformas radicales que el país necesita a fin de alcanzar el nivel del resto de Europa. Felipe González una vez afirmó que España necesitaba 40 años de socialismo para compensar los 40 años anteriores de franquismo. Es muy posible que España lo logre y, en este proceso, se transforme en una especie de Suecia del Mediterráneo. Pero para que esto suceda habrá que pagar el precio, bastante antes de llegar a los 40 años pues los españoles no son escandinavos, y aun los más progresistas entre ellos parecen cultivar el viejo vicio latino del favoritismo. Uno de los más inquietantes y frustrantes aspectos del sistema socialista es la velocidad con que el PSOE tomó control no solamente del gobierno sino también de la administración en su sentido más amplio, colocando a sus miembros en puntos donde la lealtad política no debería ser una precondición para el nombramiento. Todo esto también es reminiscencia de las formas de gobierno del siglo XIX, cuya insistencia en monopolizar el poder no dejó otro recurso a los opositores que levantarse en armas. Es también, de una forma inquietante, similar a la política empleada por Franco. González mismo pareció casi invitar a la comparación cuando en 1984 decidió tomar sus vacaciones a bordo del viejo yate de Franco, el *Azor*.

El "milagro económico" español, como hemos visto, se realizó a costa de desarraigar de sus regiones natales a millones de personas para trasplantarlas a otros lugares del país. El resultado ha sido convertir a España en una nación de ciudades intensamente urbanas distribuidas en un campo inusualmente rural. Las áreas demasiado edificadas de Madrid, Barcelona, Zaragoza, Valencia, Sevilla y Vitoria han sido todas construidas en altura más que en extensión. Sus suburbios laten al compás de la música más ruidosa y la áspera jerga de una nueva generación tan habituada al callejeo como cualquier otra en Europa. Sin embargo, las vastas extensiones de la meseta y la sierra están más escasamente pobladas ahora que en cualquier período desde la Edad Media. Y con su población que envejece, Extremadura y sobre todo las dos Castillas van camino de convertirse prácticamente en desiertos. El flujo migratorio que originó esta situación ahora se ha debilitado. De hecho, a medida que fue más difícil encontrar trabajo, se ha manifestado la tendencia a una inversión del proceso. Por ejemplo, durante los años setenta se observó una disminución neta de población en el País Vasco. Sin embargo, tan pronto se alivie la recesión, recomenzará la inmigración, salvo que el gobierno encuentre el modo de suministrar a la gente las fuentes de trabajo necesarias para hacerlos permanecer en el campo. A mi juicio, este es el reto más importante que afrontan los políticos cuya tarea es gobernar al país entre este momento y el comienzo del próximo milenio. Sin embargo, es un problema al cual apenas se alude en la propia España.

En el frente político, ahora que la Constitución ha sido aprobada y aceptada, la tarea principal es asegurar que el *estado de las autonomías*, como los españoles denominan a su organización casi federal, funcione con eficacia y equidad. Quizá sea necesario modificar ciertos aspectos. Por una parte, es cada vez más evidente que en las Comunidades Autónomas de la meseta el sentimiento regional es demasiado débil, al extremo de que puede considerárselo inexistente. No hace mucho tiempo, Jordi Pujol visitó Castilla la Vieja, y entró en un bar de la aldea de Peñafiel, en Valladolid. Fue agasajado allí por los presentes tal como suele hacerse con las celebridades. Lo que los clientes del bar no alcanzaron a advertir fue que el hombre que acompañaba a Pujol era su propio "presidente", José María García Verdugo. No sería sorprendente que en un futuro no muy lejano, y sobre todo si el partido de Manuel Fraga conquista el poder, las regiones de la meseta fueran sometidas nuevamente a un gobierno directo.

Pero este es un problema de importancia secundaria comparado con los que existen en el País Vasco. Todavía apenas pasa una semana sin que una mujer quede viuda o un niño huérfano a causa de la lucha por la independencia de una región cuyos habitantes nativos son ahora una evidente minoría. Durante los últimos años se han manifestado algunos signos alentadores. El más notable ha sido la decisión de la mayoría de los miembros de la ETA político-militar de renunciar a la violencia, una decisión a la cual el gobierno respondió inteligentemente concediendo una verdadera amnistía y la posibilidad de que los miembros de dicha organización se reintegren a la sociedad. Sin embargo, estas medidas dejan sin resolver el caso de la ETA-Militar y su frente político, el Herri Batasuna, que consecuentemente obtiene el 15 por ciento del voto popular en las elecciones. Se trata de un nivel formidable de apoyo para una organización terrorista, no importa de qué sociedad se trate.

Pero sería erróneo subrayar las dificultades que aún no están resueltas sin atribuir el lugar que les corresponde a las que han sido superadas. La más fundamental ha sido encontrar el modo de transformar al país en una democracia apelando a las leyes y a las instituciones de una dictadura. Hace pocos años uno podía ser perdonado si alimentaba dudas acerca de la posibilidad de recorrer este camino, tan grande era la inercia de la tradición y la reacción en ciertas áreas del gobierno y la sociedad. Todavía hoy perduran focos de resistencia, pero en el caso de las instituciones que antes estuvieron tan estrechamente vinculadas con la represión como la policía y el poder judicial y que exhiben ostentosamente sus credenciales democráticas, es indudable que la estrategia adoptada por el rey allá por 1975 fue acertada.

Más aún, el sistema entero está basado en una Constitución que, a diferencia de Portugal, contó con el respaldo de los principales partidos, y que, a diferencia de Portugal, no está sujeta al hostigamiento permanente de los que se vieron excluidos del proceso constitucional.

Los cambios políticos sobrevenidos desde 1975 han convertido a España en un país no solo más libre y más justo, sino también más feliz. Tal estado de cosas es visible sobre todo en Madrid. Cuando yo viví allí, a fines de los años setenta, siempre me pareció que se asemejaba un poco a Nueva York, un lugar donde uno se revestía de una coraza emocional antes de poner un pie en la calle, porque sabía demasiado bien que el ser humano más cercano se mostraría más rudo que solidario. Y al retornar, he llegado a la conclusión de que la atmósfera de la ciudad ha cambiado hasta el extremo de ser irreconocible. La gente habla más suavemente y maldice menos de lo que solía hacer antes. No se manifiesta la tensión frenética que existió en otros tiempos. Incluso los choferes de los taxis parecen más agradables.

Por otra parte se advierte el empleo cada vez más difundido del "tú" en lugar del más formal "usted". La segunda persona del singular que indica familiaridad, desde hace mucho tiempo ha sido más usual en España que en Francia, una consecuencia, como lo explican los españoles más viejos, de la atmósfera informal creada por la Segunda República y la camaradería que prevaleció en ambos bandos durante la guerra civil. Pero hasta la victoria socialista de 1982, el uso del "tú" estuvo limitado a los miembros de la familia inmediata del individuo, a los conocidos de la misma edad, a los colegas de profesión y a los amigos cercanos pero ocasionales de diferentes grupos de edad. Después, se observaron cambios importantes. Incluso los camareros ahora tutean a sus clientes. Los latinoamericanos −y especialmente los mexicanos, que son quienes se aferran más escrupulosamente que nadie a la fórmula del "usted"− consideran que esta situación es en extremo desconcertante.

Todo esto me retrotrae al punto que formulé al principio de este libro, cuando dije que los cambios no solo han originado una nueva España, sino un nuevo tipo de español.

La característica de la cual los españoles mismos tienen mayor conciencia, es su individualismo. No es un individualismo en el sentido de excentricismo, ya que como escribió el historiador norteamericano profesor Stanley Pyne, "la sociedad española exhibe el más elevado grado de conformismo por referencia a los subgrupos que puede observarse en cualquiera de las sociedades occidentales importantes". Lo que los españoles llaman "individualismo" es la tendencia a centrar la atención en uno mismo. Quizá sea un legado de la Reconquista, posiblemente una secuela de los tiempos en los cuales era esencial depender de uno mismo. Su enfoque egocéntrico de la vida contribuye a explicar dos de los temas recurrentes de la historia española: su renuencia a sacrificar siquiera una mínima parte de sus propios intereses al bien común, y su intolerancia frente a las opiniones de otras personas.

La conducta antisocial de los españoles, a la que ellos mismos denominan "insolidaridad", se refleja en el predominio del separatismo y la popularidad del anarquismo. La proscripción de las opiniones heterodoxas constituye una historia que se extiende desde la expulsión de los musulmanes y los judíos a principios de la Era Moderna, pasando por la Inquisición, hasta la persecución de los masones bajo el régimen de Franco.

Fue precisamente la "insolidaridad" la principal responsable del estallido de la guerra civil en 1936 y el sentimiento de intolerancia explica muchos de los excesos brutales durante la contienda. En otros países tan terrible derramamiento de sangre quizá hubiera sido seguido por un proceso de reconciliación. Pero no fue el caso en España. Franco y sus partidarios hicieron todo cuanto estaba a su alcance con el fin de que las heridas de la guerra civil permanecieran abiertas. Decenas de miles de "rojos" –por lo menos 50.000 y quizá varias veces esa cifra– fueron ejecutados durante los años siguientes. Se dictó un decreto "punitivo" contra las regiones vizcaína y guipuzcoana; el líder de los catalanes fue fusilado y el gobierno rehusó otorgar pensiones a las viudas de los que cayeron del lado republicano durante la contienda, no sólo durante el período que siguió a la finalización de la guerra civil, sino incluso hasta después de la muerte de Franco.

Precisamente este aspecto del carácter español, que exhibió una especie de delirio cada vez más acentuado durante la primera etapa del régimen de Franco, es lo que a mi juicio está cambiando. El "individualismo" es todavía uno de sus rasgos más destacados. Todavía hablan en voz alta y enfáticamente, alardean y visten por encima de lo que les permiten sus medios. Sus políticos aún prefieren sacrificar sus carreras antes que tolerar que se dude de su palabra. Las más humildes camareras todavía se comportan como miembros de la clase alta, y los comerciantes más pobres aún hoy continúan impidiéndonos que busquemos las pocas pesetas que faltan con la frase "Es igual", en un gesto que sugiere que guardan millones en la trastienda.

Pero la característica vengativa y antisocial del "individualismo" de los españoles es cada vez menos evidente, a medida que el número de los que alcanzaron la edad adulta antes de la guerra civil representa una proporción cada vez menor de la población. Es como si los horrores del conflicto y sus secuelas hubiesen inoculado a los españoles, que llegaron a conocer las consecuencias, contra las costumbres y las actitudes que determinaron aquéllas. En este sentido, el salto generacional es enorme en España. Nada ejemplifica mejor esta situación que la reacción de los jóvenes españoles radicales frente a la famosa Pasionaria*, que retornó después de la muerte de Franco. Con su lenguaje intemperante y sus actitudes intransigentes, los "viejos republicanos" parecían, a los ojos de los izquierdistas y los nacionalistas regionales, criaturas de otro planeta.** La Pasionaria en definitiva creó una situación tan embarazosa al Partido Comunista que se le impuso algo parecido a un arresto domiciliario.

Observo que siempre que uno se refiere a la guerra civil o incluso a la época de Franco, la reacción de los jóvenes españoles es encogerse de hombros y decir con una sonrisa: "Bueno, eran otros tiempos".

Los lemas de la nueva España, son "solidaridad" y "convivencia". La solidaridad es todavía más una aspiración que un hecho. El primer intento de reprimir el aparcamiento ilegal en Madrid –mediante los cepos– provocaron un sentimiento de ultraje que prácticamente rozó la apoplejía. Al día siguiente de la aplicación inicial de dichas medidas 500 estudiantes protagonizaron una manifestación espontánea en la calle donde los trabajadores del ayuntamiento estaban procediendo contra los vehículos aparcados ilegalmente. En el curso de la semana siguiente, varias personas fueron obligadas a comparecer ante los jueces por haber intentado destruir con mazas el artefacto fijado a las ruedas de sus respectivos vehículos. La última vez que estuve en Madrid pude escuchar varios llamados telefónicos referidos al tema del impuesto a los réditos y, a juzgar por las observaciones, era muy evidente que quienes llamaban creían que dicho gravamen era una forma de robo oficializado. La idea de que todos tienen que contribuir con cierta suma para pagar los servicios comunes evidentemente no había entrado en sus mentes.

---

* Dolores Ibarruri. Nació en el seno de una familia de vascos pobres, llegó a ser diputada comunista y la mejor y más combativa oradora del lado republicano durante la guerra civil. Ella acuñó la frase" "No pasarán."

** Una excepción notable fue Rafael Fernández, quien participó en el alzamiento asturiano de 1934. En su carácter de jefe del gobierno preautónomo de Asturias hizo todo lo posible para relacionarse con la derecha, y llegó al extremo de incluir en su equipo de asesores a un ex ministro de Franco.

En cambio, la "convivencia" es una realidad. Los gestos de reconciliación durante estos últimos años han sido numerosos y conmovedores: la observación formulada por el teniente general Vega Rodríguez, entonces jefe del Estado Mayor del Ejército durante la celebración militar anual, en el sentido de que los generales comunistas de la guerra civil Juan Modesto y Enrique Líster habían tenido "alguna de las virtudes militares que tanto admiramos"; el retorno a España del "Guernica" de Picasso y de los restos de Alfonso XIII; el abrazo –durante su gira a través de México– entre el rey Juan Carlos y la viuda de Manuel Azaña, último presidente republicano de España. Y lo que es quizá más importante que todo lo anterior, el gesto realizado por los líderes de los cuatro partidos principales después del intento de golpe de 1981, cuando tomados del brazo marcharon a través de Madrid a la cabeza de la manifestación más grandiosa que la ciudad ha presenciado jamás.

Como lo demostró el intento de golpe, el sector de la sociedad donde se manifiesta con menos fuerza el espíritu de "convivencia", donde a menudo todavía continúa concibiéndose a España como una abstracción idealizada, más que como la suma de virtudes y defectos de la gente que lo habita, es el ejército. Es significativo, por ejemplo, que la observación del general Vega Rodríguez provocara un verdadero clamor en muchos de sus colegas.

Lamentablemente, el ejército es la institución –la única entre las que forman la España contemporánea– que tiene los medios necesarios para imponer por la fuerza sus criterios al resto de la sociedad. Es poco lo que los políticos pueden hacer en relación con ese estado de cosas. Pueden reducir las fuerzas del ejército y elevar su nivel (aunque esto acarrea otros riesgos), y pueden dar a sus oficiales más y mejores armas para mantenerlos ocupados (pero, otra vez, esto es costoso). Fuera de eso, lo único posible es esperar y desear que las actitudes que han venido difundiéndose gradualmente en el resto de la sociedad durante el último cuarto de siglo arraiguen en los militares. En este sentido, el golpe de 1981 fue más positivo que negativo, porque seguramente demostró incluso a los oficiales de espíritu más quijotesco que –aun en el caso de que el golpe de Tejero hubiese triunfado– él y sus jefes no habrían podido contar, a diferencia de Franco, con un apoyo significativo de la población.

Esa indignación continúa siendo la más firme garantía de que goza España contra el retorno de la dictadura. Quizá su expresión más sutil pero eficaz durante los días que siguieron al golpe, aparece